LES VRAIS PENSEURS DE NOTRE TEMPS

*Guy Sorman, quarante-sept ans, dirige une entreprise de presse qu'il a créée. Ancien élève de l'ENA, il a enseigné l'économie à l'Institut d'Etudes politiques de Paris. Il est président de l'organisation humanitaire « Action Internationale contre la faim » (AICF) et directeur d'une société d'édition (*Vie publique, La Lettre du Maire, Le Moniteur). Il a publié* La Révolution conservatrice américaine *(1983),* La Solution libérale *(1984),* L'Etat minimum *(1985),* La Nouvelle Richesse des Nations *(1987) et* Sortir du socialisme *(1990).*

Du *Big Bang* à la philosophie chinoise, des origines du langage à l'économie libérale, de la science du chaos à l'évolution des espèces, de la conquête de l'espace à la génétique, de la psychanalyse à l'intelligence artificielle, Guy Sorman explore toutes les théories intellectuelles qui caractérisent notre temps.

Cette enquête n'est pas conduite dans le ciel des abstractions, mais organisée autour de rencontres avec les penseurs eux-mêmes, à Paris, Boston, Delhi, Pékin, Berlin, Londres, Tokyo ou Mexico. Ainsi s'ouvre un dialogue universel entre Noam Chomsky et Edward Wilson, Youri Afanassiev et Edward Teller, Motoo Kimura et Stephen Gould, Karl Popper et Claude Lévi-Strauss... entre autres bâtisseurs de systèmes représentatifs de la pensée universelle d'aujourd'hui. L'ensemble constitue une sorte de bibliothèque vivante, véritable panorama des connaissances et des différentes interprétations de notre univers et de notre histoire à l'aube du troisième millénaire.

Dans Le Livre de Poche :

LA NOUVELLE RICHESSE DES NATIONS.

DU MÊME AUTEUR

LA RÉVOLUTION CONSERVATRICE AMÉRICAINE, Fayard, 1983.
LA SOLUTION LIBÉRALE, Fayard, 1984.
L'ÉTAT MINIMUM, Albin Michel, 1985.
LA NOUVELLE RICHESSE DES NATIONS, Fayard, 1987.

GUY SORMAN

Les Vrais Penseurs
de notre temps

FAYARD

LA BIBLIOTHÈQUE VIVANTE

Ce livre n'est rien d'autre qu'un rêve d'enfant réalisé. Lorsque j'étais étudiant à l'Institut d'études politiques de Paris, au tout début des années 60, je fréquentais une brasserie de la rue des Écoles, le Balzar, dont Jean-Paul Sartre et Simone de Beauvoir étaient des clients assidus. Je les observais avec fascination, sans jamais oser les aborder; depuis lors, Sartre est mort, Simone de Beauvoir aussi, et je n'ai cessé de regretter cette occasion manquée. Lorsque à leur tour Fernand Braudel et Georges Dumézil ont quitté ce monde, je me suis senti coupable et stupide de ne jamais les avoir rencontrés non plus. Habiter à Paris à la fin du XXe siècle et ne pas dialoguer avec les esprits hors du commun qui y vivent encore m'est apparu tout aussi scandaleux, absurde, que d'avoir été athénien au Ve siècle avant notre ère et de n'y avoir pas écouté les philosophes, ou florentin au XIIIe siècle sans jamais avoir vu Dante.

Bien entendu, il reste les livres, les œuvres, dont je ne nie pas le caractère essentiel, mais qui ne coïncident pas toujours nécessairement avec leur auteur. L'écrit est figé, la pensée est fluide et ne cesse d'évoluer; elle ne s'interrompt pas parce que la dernière ligne est écrite. La bibliothèque vivante que constituent dans leur chair et leur verbe les vrais penseurs ne recoupe pas toujours exactement leurs publications. L'une vaut parfois mieux que les autres, ou bien l'inverse, mais ce n'est pas la même chose.

J'ajoute que tout cela était bien connu autrefois. Une longue tradition que l'on retrouve dans l'Europe du Moyen Age comme dans l'Asie classique exigeait que l'apprenti, collégien ou novice, parcourût de longues distances pour être éduqué par quelque maître lointain. La facilité apparente des communications modernes et la médiatisation des intellectuels comme des chefs religieux ont tué cette pratique. J'ai donc tenté de réinventer les rites anciens de l'initiation personnelle avec les facilités de notre temps : l'avion, et l'anglais qui est devenu notre latin. Ce qui ne fut au départ qu'une recherche personnelle et occasionnelle s'est fait plus systématique grâce aux encouragements de Louis Pauwels. Il ne fallait pas moins que son goût visionnaire et son incitation pour m'envoyer parcourir des centaines de milliers de kilomètres et consacrer quelques années à édifier ma bibliothèque vivante. Il va de soi que tout, dans cette bibliothèque, relève de l'arbitraire et du bon plaisir de l'auteur; il s'agit là d'une collection personnelle et non pas d'un musée d'archives[1].

Une collection arbitraire ou presque

Le plus arbitraire de mes choix est de n'avoir retenu que des penseurs vivants : je ne propose donc pas au lecteur une anthologie ou une analyse de textes, mais des rencontres et des débats.

1. Les entretiens qui ont servi de base à cet ouvrage ont eu lieu entre novembre 1987 et avril 1989. Le lecteur trouvera à la fin quelques indications biographiques et bibliographiques.

Tout aussi arbitraire est le titre de cet ouvrage. Qu'est-ce qu'un « vrai penseur », par opposition à un faux ou à celui qui ne pense pas? Pour me débarrasser de cette question insolente – qui m'a constamment été posée au cours de mon enquête, surtout par ceux qui n'y figuraient pas –, je suis tenté de répondre par une autre insolence : j'appelle vrai penseur celui que je désigne comme tel parce que j'ai souhaité le rencontrer. Mais, pour être plus honnête, je me suis fixé à moi-même quelques critères. J'ai appelé vrais penseurs *ceux après qui on ne peut plus penser comme avant, dans leur discipline.* Exemples incontestables : on ne peut plus penser l'anthropologie après Lévi-Strauss comme avant lui, ou la linguistique après Noam Chomsky comme avant lui. J'ai donc privilégié les hommes de rupture, ce qui ne signifie pas qu'ils aient eu toujours raison de rompre; il se trouve seulement que la liberté de l'esprit est, dans l'ensemble, révolutionnaire. Ces hommes de rupture transgressent les normes antérieures de leur discipline, mais ils en transgressent aussi les frontières. La plupart d'entre eux sont des « constructeurs de système »; ce critère de choix-là m'a été suggéré par l'historien britannique Isaiah Berlin. Notre siècle est moins riche que le précédent en bâtisseurs de systèmes idéologiques, mais les systèmes scientifiques, parfois tout aussi contestables, ont pris le relais.

Pour préciser ma méthode de sélection des vrais penseurs, j'ai ajouté deux principes d'exclusion : la vulgarisation et la mode. Comme j'essaie moi-même d'être un vulgarisateur, ceux qui remplissent le même office ne m'intéressent pas beaucoup. Les penseurs à la mode non plus, car la plupart d'entre eux n'ont plus le temps de penser : ils se doivent tout entiers à leur public. L'historien d'art Ernst Gombrich m'a expliqué que « le véritable artiste est celui qui dialogue avec son œuvre; l'imposteur dialogue avec le public ». Cette définition vaut pour toutes les disciplines. Ainsi, dans les sciences exactes, seul le jugement de ses pairs authentifie le vrai penseur, non la ratification du public. Voilà pourquoi, au total, ma bibliothèque est composée d'auteurs connus ou inconnus, mais rarement célèbres. Voilà pourquoi les quelques Français présents ne sont pas ceux que la plupart des lecteurs s'attendent à y retrouver.

Pour être tout à fait sincère, il convient de dire que certains penseurs que j'ai sollicités ont refusé de me recevoir – très peu. Je citerai quand même le philosophe allemand Jurgen Habermas. Comme je n'ai jamais rien compris à ses livres et que sa réputation est malgré tout considérable, j'ai cru qu'un entretien m'éclairerait. Mais Habermas ne parle pas à ceux qui ne partagent pas ses vues politiques. Est-ce bien un philosophe? A la réflexion, je ne regrette pas son refus. Autre exemple cocasse, celui d'Ivan Illich. Fondateur de la théologie de la libération en Amérique latine, ennemi du progrès, de l'école et de la médecine, ce penseur paradoxal, qui eut son heure de gloire il y a vingt ans, me paraissait digne d'être exhumé de son oubli. Réponse d'Ivan Illich, en substance : « Mes idées sont trop fondamentales pour être divulguées. »

Au total, j'ai retenu vingt-huit interlocuteurs; il m'aura fallu deux années entières pour parvenir à ce résultat. Le plus difficile a souvent été d'organiser la rencontre, car les penseurs modernes sont itinérants. Il y a deux siècles, pour rencontrer Kant, il suffisait de se rendre à Königsberg. Aujourd'hui, chacun est entre deux avions et j'ai consacré ces deux années à consulter les horaires d'Air France aussi assidûment que les œuvres de mes penseurs.

J'ai déjà signalé qu'au départ de ce livre il y avait un pari stupide consistant à ne rencontrer que des penseurs vivants. Le second, plus aberrant encore, est de considérer qu'un non-spécialiste peut dialoguer avec des spécialistes. Tout le monde sait que les mathématiques ne réjouissent que les mathématiciens, que la physique est devenue incompréhensible depuis que l'espace est à *n* dimensions, et que la cosmologie est un trou noir pour le profane. Ne resteraient accessibles à la compréhension vulgaire que les sciences humaines, parce qu'elles sont peu scientifiques, et quelques fragments de la philosophie, à condition qu'elle ne soit pas allemande.

Cette opinion commune est renforcée par l'enseignement qui a réparti les disciplines dans des niches bureaucratiques où chercheurs et enseignants peuvent dormir tranquilles. Mais cette fragmentation n'a aucun fondement scientifique. Bien plus, comme me l'a fait remarquer le philosophe anglais d'origine autrichienne Karl Popper, les grandes percées ne s'opèrent qu'à la rencontre entre disciplines. L'absence de communication entre celles-ci conduit à des aberrations qu'illustre bien l'enseignement français : sous prétexte que la science contemporaine est incompréhensible, nos enfants apprennent celle d'avant-hier, même si elle s'est révélée fausse. Voilà pourquoi et comment se perpétue une vision mécaniste du monde, qui s'est développée depuis le XVIIe siècle, et étrangère à tout ce qui a été découvert, depuis soixante ans au moins, sur le caractère probabiliste de bien des phénomènes physiques ou biologiques. Cet archaïsme est d'autant moins justifié qu'aucune discipline n'est totalement impénétrable au non-spécialiste; il suffit souvent d'un effort de vocabulaire. L'hermétisme savant présente l'avantage de faire court et précis, mais il est généralement traduisible en langage courant. Ce qui ne veut pas dire que le non-scientifique va soudain être capable de faire des mathématiques ou de la physique comme monsieur Jourdain de la prose. Certainement non! Mais il me paraît au moins possible de comprendre ce que recherchent les hommes de science, à défaut de partager les joies de leurs découvertes.

D'une manière plus générale, cette bibliothèque vivante devrait permettre au plus grand nombre de savoir de quoi l'autre parle, et quel est le but de sa recherche. Chaque science, explique le mathématicien français René Thom, est construite autour d'un mystère fondamental qu'il s'agit d'élucider et que, probablement, personne n'élucidera jamais.

La vérité naît de la contradiction

Le lecteur constatera bien vite que, dans la plupart des disciplines, ma bibliothèque est constituée de systèmes contradictoires. Sur des sujets aussi décisifs que les origines de la culture, Lévi-Strauss et l'entomologiste américain Edward Wilson sont en désaccord total. Sur la sélection naturelle des espèces, le Japonais Motoo Kimura contredit le paléontologue de Harvard Stephen Gould. Sur le rôle du hasard dans les phénomènes physiques, René Thom et Ilya Prigogine sont irréconciliables. Dans l'état actuel des connaissances, il est impossible de trancher entre ces théories, mais la lumière vient précisément – comme nous l'explique Karl Popper – de ce que chacune d'entre elles est en permanence remise en cause par une autre. C'est même, ajoute Popper, cette possibilité de remise en cause qui définit le caractère scientifique d'une théorie. Popper appelle cela *falsifiability*, la possibilité d'être réfuté.

Consulter ma bibliothèque, c'est donc se familiariser avec la nature même de la recherche, bâtie sur des interrogations et non sur des certitudes : le contraire d'un manuel scolaire ou d'une encyclopédie. A l'inverse aussi des manuels, il ne s'agit pas ici de dresser l'inventaire des travaux de mes interlocuteurs, mais de débattre avec eux de ce qu'ils considèrent comme les thèmes essentiels ou les plus récents de leur recherche : nous assisterons avec eux au spectacle d'une pensée en train de se faire, pas à une rétrospective historique de leurs travaux. Place donc au théâtre de l'esprit!

Les grands absents

Au fur et à mesure que j'édifiais ma bibliothèque, je découvrais moi-même qu'elle était bancale. Pourquoi donc n'y avait-il pas de femmes? Pourquoi le monde occidental était-il sur-représenté par rapport au monde soviétique? Et les Européens plus nombreux que les Africains ou les Asiatiques? Par quels préjugés inconscients étais-je guidé?

J'ai essayé à plusieurs reprises de redresser la barre. J'appelai même à l'aide quelques féministes comme Betty Friedan aux Etats-Unis; je consultai en vain la liste des Prix Nobel. Rien à faire : celle-ci recoupait mes propres inclinations. Bien souvent, j'ai été tenté de retenir une femme dans une discipline qu'elle ne dominait pas, parce que c'était une femme. J'abandonnai vite ce procédé spécieux le jour où je compris où gisait l'erreur.

C'est la définition même de mon champ d'investigation et mes critères de sélection qui conduisaient à exclure dès le départ les femmes. Si j'avais choisi les « vrais romanciers » du XXe siècle, la moitié aurait certainement été des femmes. Mais ce que j'ai appelé arbitrairement « *la pensée* » est une activité intellectuelle d'un genre très particulier : elle exige de se concentrer pendant trente ans sur le même sujet sans être interrompu par des préoccupations domestiques et familiales. Peu de femmes peuvent consacrer leur vie à une activité aussi exigeante, voire obsessionnelle. Cela changera assurément un jour, mais il y faudra du temps, au moins une génération. C'est presque une question de statistiques, comme me l'a expliqué le mathématicien français Jean Dieudonné : pour qu'en mathématiques – ou dans la plupart des disciplines scientifiques – surgisse un génie, il faut qu'une population minimale travaille dans cette discipline. Tant que les effectifs féminins resteront limités dans les domaines que j'ai qualifiés arbitrairement de « vraie pensée », les chances d'y voir surgir une femme de génie demeureront faibles.

Peut-on appliquer ce même raisonnement à tous ceux qui sont actuellement sous-représentés dans ma bibliothèque vivante en raison de leur culture d'origine ou de la pauvreté de leur pays? Cette explication est certainement trop mathématique pour être satisfaisante. Mais alors, doit-on admettre quelque raison génétique aux performances inégales des uns et des autres? Il n'y a pas de réponse à cette question, à cause de la manière même dont elle est formulée. Elle suppose en effet qu'existerait une hiérarchie des valeurs au sommet de laquelle seraient placées par exemple les mathématiques. Mais si tel était le cas, comme me l'a fait observer Edward Wilson, la race supérieure sur notre planète serait les termites, car il faut avoir le génie du calcul pour construire une termitière. J'ajoute que l'un des plus grands physiciens de notre temps est un Pakistanais musulman, Abdou Salam, qu'un des plus grands biologistes est le Japonais Motoo Kimura, l'un des meilleurs astrophysiciens est l'Indien Radakrishnan.

Au total, la variété infinie de l'espèce humaine n'interdit à aucun peuple ou sexe particuliers d'accéder aux plus hautes sphères de la connaissance, à condition peut-être qu'un nombre suffisant, à l'intérieur de ces peuples ou de ces sexes, reçoive les moyens de se former, puis de travailler.

Enfin, s'il est envisageable que certains groupes humains se montrent plus aptes que d'autres à développer certaines disciplines, cela veut simplement dire qu'ils sont différents, non qu'ils pensent plus ou moins, ou qu'ils soient plus ou moins intelligents. En admettant qu'il existe une chose qui s'appelle l'intelligence! Comme me l'a fait observer Stephen Gould à propos des tests censés la jauger : on ne sait pas ce qu'est l'intelligence; donc on appelle intelligence ce que les tests mesurent. Si, à partir de ces différences entre individus et entre groupes, certains créent des hiérarchies, celles-ci sont en vérité des catégories idéologiques : la science n'a rien à voir là-dedans.

La balance penche vers la liberté

Parmi les grands absents ou, en tout cas, les catégories sous-représentées, il y a le monde soviétique. Malgré mes efforts particuliers. Là encore, mes critères arbitraires m'ayant conduit à privilégier la pensée révolutionnaire, les bâtisseurs de système et les transgresseurs de frontières, il m'était difficile d'en trouver beaucoup en U.R.S.S. S'il en existe, ils se cachent ou les autorités les cachent. De plus, la science soviétique incite les chercheurs à approfondir leur discipline, non à en sortir. Le physicien Alexandre Ginzburg, que j'ai rencontré à Moscou, fait autorité en ce qui concerne la supraconductivité, mais il se trouvera exclu s'il s'intéresse par ailleurs à la philosophie ou s'il vient à remettre en cause le léninisme, qui reste la doctrine officielle de la *Perestroïka*. Cette interdiction de fait de la pensée « transversale » conduit chacun, là-bas, à s'enfermer dans sa recherche, ou suscite le phénomène de la dissidence. Le dissident est un personnage si particulier de notre époque que j'en ai placé deux dans ma bibliothèque : Milovan Djilas et Youri Afanassief, sans qu'ils soient nécessairement les plus « vrais penseurs » du monde auquel ils appartiennent; ils en sont néanmoins les plus efficaces destructeurs.

J'ajoute qu'avec la meilleure volonté il ne m'a pas été possible de dénicher dans tout le monde soviétique, ou ailleurs, un vrai penseur marxiste. Le marxisme est devenu soit un catéchisme, soit le discours de dictateurs totalitaires. Ce n'est, comme l'explique l'historien polonais Leszek Kolakowski, en aucun cas une pensée vivante, et son utilité pour comprendre notre temps est nulle. Le marxisme ne relève plus que de l'histoire des doctrines. D'une manière plus générale, cet effondrement du marxisme se répercute sur l'ensemble de la pensée progressiste, que l'on trouvera donc sous-représentée dans ma bibliothèque; ce n'est pas un parti pris de la part du collectionneur curieux, mais l'espèce est devenue introuvable.

La science est-elle occidentale?

Le lecteur découvrira également très vite que j'ai privilégié la pensée et la science occidentales. Parce qu'elles nous sont plus accessibles, bien entendu, mais aussi parce qu'elles n'ont plus vraiment de rivales. Cette proposition sera qualifiée d'ethnocentrique, voire d'impérialiste, mais les faits plaident en sa faveur.

Un exemple? Nous verrons, avec Stephen Gould, comment le biologiste soviétique Lyssenko avait tenté, dans les années trente, de persuader le monde qu'il existait deux sciences de la biologie, l'une capitaliste et l'autre prolétarienne. La seconde avait l'ambition de changer l'humanité, puisqu'elle était fondée sur la transmission des caractères acquis. Paradoxalement, Staline, qui avait soutenu Lyssenko dans sa recherche sur le blé, s'opposa toujours au lyssenkisme en physique : pour construire l'arme nucléaire, il s'en remit à Sakharov et à Ginzburg, qui pratiquaient la physique bourgeoise. Trente ans après, les Soviétiques ont la bombe, mais ils n'ont toujours pas assez de blé. La morale de cette histoire est qu'il n'existe pas deux sciences, mais une seule. La totalité de mes vrais penseurs en sont persuadés.

Cette science est-elle occidentale ou universelle ? Personne ne conteste son origine occidentale : les mathématiques sont la forme grecque de l'intelligence antique, explique René Thom, et toutes les sciences exactes sont nées en Europe occidentale entre le XIV\ :superscript:`e` et le XVII\ :superscript:`e` siècle. Ce n'est que là, explique Ilya Prigogine, que furent, par les hasards de l'Histoire, réunies les conditions sociologiques de la naissance de la science. Mais cette science occidentale est devenue universelle parce qu'elle correspond aux catégories naturelles de l'esprit humain. Un triangle est un triangle, dit René Thom, dans toutes les civilisations. Les Japonais n'ont eu aucune difficulté, m'a expliqué Motoo Kimura, à se modeler sur les formes de la recherche occidentale : « Notre cerveau est le même que celui des Occidentaux. » Ce débat sur l'unité de la science paraît donc clos : c'est à l'intérieur de cet univers-là que s'inscrivent actuellement les joutes entre les différentes théories interprétatives de la réalité.

La situation est plus complexe pour les formes de pensée qui ne relèvent pas des sciences dites exactes : philosophie, métaphysique, art... Le Bien et le Mal, le Beau et le Laid, le Vrai et le Faux sont-ils aussi des catégories universelles ou bien relatives ? Contrairement aux sciences exactes, aucune expérience ne permet de le vérifier. Pour Karl Popper, la vérité est la même partout. Pour Ernst Gombrich, la Beauté est universelle. Pour Octavio Paz, la démocratie vaut pour tous les peuples. Les théologiens que j'ai rencontrés, aussi éloignés géographiquement que Claude Tresmontant à Paris et Zhao Fusan à Pékin, estiment que l'origine occidentale du christianisme ne nuit en rien au caractère universel de la Révélation. J'incline du côté de ces universalistes, ce qui n'a pas manqué d'orienter mes choix, mais je ne suis pas sourd non plus aux appels de Claude Lévi-Strauss et du sociologue indien Ashis Nandy en faveur du relativisme culturel. Mon enquête m'a persuadé que ce qui est évident à Paris ne l'est pas nécessairement à Pékin ou à Delhi. L'une des grandes lignes de ma recherche aura donc été de distinguer, si possible, ce qui, dans le Vrai et le Faux, le Juste et l'Injuste, le Beau et le Laid, relève de l'absolu ou dérive du préjugé.

Le vrai penseur type

Parvenu en fin de parcours – les préfaces se rédigent toujours après que le livre est terminé –, j'ai été tenté de brosser le portrait-robot du vrai penseur, même s'il est contestable d'additionner des êtres dont l'individualisme est précisément la marque.

Le vrai penseur archétype du XXe siècle est un vieil homme, un survivant de civilisations perdues, généralement échoué loin de ses terres d'origine. Souvent il a été juif et ne l'est plus ; il ne pratique qu'un culte, celui de la connaissance pour la connaissance. Physicien, biologiste, philosophe ou mathématicien, le vrai penseur archétype m'annonce – tout en s'en félicitant – que sa recherche n'a pas d'autre but qu'elle-même : le vrai penseur est généralement modeste. Pourquoi est-il, ce vrai penseur, si souvent né à Vienne et

16

immigré aux Etats-Unis? C'est qu'il faut, pour penser vrai, m'a dit Bruno Bettelheim, que des esprits aventureux se heurtent à un ordre conformiste afin qu'il en sorte du nouveau.

Il existe bien des lieux où la pensée se développe mieux qu'ailleurs. Vienne au début de ce siècle, carrefour des civilisations, des religions, des langues, fut l'un de ces lieux comme il y en eut d'autres dans l'Histoire, mais assez peu : Athènes, Paris quand on y parlait latin, Florence, Oxford, Harvard. Les lieux, je l'ai découvert au cours de mon enquête, sont essentiels à la pensée. Il n'est certes pas interdit de réfléchir à Bamako, Lorient ou Valparaiso. Mais c'est généralement en quittant ces terroirs pour se confronter à d'autres cultures que l'on remporte les véritables victoires, celles qui rassemblent en un seul système cohérent les éléments épars de la connaissance du temps. Les carrefours anciens de l'universalité, monastères et universités d'Europe, ont mal résisté à notre siècle. Ils se sont bien souvent reconstitués aux Etats-Unis. Ce n'est pas par hasard que les grandes universités américaines, Yale, Berkeley, Harvard, Stanford, pastichent l'architecture des monastères de l'Europe du Moyen Age. Certaines formes favorisent sans doute aussi l'élévation de l'esprit : le cloître est devenu un campus. En Europe, Oxford et Cambridge ont conservé un peu de leur universalité et de leur cosmopolitisme. Mais, en France, l'Institut de recherches fondamentales de Bures-sur-Yvette, où travaille Thom, n'est pas Stanford...

La France fait plutôt pauvre figure au terme de cette enquête. Paris n'est plus un carrefour; bien pis, on y craint désormais la confrontation des cultures sans laquelle il n'y a pourtant rien de sublime à attendre. Ajoutons à cela l'effet de mode propre à la vie culturelle parisienne, et la subordination de la recherche aux crédits de l'Etat, c'est-à-dire à la politique. Voilà sans doute pourquoi un René Girard a préféré Stanford à la Sorbonne.

Le labeur fait le génie

Et le génie, là-dedans? N'est-ce pas en définitive le génie qui fait le vrai penseur? Assurément oui, si l'on veut bien s'entendre sur le sens du mot. Tout saut décisif dans la vraie pensée, qu'elle soit philosophique ou scientifique, exige à un moment donné que soient larguées les amarres et les balises du labeur. Mais à quoi reconnaît-on le génie? A une certaine lumière dans le regard que j'ai quelquefois repérée chez mes interlocuteurs? Certainement. Mais cette lumière ne brille qu'au terme d'une longue persévérance. « Vos vrais penseurs, m'avait déclaré Isaiah Berlin à Londres après en avoir consulté la liste, je les connais presque tous; ce sont des monomaniaques de génie. » Mais il faut une vie entière de recherche obsessionnelle pour atteindre au génie. Claude Lévi-Strauss n'« invente » le structuralisme en anthropologie qu'après avoir analysé et comparé des centaines de mythes. Edward O. Wilson ne propose sa « sociobiologie » qu'après avoir passé trente ans dans son laboratoire. Cela n'est pas lié aux conditions modernes de la recherche : Darwin avait consacré plusieurs années à l'étude des vers de terre avant de relier le facteur « temps » à la marche de l'évolution. Darwin était certainement « génial »! Et c'est à soixante-dix ans que Friedrich von Hayek réinvente le libéralisme économique après une vie d'observations et de réflexions.

Parmi tous les penseurs que j'ai rencontrés au cours de cette enquête, Hayek m'a certainement apporté plus que tout autre. Si je devais dédier ce livre, c'est à lui que l'hommage s'adresserait. Son œuvre témoigne de ce que la rupture entre les deux

18

cultures, humaniste et scientifique, n'a aucune raison d'être, et que les percées intellectuelles décisives chevauchent nécessairement les disciplines académiques.

Cela vaut pour tous les domaines de la connaissance, à commencer par les théories sur les origines de l'Univers. C'est par là que, logiquement, s'ouvre notre aventure.

I

DES ORIGINES SANS MYSTÈRE

CARL SAGAN

Le Big Bang, *une évidence*

Carl Sagan est beau, riche et agaçant; son intelligence aiguë le dispute à sa popularité. Avec sa femme Anne Druyan, il a produit une série télévisée et un livre, *Cosmos*, diffusés auprès de centaines de millions de téléspectateurs et de lecteurs. Un monument de la vulgarisation scientifique. Pour Sagan, ce qui est compliqué mérite d'être expliqué clairement et connu du plus grand nombre. Et il y parvient fort bien : lisez-le et vous comprendrez enfin ce qu'est le *Big Bang*, à quoi ressemble un « trou noir ».

Sagan n'est donc pas un intellectuel en chambre, mais un savant institutionnel à la tête de gigantesques moyens d'investigation, sans précédent dans l'histoire de l'humanité. Il est en particulier responsable des grandes expéditions scientifiques des vaisseaux spatiaux *Viking* et *Voyager* vers Mars et Neptune. Le laboratoire qu'il dirige à l'Université Cornell, au nord de l'État de New York, fait autorité dans la reconstitution *in vitro* des origines de la vie organique.

Sagan a-t-il encore le temps de penser ou a-t-il fini par être dévoré par ses succès dans les médias? J'hésite sur la réponse, et il appartiendra au lecteur d'en juger. Il est en tout cas l'un des très rares cosmologues contemporains qui permettent aux non-initiés d'accéder sinon à leur propre niveau de connaissances, du moins à celui de leurs interrogations essentielles. Au demeurant, si Sagan n'était qu'un homme de spectacle, il serait d'un imperturbable optimisme, comme l'exigent les lois du genre. Or, on ne peut vraiment dire qu'il le soit.

La terre va disparaître, il suffit d'attendre

« Le *Big Bang* n'est pas une théorie parmi d'autres sur la création de l'Univers. » C'est, affirme Carl Sagan, la seule théorie scientifique, et il n'y en a jamais eu d'autres. Auparavant n'existaient que des hypothèses métaphysiques. Chaque religion propose un mythe, une version plausible de la Création qui satisfasse le désir légitime de comprendre nos origines. Mais, pour la première fois dans l'histoire de l'humanité, « le mythe n'est plus un mythe ». Notre Univers actuel a bien eu un point de départ.

Le *Big Bang*, ajoute Sagan, est pourtant loin d'épuiser notre curiosité. Si l'Univers est bien né d'une explosion initiale, on ne sait toujours pas pourquoi ni comment, ni ce qu'il y avait avant. Très probablement, estime-t-il, l'Univers a une histoire faite d'alternances entre expansions et contractions, une histoire cyclique comparable à l'interprétation hindouiste.

Les hindous auraient-ils donc eu la prescience de ce qu'est le Cosmos ?

Non, explique Sagan. Chaque religion avance sa propre version du Cosmos, et il est inévitable que, dans cette variété d'hypothèses, l'une finisse par se rapprocher par hasard de l'observation scientifique. Mais ce sont aussi les hindous – autre coïncidence – qui ont daté l'origine de notre Univers dans une zone de temps voisine de celle qu'a retenue l'astronomie moderne : pour eux, une dizaine de milliards d'années, alors que l'on considère que le *Big Bang* s'est produit il y a quinze milliards d'années.

Par contraste avec les hindous, la Bible a une conception toute « provinciale » du temps : elle ne parle qu'en termes de quelques milliers d'années. La conscience occidentale a hérité cet ordre de grandeur biblique, ce qui explique sans doute notre difficulté particulière à appréhender la durée cosmique.

Mais le *Big Bang* est-il une vérité scientifique définitive ? Rien, par définition, me répond Sagan, ne permet de proclamer avec assurance que d'autres savants ne proposeront pas à l'avenir une autre solution. Mais le *Big Bang* est une théorie sans faiblesse apparente. Elle est attestée par une série d'éléments convergents reconnus par la quasi-totalité de la communauté scientifique : le *Big Bang* est le paradigme fondamental de la cosmologie contemporaine.

Des preuves, ou plutôt des faits ? Essentiellement deux.

Tout d'abord, l'Univers s'étend : les étoiles s'éloignent les unes des autres, il y a donc eu un point de départ initial à cette expansion de l'Univers. La vision traditionnelle d'un Univers qui aurait toujours existé tel que nous le connaissons n'est plus acceptable, explique Sagan. Le Cosmos ne cesse de changer sous nos yeux. Des étoiles naissent et meurent, des ensembles se font et se défont.

Ensuite, cette explosion initiale a laissé derrière elle des traces que l'on peut recueillir. Même si nous ne connaissons pas toutes les étapes qui ont conduit du *Big Bang* à la planète Terre, nous percevons de multiples phénomènes qui nous permettent de reconstituer le processus. A la manière des espèces vivantes, le monde évolue lui aussi en laissant derrière lui des traces de sa dynamique : des fossiles cosmiques ! Le physicien américain Arno Penzias a d'ailleurs enregistré en 1962 des ondes-radio nées du

« bruit » du *Big Bang*. Ces rayons-fossiles permettent de remonter non jusqu'au *Big Bang* lui-même, mais jusqu'aux instants qui l'ont immédiatement suivi.

Que reste-t-il à découvrir dès l'instant que les cosmologues semblent si assurés de connaître les origines de l'histoire de l'Univers? Quelles sont les questions qu'ils se posent encore à eux-mêmes?

En observant des objets du plus en plus petits, me répond Sagan, nous espérons remonter le plus près possible du moment des origines, tout en sachant que les lois de la physique empêchent de parvenir jusqu'à cette origine elle-même.

Autre préoccupation importante : mesurer la quantité de matière présente dans l'Univers. S'il apparaît que cette masse dépasse un certain seuil, cela voudra dire que l'expansion actuelle du Cosmos s'arrêtera nécessairement – dans quelques milliards d'années – et qu'il se contractera de nouveau en un point unique. L'hypothèse d'un monde oscillant entre contractions et explosions se trouvera donc confirmée. Mais s'il s'avère que la quantité de matière est inférieure à ce seuil, l'Univers continuera à s'étendre indéfiniment, et le *Big Bang* aura été un événement unique qui ne se reproduira pas. Seule l'hypothèse d'un Univers stable est impossible, conclut Sagan.

Entre ces deux éventualités envisageables – expansion infinie ou recontraction –, nous pourrions être bientôt fixés : lorsque le premier télescope en orbite spatiale, le *Hubble Space*, sera lancé par une prochaine navette Challenger, sans doute en 1990. Pour l'astronomie, me dit Sagan, ce sera une percée comparable à celle qu'opéra le premier télescope terrestre utilisé par Galilée. « Tout cela, ajoute-t-il, n'aura aucune utilité pratique, aucun usage militaire; et les résultats seront partagés par le monde entier. »

La Vie tient dans une bouteille

Dans son laboratoire de l'Université Cornell, Carl Sagan m'a montré comment on peut créer la Vie dans une bouteille. Il suffit d'avoir à votre disposition un ballon de verre rempli de gaz présents dans l'Univers. Vous pouvez, au choix, sélectionner des éléments courants de l'environnement de la Terre, de Jupiter ou d'Uranus. Ajoutez-y quelques décharges électriques de type solaire ou quelques rayons ultra-violets. Dix minutes plus tard, vous obtenez une matière jaune qui vire progressivement au brun. Vous avez reproduit sinon la Vie, du moins les éléments constitutifs de la Vie. Cette espèce de goudron qui se forme sur les parois du flacon est faite de molécules à base de carbone. Or, nous sommes tous « faits » de carbone!

Rien de plus facile, en somme, que de recréer en laboratoire le processus qui, à partir d'atomes dispersés dans l'Univers, débouche sur la Vie. C'est très probablement selon ce schéma, estime Sagan, que, sur notre Terre, les rayons du Soleil ont déclenché l'évolution dans la « soupe » originelle. Mais si la Vie est aussi facile à créer, doit-on en déduire qu'elle existe ailleurs?

La réponse est dans le projet *Meta*.

La parole est aux extra-terrestres

A Pasadena, en Californie, Carl Sagan a créé une station de radio – « privée », précise-t-il – à destination des éventuels auditeurs de notre galaxie : elle couvre simultanément huit millions de fréquences. C'est, selon Sagan, le moyen le moins cher et le plus rapide de communiquer avec d'autres intelligences – pour autant qu'il s'en trouve dans l'Univers. Au cas où nous recevrions un signal en retour, même incompréhensible, ce serait la preuve que nous ne sommes pas seuls au monde. Si nous parvenions à décoder ce signal, nous entrerions en relation avec une forme d'intelligence qui aurait probablement une conception de l'Univers différente de la nôtre. Mais Sagan se garde bien de faire la moindre prédiction : « Si je n'obtiens aucune réponse, dit-il, cela prouvera combien la vie humaine est précieuse et rare : le silence cosmique nous incitera à mieux la préserver. »

Sans aller chercher aussi loin que portent ces ondes-radio, que savons-nous aujourd'hui des possibilités de vie à proximité, dans notre système solaire?

Les probabilités en sont à peu près nulles. Mars aura constitué une déception particulière pour les amateurs de science-fiction : les fameux « canaux » qui avaient été « repérés », en 1906, par le Bostonien Percival Lowell, n'existaient que dans son imagination! Dès le début du siècle, explique Sagan, tous les astronomes savaient que Lowell s'était trompé; cela n'a pas pour autant empêché le mythe des Martiens de se propager. Depuis lors, des robots se sont posés sur Mars. Dans les deux lieux explorés par *Viking* en 1976, aucune trace de molécule organique n'a été découverte.

Sagan n'exclut cependant pas que l'on puisse trouver des fossiles de microbes en d'autres régions de cette planète. Peut-être reste-t-il à apprendre que la Vie est susceptible de revêtir des formes que nous n'imaginons pas? En tout cas, il est actuellement certain qu'il n'y a pas de Martiens. Il pourrait y en avoir dans l'avenir, si l'homme colonisait Mars : nous deviendrions alors nos propres Martiens. C'est techniquement envisageable, estime Sagan, mais est-ce politiquement souhaitable?

Pour Sagan, le plus urgent n'est pas de coloniser l'espace, mais de sauver la Terre...

La destruction de la Terre a commencé

Dans quelques milliards d'années, la Terre n'existera certainement plus. Mais, d'ici la « compression » finale, nous courons des risques plus immédiats. Sagan prend au sérieux le réchauffement artificiel de l'atmosphère, les « trous » dans la couche d'ozone, et l'hiver nucléaire.

Depuis que l'homme vit sur Terre, il est vrai, dit-il, qu'il n'en a jamais modifié l'écologie de manière décisive. Mais c'est parce que notre espèce était peu nombreuse, et nos techniques archaïques. Nous n'avons pas encore bien perçu que l'explosion démographique et l'industrialisation généralisée du XXᵉ siècle ont modifié radicalement notre manière d'habiter la planète.

Avec la combustion de l'énergie fossile (pétrole-charbon) et la disparition des forêts, les rayons du Soleil sont comme enfermés dans une serre dont les carreaux s'épaissiraient. Le phénomène pourrait conduire à une augmentation moyenne de la température à la surface du globe de quatre degrés en un siècle. Dérisoire ? Dramatique ! répond Sagan. Quatre degrés en moyenne, c'est énorme, quand on sait qu'entre l'ère glaciaire de la préhistoire et notre époque, la différence moyenne de température n'a été que de huit degrés. Ces quatre degrés supplémentaires entraîneraient la disparition de l'agriculture dans les zones actuellement tempérées, et feraient fondre les glaciers polaires, ce qui inonderait toutes les régions côtières : le Danemark, les Pays-Bas ou le Bangladesh, entre autres, seraient rayés de la carte.

De tous les périls, estime Sagan, l'« hiver nucléaire » est le plus immédiat. Le désarmement tel qu'il est envisagé par les Russes et les Américains ne porte que sur trois pour cent du stock disponible des armes nucléaires. Sans compter que la capacité nucléaire de la France, par exemple, suffirait à elle seule à détruire toute vie humaine sur l'ensemble de la planète.

Que faire? Nous sommes à l'évidence dans une impasse. Les peuples ne veulent pas entendre parler de ces risques écologiques ou nucléaires dont l'ampleur ou la prévisibilité les dépassent. Ils s'en remettent aveuglément à leurs gouvernements, eux-mêmes indifférents aux problèmes à long terme. Au surplus, ceux-ci n'ont pas de solution nationale : le molécules d'oxyde de carbone comme les radiations n'ont pas de passeport!

Que propose donc Sagan à une humanité bloquée inconfortablement à mi-chemin entre la mondialisation et l'autodestruction? Il est peu probable, estime-t-il, que la sagesse l'emportera si nous restons enfermés dans les cadres politiques et mentaux conçus en un temps où les hommes étaient moins nombreux et incapables de détruire la planète. Seule l'utopie est aujourd'hui raisonnable. L'utopie politique : il faut retirer le pouvoir à la classe politique pour le donner... aux savants! « La science a des réponses, à condition que l'on veuille bien nous écouter. »

Défense de penser

« Mais je ne suis pas certain, me dit Sagan, que l'actuel âge d'or des savants puisse se prolonger durablement. En apparence, nous sommes bien – à commencer par les cosmologues – dans un âge d'or. Pour la première fois, les hommes peuvent non seulement observer la grande banlieue terrestre, mais aller voir sur place. En août 1989, le vaisseau *Voyager* s'approchera de Neptune, la planète la plus éloignée du système solaire : pendant trois jours, nous recevrons en direct des images de cette planète dont nous ignorons tout. Au-delà – c'est sans précédent dans l'histoire du Cosmos –, le vaisseau spatial quittera définitivement le système solaire et poursuivra sa course vers l'infini. » Pour Sagan, il faut remonter aux caravelles des grandes découvertes pour comprendre la nature et la portée d'une aventure qui concerne ainsi toute l'humanité. Malheureusement, rien ne garantit que ce type de progrès va se poursuivre de manière linéaire. L'histoire de la science inciterait plutôt au scepticisme.

A plusieurs reprises, dans le passé, l'humanité ne frôla des découvertes essentielles que pour renoncer à les poursuivre. Observons, propose Sagan, ce qui s'est produit il y a 2 500 ans dans les îles grecques! En Ionie, à la croisée des civilisations perse, phénicienne, grecque, égyptienne, Hippocrate a créé la médecine, Anaximandre a tracé la première carte des constellations, Empédocle a pressenti l'évolution des espèces, Pythagore a fondé l'arithmétique, et Thalès la géométrie, Démocrite eut l'intuition de la structure atomique de la matière. Néanmoins, un siècle plus tard, les forces de l'obscurantisme l'emportèrent et il fallut attendre deux mille ans pour retrouver cette première ébauche de la science moderne.

Autres exemples de retour au passé : l'incendie de la bibliothèque d'Alexandrie, le procès Galilée! Autant de témoignages du conflit permanent qui, chez les Occidentaux, oppose le désir de savoir au désir de ne pas savoir.

« Nous craignons le changement au moins autant que nous en sommes curieux. On dit que L'Occident est le berceau de la liberté, mais il est aussi tenté en permanence par la fuite loin de la liberté et de la connaissance. » Nous sommes, estime Carl Sagan, dans l'une de ces périodes où l'humanité hésite. Nous mesurons bien les apports de la science, mais nous sommes tout autant en quête de repères et de mentors qui nous déchargeraient de nos responsabilités.

Tel serait, selon Sagan, le sens de la résurgence actuelle de tous les intégrismes. Les nouveaux obscurantistes, religieux ou totalitaires, seraient disposés à se rallier à une même devise : « Arrêtez de penser ! »

JAMES LOVELOCK

La Terre est un être vivant

A Carl Sagan, bardé de certitudes, en charge de gigantesques budgets de recherche, on peut opposer point par point James Lovelock. Mais connaissez-vous Lovelock? Probablement pas. Pourtant, ce savant discret et britannique est le véritable fondateur de l'écologie. C'est grâce à James Lovelock que nous sommes devenus attentifs à des périls comme les « trous » dans la couche d'ozone, la diffusion des pesticides, le réchauffement de la planète... Auteur d'un seul livre – *Gaïa*, écrit en 1974 – Lovelock fait l'objet soit d'un véritable culte, soit de violentes attaques dans les milieux scientifiques. Le personnage, il est vrai, est marginal; il a tout pour déplaire à la communauté académique, précisément parce qu'il ne souhaite pas en faire partie. D'ailleurs, Lovelock a moins l'allure convenue d'un savant que celle d'un artiste un peu bohème, la mèche blanche en bataille. Mais lui-même m'assure qu'« un véritable savant est nécessairement un artiste. Il doit pouvoir travailler seul dans son atelier. S'il dépend d'une grande institution, université ou centre de recherche, son imagination sera vite stérilisée par la pression sociale de ses pairs ou de ses supérieurs. Au surplus, ajoute-t-il, il est impossible de transgresser les frontières des disciplines dès lors que l'on devient un savant institutionnel. La science organisée est dogmatique et sectaire. Or, l'écologie n'a pu être formulée qu'en combinant les données de la chimie, de la biologie et de la géologie ».

Si Lovelock y est parvenu, c'est sans doute parce qu'il vit loin du monde, dans une ferme de Cornouailles immergée dans la campagne anglaise la plus traditionnelle.

Einstein, me raconte-t-il, n'avait pour tout matériel qu'un crayon à papier, et c'est à lui que l'on doit la percée décisive du XXᵉ siècle. Les grands équipements des laboratoires sont utiles pour vérifier des hypothèses, mais ne servent à rien pour concevoir des théories réellement neuves. De plus, la concentration des savants contemporains dans ces espèces d'usines de la recherche conduit à confondre la science avec la technique appliquée.

Encore faut-il pouvoir financer son indépendance! Lovelock s'y emploie en brevetant quelques-unes de ses inventions. « L'écologie étant une discipline totalement neuve, les instruments de mesure dont j'avais besoin n'existaient pas! précise-t-il. Je les ai donc inventés. » Il me montre un assemblage de bouts de métal, d'apparence bien modeste : c'est son compteur d'électrons, capable de détecter une quantité infime de n'importe quel gaz dans l'atmosphère. Cette mécanique est à l'origine du mouvement écologique : il y a trente ans, elle a permis de découvrir que des pesticides comme le D.D.T., utilisés en un lieu quelconque de la planète, se retrouvaient partout : dans la graisse des pingouins de l'Antarctique comme dans le lait des mères finlandaises.

L'aventure scientifique de Lovelock est née d'une image : celle de la Terre, toute bleue, observée pour la première fois de l'espace. « C'était, me dit-il, il y a trente ans! Ma réaction à la conquête de l'espace a été exactement l'inverse de celle de la communauté scientifique. Elle y a vu une possibilité de découvrir l'au-delà de notre planète. Pour moi, c'était l'occasion de regarder pour la première fois notre Terre dans sa totalité. La Terre m'est apparue alors comme une personne dont tous les éléments, vivants ou non vivants, étaient interdépendants. »

Contrairement à l'idée reçue depuis des siècles, Lovelock estime – là est la rupture – que ce sont les êtres vivants qui produisent l'atmosphère, et non pas l'inverse. Ce n'est pas l'environnement naturel qui aurait permis l'apparition et le développement de la Vie; ce sont les êtres vivants qui sécrètent les gaz qui leur permettent de se perpétuer. Autrement dit, la biosphère a la capacité de contrôler son environnement naturel, chimique et physique. L'ensemble biosphère et atmosphère, vivant et non-vivant, forme un tout indissociable, harmonieux; il est autocontrôlé comme un organisme animal par une circulation interne, en particulier celle du soufre et de l'iode qui s'évaporent des océans.

Ce *Tout*, James Lovelock l'appelle *Gaïa*, du nom de la déesse grecque qui désigne notre planète. Dans la mythologie grecque, Gaïa était attentive aux besoins des hommes qui respectaient les lois de la Nature, et intraitable vis-à-vis de ceux qui les transgressaient. Mais, précise Lovelock, Gaïa n'est qu'une métaphore. Ma théorie est scientifique, elle n'est pas mystique.

La maladie infantile de l'écologie

Lovelock, s'il est à l'origine de l'écologie, a cependant peu de sympathie pour les mouvements qui s'en réclament.

« Les écologistes, me dit-il, ont le cœur bien placé, mais la tête mal faite. Ils se trompent de combat en s'attaquant aux troubles les plus superficiels de l'environnement. » Par exemple : la pollution. Il s'agit là, selon Lovelock, d'un phénomène naturel qui ne perturbe guère l'harmonie universelle. En général, ce n'est qu'un processus de recyclage. « D'ailleurs, précise-t-il, les roses fleurissent mieux dans le cœur de Londres, supposé pollué, que dans ma Cornouailles où elles sont attaquées par des champignons et des insectes. » Rien, ajoute-t-il, n'est plus polluant qu'un troupeau de vaches; toutes proportions gardées, les vaches produisent plus de déchets et de gaz toxiques que n'importe quelle usine!

Aussi superficielles, selon lui, les campagnes contre l'énergie nucléaire : « Les écologistes considèrent que le nucléaire est démoniaque, or c'est une énergie naturelle. L'Univers est parcouru d'explosions nucléaires, chaque étoile est un réacteur nucléaire, et il existe sur notre planète des " réacteurs spontanés " créés par des micro-organismes (l'un d'eux a été découvert au Gabon). Les centrales nucléaires ne font donc que reproduire, au service de l'homme, des phénomènes qui existent dans la Nature. »

Ce qui n'est pas « naturel », en revanche, c'est par exemple de brûler du charbon.

Bien entendu, il vaut mieux que les centrales fonctionnent convenablement, mais ce n'est là qu'un aspect technique – pas un débat écologique. Lovelock ajoute qu'une guerre nucléaire serait évidemment désastreuse, mais, contrairement à ce que l'on entend ordinairement, elle n'éliminerait pas toute vie sur la planète. Il existe des dangers bien plus grands : ainsi ceux qui pourraient naître de certaines manipulations génétiques des plantes. Par pure maladresse, une manipulation mal contrôlée pourrait déboucher sur une destruction totale de la Nature.

Autre grande cause des écologistes que Lovelock ne partage que mollement : la protection de la couche d'ozone. Les gouvernements des pays industriels en ont fait un objectif prioritaire, un symbole de leur volonté de protéger l'environnement. Qu'en

36

est-il exactement? Il est probable que le chlorofluorocarbone (C.F.C.) utilisé par l'industrie et dans les aérosols détruit l'ozone, mais dans des proportions si faibles qu'il est impossible d'en mesurer véritablement les effets. Le gaz méthane qui s'échappe des rizières est beaucoup plus nocif que le C.F.C. Faut-il pour autant interdire la culture du riz?

Alors, pourquoi les écologistes s'emparent-ils de causes que Lovelock juge médiocres, voire imaginaires? Tout d'abord, par ignorance scientifique. Ensuite, par haine du progrès : une constante dans l'histoire de l'Occident, depuis les luddites du XIXe siècle qui détruisaient les machines à tisser. Enfin, par une exploitation habile des peurs du public. Les hommes, explique Lovelock, craignent par-dessus tout le cancer; or, les pesticides, la radioactivité, les ultraviolets non filtrés par l'ozone sont tous présentés comme des facteurs cancérigènes. D'où, sur ces sujets, la mobilisation convergente des écologistes, des pouvoirs publics et de l'opinion. Et si les savants se rallient en masse à ces peurs, c'est qu'« ils vont là où est l'argent! s'exclame Lovelock. La communauté scientifique sait se financer en exploitant la crédulité du public. Ce n'est pas la liberté de l'esprit qui la guide ». Sagan serait-il destinataire de cette flèche-là?

Revenant aux « trous » dans la couche d'ozone, Lovelock me fait observer que les écologistes ont en la matière une attitude contradictoire. D'un côté, ils s'inquiètent de ces « trous »; de l'autre, ils déplorent le réchauffement de l'atmosphère. Mais, demande Lovelock, le rétrécissement de la couche d'ozone ne serait-il pas un moyen utilisé par Gaïa pour compenser ce réchauffement ou « effet de serre »? Il se trouve que le varech produit naturellement de l'iode, qui s'échappe dans l'atmosphère et détruit l'ozone. Cette destruction naturelle est beaucoup plus considérable que celle opérée par les C.F.C. de nos aérosols. C'est une chance, ajoute Lovelock; sinon, il y aurait trop d'ozone, et l'« effet de serre » serait tel qu'il deviendrait insupportable aux êtres vivants. Le varech semble donc jouer un rôle essentiel dans la régulation de l'atmosphère de Gaïa, exactement comme la thyroïde règle la quantité d'iode dans notre propre corps.

Pourquoi le climat ne change pas

Une autre manifestation, plus spectaculaire encore, de l'« hypothèse Gaïa » est la stabilité du climat terrestre.

Grâce aux observations géologiques, nous savons, dit Lovelock, que le climat de notre planète, depuis les origines, n'a jamais été défavorable à la Vie, même pour une très brève période. Il n'a jamais fait ni trop chaud ni trop froid pour les êtres vivants; les océans n'ont jamais gelé ni bouilli, contrairement à ce qui s'est produit sur d'autres planètes. Même ce que nous appelons l'âge glaciaire n'a affecté que les régions du globe au-delà du 45ᵉ parallèle – au total, trente pour cent seulement de notre planète. Pourquoi cette extraordinaire stabilité, alors que la température du Soleil a énormément varié au cours des âges? La Terre aurait dû logiquement geler ou brûler depuis longtemps!

L'explication réside précisément dans l'« effet de serre », c'est-à-dire dans l'accumulation très complexe des gaz qui constituent notre atmosphère. Ces gaz sont émis par les animaux vivants. Ils laissent passer les rayons du Soleil juste assez, mais point trop. Dans ce filtrage du Soleil, les nuages jouent un rôle essentiel.

Quoi de plus simple qu'un nuage? demande Lovelock. Tout le monde sait que l'eau s'évapore des océans, puis retombe sous forme de pluie. Mais pourquoi reste-t-elle suspendue en nuages de manière à réfléchir la chaleur? Un nuage n'est pas seulement de la vapeur d'eau. Celle-ci doit pouvoir s'agglomérer autour de noyaux durs. Et ces noyaux sont des cristaux d'acide sulfurique qui sont produits par des algues marines. On constate, note Lovelock, que la densité des algues dans l'océan Pacifique a doublé depuis dix ans. On ne sait pas pourquoi. Mais il se trouve que ces algues absorbent du gaz carbonique et rejettent des gaz sulfureux. Ces deux fonctions contribuent à nettoyer l'atmosphère de l'excès de carbone produit par les industries, et à augmenter la quantité de nuages. Ces algues contribuent donc à dépolluer la planète et à compenser les tendances au réchauffement. Est-ce une coïncidence, demande Lovelock, ou bien la preuve que l'« hypothèse Gaïa » est bel et bien fondée?

Les algues, et d'une manière plus générale les micro-organismes vivant dans les océans, en particulier à proximité des côtes, seraient donc les êtres vivants qui assurent la régulation générale de Gaïa.

Lovelock ajoute une autre question qui conforte son hypothèse : pourquoi la mer est-elle salée? Ou plutôt, comment se fait-il que la salinité de l'eau de mer ne change jamais, alors que les fleuves charrient constamment vers la mer de vastes quantités de sel? Le mystère s'éclaircit si l'on observe avec Lovelock que des *radiolaria*, animaux microscopiques vivant dans les océans, stockent le sel de telle manière que l'eau ne soit ni trop ni pas assez salée pour la vie organique.

Mais Gaïa est également capable de régler certains problèmes d'ajustement que les hommes ne sont pas près d'affronter eux-mêmes, par exemple la surpopulation. Dans l'histoire de Gaïa, observe Lovelock, aucun être vivant n'a longtemps dépassé les limites de sa niche écologique sans qu'un prédateur apparaisse et rétablisse l'équilibre. Chez les hommes, comme il est clair que tous les efforts volontaires de contrôle des naissances ont échoué, il faut s'attendre à l'apparition d'un prédateur : une maladie, peut-être, ou une gigantesque famine causée par la désertification des zones tropicales.

L'hypothèse Gaïa a évidemment des implications philosophiques. Tous les êtres vivants, m'explique Lovelock, qu'ils le veuillent ou non, font partie d'un immense organisme aux dimensions de la planète. Inconsciemment, nous appartenons tous à Gaïa, le seul être vivant qui ne change pas et ne meurt jamais. N'est-ce pas pour cela que nous éprouvons parfois un sentiment de plénitude lorsque nous accomplissons les simples gestes que Gaïa attend de nous : planter un arbre, élever nos enfants ?

La forêt tropicale, poumon de Gaïa

Mais revenons sur le terrain de la science et de l'écologie. La véritable défense de la Nature exige, selon Lovelock, d'être attentif aux grands systèmes de régulation de Gaïa, et non pas à des perturbations marginales. La pollution industrielle n'atteint pas Gaïa. En revanche, les véritables poumons de Gaïa sont les océans et la forêt tropicale. « Que les hommes se gardent, avertit Lovelock, de cultiver la mer comme ils cultivent la terre ! Toute atteinte à l'écologie des océans pourrait être mortelle pour Gaïa. » Le risque est actuellement limité. Encore que Lovelock craigne certains projets de « fermes marines » qui produiraient des algues consommables pour le jour où l'agriculture se révélerait incapable de nourrir une humanité trop nombreuse.

Dans l'immédiat, l'urgence est de sauver la forêt tropicale, en particulier au Brésil. Chaque année, m'apprend Lovelock, l'équivalent de la surface de la Grande-Bretagne y est détruit. Or, ces forêts constituent la principale source de l'« effet de serre » indispensable à la survie de Gaïa. Voilà le vrai combat pour les écologistes! Il ne se situe pas dans nos villes, *contre* la technique, mais là-bas, *grâce à* la technique.

« Je n'ai, me dit Lovelock, aucune nostalgie du bon vieux temps. Il n'existe pas d'époque où les relations entre l'homme et son environnement étaient idéales et à laquelle il nous faudrait revenir. » Aujourd'hui, en Angleterre, observe-t-il, nous regrettons les bocages, mais il faut savoir qu'à l'époque où ceux-ci furent créés, il y a deux siècles, les esprits chagrins pleuraient le temps où les pâturages étaient ouverts à tous. En fait, à chaque époque, les hommes sont persuadés que tout était mieux autrefois, ce qui est évidemment faux. Depuis ses origines, l'humanité, de crise en crise, a plusieurs fois modifié l'écosystème. Nous sommes dans l'une de ces crises, et c'est grâce à la science que nous pourrons créer un nouvel environnement stable. Ou que Gaïa le créera spontanément sans nous!

Le progrès technique est bon pour l'environnement

L'environnement, estime Lovelock, est mieux protégé dans les sociétés industrielles que dans les économies primitives. C'est dans les villes occidentales que la pollution est la mieux contrôlée. C'est dans les pays les plus avancés que les sources d'énergie polluantes sont remplacées par des énergies propres, ou que les pesticides sont interdits. En revanche, la destruction de la forêt, l'érosion des sols, la disparition des terres arables sont le fait du Tiers-Monde. Ce sont les conséquences directes de modes d'exploitation archaïques.

Selon Lovelock, il ne faut pas que le monde

industriel en revienne à l'agriculture primitive et naturelle. Il conviendrait au contraire que les pays pauvres industrialisent leur agriculture. Seul le recours aux techniques intensives permettrait de nourrir toute la planète à partir de l'exploitation de surfaces plus restreintes qu'aujourd'hui, et de rendre ainsi tout le reste à la Nature.

L'environnement de la propre ferme-laboratoire de Lovelock est une illustration de son propos : un paysage vierge, dix mille arbres plantés par ses soins. L'écologie, pour lui, se définit donc avant tout comme un bon usage du sol, qui relativise les problèmes de surpeuplement. Les pays dits « surpeuplés » du Tiers-Monde, observe-t-il, ont une densité démographique généralement inférieure à celle de la Grande-Bretagne. Or « les Anglais ne sont pas sous-alimentés; et ils n'ont pas non plus le sentiment d'être trop nombreux sur leur île ».

Sauvons les baleines

La chaumière de Lovelock est décorée de baleines de toute espèce sous forme de gravures, d'objets, de peluches. La baleine symbole de l'écologie? Mais pourquoi les baleines?

C'est, me répond Lovelock, que la baleine a en commun avec l'homme un cerveau de dimensions peu banales : il est proportionnellement dix fois plus gros que le nôtre. Nous ne savons pas très bien à quoi il sert. Peut-être contient-il une carte de l'univers qui permet aux baleines de s'orienter? Il est certain, en tout cas, que ce cerveau possède de multiples possibilités inexplorées. Il a certainement la capacité de stocker beaucoup plus d'informations que le cerveau humain.

L'humanité a donc commis une énorme sottise en exterminant les baleines. « Songez aux progrès décisifs, me dit Lovelock, que les hommes ont accomplis grâce à leur association avec le cheval! Le cheval nous a permis de voyager plus rapidement et de conquérir l'espace terrestre. En nous associant aux baleines, ce sont nos capacités mentales qui, à leur tour, pourraient coloniser des espaces nouveaux. »

Mais, conclut Lovelock, nous ne sommes pas plus de quatre ou cinq chercheurs au monde à étudier réellement l'écologie, bénévolement et à temps partiel...

II

L'ORDRE ET LE CHAOS

Bien au-delà de la conscience que nous en avons, notre conception du monde est influencée par les sciences physiques. Lorsque nous percevons notre Univers comme une horloge obéissant à des règles prévisibles et immuables, nous sommes les enfants involontaires de Newton et de sa mécanique. A partir de là, nous admettons sans trop de réticences que la politique et l'économie, voire la psychologie, soient également régies par des lois, et que ceux qui nous gouvernent se comportent comme de grands horlogers.

Cette vision mécaniste de l'Univers, nous dira Ilya Prigogine, n'a aucun caractère scientifique. Ce ne sont que des théories dépassées, nées au XVIIᵉ siècle, et qui continuent malheureusement à être enseignées dans les écoles. Il faut, ajoute le savant belge, prendre désormais en compte la physique contemporaine, fondée sur la probabilité. Ce qui nous paraît ordonné n'est fondamentalement qu'un chaos indéterminé : il n'y a pas d'horloge et pas d'horloger, ni divin, ni terrestre; le monde est événementiel, chaotique, imprévisible. Comme les sciences humaines, les sciences physiques ne seraient, selon Prigogine, qu'une somme de hasards!

Pas du tout! rétorque le mathématicien français

René Thom. Le règne scientifique actuel du chaos n'est qu'une mode passagère. Nous ne devons pas renoncer à découvrir les lois fondamentales de notre Univers : le monde est intelligible et ordonné. Le drame de la science moderne, ajoute Thom, c'est qu'elle a renoncé à comprendre ; elle n'est plus qu'un cimetière de faits, une accumulation d'informations sur ordinateurs, sans aucune théorie explicative. La science ne pense plus : voilà pourquoi, conclut-il, le progrès est en panne !

Un point commun, malgré tout, entre ces deux penseurs en apparence inconciliables : l'un et l'autre sont hostiles à la fragmentation des connaissances, et considèrent que sciences humaines et sciences exactes sont condamnées à prospérer ou à dépérir ensemble.

ILYA PRIGOGINE

L'ordre est né du chaos

« Il ne faut pas croire, me soutient Ilya Prigogine, que les théories scientifiques sont les lois cachées de l'Univers et qu'elles sont simplement révélées par des chercheurs au hasard de leurs découvertes. » Selon le savant belge, la créativité scientifique existe au même titre que la créativité artistique. Lovelock a raison : « Les savants, les physiciens, les chimistes sont bien des auteurs, au même titre que les écrivains. »

Mondialement reconnu pour ses recherches sur les « structures de non-équilibre » – nous y reviendrons –, auteur, avec Isabelle Stengers, d'un ouvrage célèbre et controversé sur la philosophie des sciences, *La Nouvelle Alliance*, Prigogine est belge, comme son nom ne l'indique pas! Emigré de Russie, en 1921, à l'âge de quatre ans, il a fait toutes ses études et poursuivi la plus grande partie de ses recherches à Bruxelles. Cet enracinement n'a pas empêché la presse, lorsqu'il obtint le Prix Nobel de chimie en 1977, d'expliquer qu'il était russe, une origine sans doute plus « chic » que la belge... J'ajouterai que, d'une intelligence lumineuse, Prigogine, en plus d'être belge, est simple et modeste. Il est d'ailleurs remarquable que les « vrais penseurs » m'ont tous impressionné par leur modestie, critère qui en vaut bien d'autres pour les distinguer des faux penseurs.

Mais revenons à Prigogine et à ses réflexions non conformistes sur la science.

Il n'y pas de grandes découvertes
sans un auteur de génie

Il est vrai que, dans les périodes normales, surtout dans les disciplines parvenues à maturité, la marche de la science est à peu près impersonnelle, le progrès cumulatif, et les chercheurs relativement interchangeables, explique Prigogine. Mais les découvertes révolutionnaires sont dues à l'apparition de « constellations de génies »; ce fut le cas, à l'aube du XVIIᵉ siècle, avec Copernic, Kepler et Galilée; plus près de nous, avec Einstein, Broglie, Heisenberg et Schrödinger. Sans Albert Einstein, demande Prigogine, aurions-nous eu la théorie de la relativité générale? « Le progrès scientifique ne résulte d'aucun déterminisme historique »; les théories ne sont d'ailleurs que des hypothèses provisoires, des formulations personnelles; à l'épreuve du temps, les plus « définitives », comme celles de Copernic, Newton ou Einstein, finissent par être réfutées. La vérité scientifique est donc partielle.

Prenez par exemple, dit Prigogine, la mécanique classique. Elle reste valable aujourd'hui, mais seulement dans le domaine des objets « lourds », comme les planètes. En revanche, pour décrire l'évolution des objets « légers » du monde subatomique, Newton ne « marche » pas; il a fallu introduire la mécanique quantique, qui est une création du XXᵉ siècle. La science est toujours un enchaînement de propositions réfutables, et ce qui échappe à toute possibilité de réfutation relève de la magie ou de la mystique, non du domaine scientifique.

Si nous admettons, avec Prigogine, que les savants sont des auteurs qui dialoguent avec la Nature, pourquoi certaines époques et certaines civilisations sont-elles plus propices que d'autres à l'apparition des « constellations de génies » et aux grandes découvertes? Et pourquoi la science fondée par Descartes et Galilée a-t-elle vu le jour en Occident et pas ailleurs? La réponse, selon Prigogine, ne se trouve pas dans l'intelligence des peuples ou des individus; elle doit être recherchée dans les circonstances historiques ou culturelles.

La science n'apparaît qu'en fonction de l'idée que les hommes se font de l'Univers. Si un peuple est persuadé qu'un Créateur est à l'origine du monde et détermine son futur, c'est qu'il existe des lois et un avenir discernables. Au XVIIe siècle, rappelle Prigogine, les lois de la Nature renvoyaient à un Législateur suprême. Il appartenait donc aux savants de décoder ces lois divines, et ces savants avaient vocation à devenir omniscients : l'apparition de la science moderne en Occident au XVIIe siècle classique est en résonance avec la théologie de l'époque.

Tel a donc été le modèle initial de la science occidentale, parfaitement incarné par Newton ou Leibniz. Cette conception classique de la science appelle Dieu comme garant des lois éternelles. Le dernier représentant de cette science-là, nous dit Prigogine, fut Einstein. La célèbre formule d'Einstein : « Dieu ne joue pas aux dés », signifie bien qu'il existe une vérité divine de l'Univers et des lois indépendantes de la vie contingente des hommes.

Mais cette croyance en un Dieu fort et rationnel, condition nécessaire de l'apparition de la science, n'a pas été suffisante. Il fallait aussi, ajoute Prigogine, qu'au Dieu fort s'oppose un roi faible, c'est-à-dire un certain « jeu » politique et social qui incite à l'inquiétude spirituelle et permette aux débats intellectuels de se déployer. Pour Prigogine, c'est la querelle permanente, dans l'Europe du Moyen Age, entre les papes et les rois qui engendra cette circonstance favorable à la pensée indépendante. Un autre exemple remarquable de ce « jeu » intellectuel se produisit à Vienne au XIXe siècle : c'est là que furent élaborées les plus prodigieuses constructions théoriques de notre temps, en particulier la mécanique quantique et la relativité.

A ce schéma européen Prigogine oppose la Chine. Pourquoi la science moderne n'est-elle pas née en Chine? La réponse est à nouveau d'ordre culturel. Le pouvoir impérial a traditionnellement réprimé toute innovation capable de troubler l'ordre social. Par ailleurs, les conceptions théologiques de la Chine correspondent à une vision globale, holiste, de l'Univers, qui ne se prête pas à une analyse des lois mécaniques. Au contraire de l'Europe, la Chine connaissait une divinité faible et un pouvoir fort. C'est pourquoi les découvertes fondamentales qui y furent faites – boussole, poudre, gouvernail – ne débouchèrent là-bas sur aucune application pratique, aucun changement historique majeur.

« Vous voyez, me dit Prigogine, que le savant n'est pas un être désincarné, il est étroitement tributaire de la société dans laquelle il vit. La culture ambiante oriente ses recherches comme le font le pouvoir et l'argent. » Sans remonter jusqu'à Galilée, Prigogine en donne pour preuve la concentration actuelle des efforts sur la biologie, conséquence, selon lui, de la peur généralisée du cancer; ou sur la cosmologie, signe de notre attirance pour le mystère de la Création.

Tel fut donc le milieu historique et culturel qui a donné naissance à notre science classique, vision d'un Univers réglé comme une horloge. Mais cette image de la science est plus que démodée : elle est désormais fausse! C'est ce que nous explique Prigogine.

L'Univers n'est plus une horloge, mais un chaos

Dans le modèle classique de la science, celui que l'on continue imperturbablement à enseigner dans les écoles, les lois de l'Univers sont simples, symétriques, déterministes et réversibles : l'horloge en est la représentation symbolique, avec son mouvement immuable et prévisible. Dans ce schéma, la matière obéit aux lois, mais l'homme, en revanche, est libre. C'est la position dualiste de Descartes telle qu'elle devait marquer la philosophie occidentale. De là est née la division de notre culture entre sciences humaines, comme l'histoire ou la psychologie, et sciences exactes. Pour les premières, le temps et l'événement jouent un rôle essentiel; pour les secondes, les lois sont intemporelles.

C'est au début des années vingt que le monde scientifique a assisté à la révolution de ce schéma par la mécanique quantique. On sait qu'au niveau des électrons, la physique classique n'est plus valable et que nous entrons dans le monde des incertitudes. La structure de la matière n'est plus définie par des lois déterministes, mais par des modèles de probabilité. Au départ, l'interprétation dominante des savants fut que les perturbations constatées dans leur univers déterministe étaient introduites par la mesure humaine. C'est l'observateur, croyait-on, qui créait l'instabilité. Mais, en cette fin de XXᵉ siècle, affirme Prigogine, nous savons que la matière est instable et que l'Univers, que l'on croyait immuable, a une histoire. Notre monde physique n'est pas une horloge, mais un chaos imprévisible! Toutes les théories déterministes fondées sur l'enchaînement nécessaire des causes et des conséquences sont progressivement remplacées par des calculs de probabilité. Il est vrai, précise Prigogine, que nous pouvons toujours – à partir des schémas classiques de type newtonien – prédire la position future de la Terre sur un temps de l'ordre de cinq millions d'années. Mais nous savons aussi que ces mouvements périodiques stables sont l'exception : la plupart des systèmes dynamiques sont en fait instables. Prigogine me cite un exemple simple et frappant : la météo.

L'« effet papillon »
rend la Nature imprévisible

Comment se fait-il, demande Prigogine, que l'on puisse prévoir le passage d'une comète dans un siècle, mais non le temps qu'il va faire la semaine prochaine? Dans la meilleure des hypothèses, les météorologues sont incapables de prévoir au-delà de quatre jours. L'opinion publique croit volontiers que, s'ils disposaient d'instruments d'observation améliorés, ils pourraient nous annoncer le temps qu'il fera dans huit jours, dans un mois. Faux! répond Prigogine. Le temps est imprévisible *par définition*. Il est le résultat d'une somme d'incertitudes : c'est un système dynamique instable. Cela veut dire que la moindre variation en un lieu quelconque de la planète entraîne des effets considérables. C'est ce que l'on appelle l'« effet papillon » : un battement d'aile de papillon à Pékin peut provoquer un léger souffle qui, de proche en proche, donnera naissance à un ouragan sur la Californie.

Autre exemple fondamental dans le système de Prigogine : la pièce de monnaie. Lorsque nous jouons à pile ou face, la pièce finit statistiquement par tomber aussi souvent d'un côté que de l'autre.

Imaginons maintenant que nous puissions calculer, avec l'aide d'un ordinateur, toutes les étapes du mouvement de la pièce. Sans doute pourrions-nous déterminer à l'avance de quel côté elle va tomber ? Encore faux! dit Prigogine. Le calcul est impossible, car la pièce passera nécessairement par des régions d'incertitude, des « bifurcations ». Dans un système dynamique instable, une condition initiale qui conduit à un résultat « pile » peut être aussi voisine que l'on voudra d'une condition initiale conduisant à un résultat « face ».

Empruntons maintenant un exemple célèbre à l'Histoire sainte : les sept années de vaches grasses qui alternent avec les sept années de vaches maigres prédites par Joseph à Pharaon. Il se trouve que les crues du Nil ont été mesurées depuis plusieurs milliers d'années : leur analyse sur ordinateur montre que ces crues ne sont pas prévisibles, qu'elles sont chaotiques par nature.

Des économistes ont abouti aux mêmes conclusions pour l'évolution des prix ou les cours de la Bourse observés sur de longues périodes. Il existe, dans les phénomènes boursiers, l'équivalent de l'« effet papillon » : une transaction de faible importance à la Bourse de Tokyo peut aboutir à un krach à New York. Et ce krach est imprévisible, encore une fois, par définition.

A partir de ces anecdotes – Prigogine nous épargne mille autres cas probants mais plus complexes –, c'est toute la vision déterministe du monde qui s'effondre. Bref, le hasard fait partie de la réalité physique. La matière, comme la Vie, a un caractère événementiel. Contrairement à ce que croyait Einstein, Prigogine considère que « Dieu joue bien aux dés »...

Quelle est l'attitude du savant face à cette omni-présence du hasard en lieu et place des lois détermi-nistes? L'étonnement, me répond Prigogine : le savant est étonné parce que le chaos débouche, malgré tout, sur des structures ordonnées.

Einstein remarquait déjà que le plus surprenant, dans notre Univers, c'est que l'on puisse y compren-dre quelque chose. Cet *ordre qui naît du chaos* est la formule qui résume le mieux, selon Prigogine, la science moderne, et cela vaut pour toutes les disci-plines.

Dans le domaine qui est plus particulièrement le sien, la chimie physique, Prigogine a découvert ce que l'on appelle les « structures dissipatives ». Les situations de déséquilibre chimique ne débouchent pas toujours sur l'anarchie; quelquefois, elles per-mettent l'apparition spontanée d'organisations ou de structures parfaitement ordonnées. Ces structures sont appelées dissipatives parce qu'elles consomment plus d'énergie que l'organisation antérieure qu'elles ont remplacée.

La physique traditionnelle, rappelle Prigogine, identifiait l'ordre aux structures d'équilibre : le modèle de cette conception était le cristal. A l'in-verse, on voyait dans le non-équilibre une menace contre l'ordre. Mais nous savons aujourd'hui que le non-équilibre peut déboucher sur l'ordre comme sur le désordre. Abstrait, certes, mais essentiel, car n'est-ce pas sur ce modèle que tout notre Univers fonc-tionne : chaos, ordre, chaos, ordre, avec, à chaque étape, une grande consommation d'énergie?

Ce qui est vrai et vérifiable au niveau d'une réaction physico-chimique peut-il être généralisé? La structure de non-équilibre est-elle un nouveau principe universel, ou seulement une métaphore?

Prigogine me fait observer que notre Univers, né d'un chaos initial – une explosion, il y a quinze milliards d'années –, s'est organisé en galaxies et planètes. La Vie elle-même, née des hasards de la sélection naturelle, progresse vers toujours plus d'organisation et de complexité.

L'économie fonctionne aussi sur ce modèle : de la somme d'activités individuelles désordonnées surgissent l'ordre social et le progrès économique. Le destin des nations est également affecté de turbulences qui, après des fluctuations géantes – mouvements de foule, conflits –, débouchent sur un nouvel ordre social qui fait appel à davantage de ressources énergétiques.

Prigogine note aussi combien le décalage est gigantesque entre cette analyse « chaotique » de la société et le discours usuellement tenu par la classe politique. A les entendre, les gouvernements auraient la situation bien en main, et, s'ils pouvaient peser sur les bons leviers, obtiendraient les résultats attendus. Cette ignorance politique n'est que le reflet du retard général de l'enseignement, qui enferme l'opinion dans le système périmé de la mécanique de Newton. Dans les faits, cette vision d'un Univers prévisible comme une horloge est en permanence contredite par le « modèle Prigogine ».

Mille exemples viennent à l'esprit : le déclenchement de la guerre de 1914 par l'attentat de Sarajevo n'est-il pas la plus belle démonstration de l'« effet papillon »? Plus près de nous, Prigogine tourne en dérision les explications déterministes, newtoniennes, du krach boursier d'octobre 1987. A en croire les experts, la baisse des cours découlait nécessairement de la baisse du dollar, elle-même conséquence du déficit du commerce américain. En réalité, l'événement relevait de l'« effet papillon » : ce krach-là, comme tous les autres, était par définition imprévisible, y compris pour les spécialistes financiers qui prétendirent l'avoir prévu et qui ont simplement eu de la chance.

Pour Prigogine, l'ordre qui naît du chaos est donc une loi. Mais n'est-il pas excessivement ambitieux de vouloir passer ainsi d'un modèle scientifique à une théorie sociale?

Une nouvelle affaire Dreyfus

Prigogine va même beaucoup plus loin, puisque son ambition avouée est de réunir à nouveau toutes les disciplines dans un ensemble cohérent. La fragmentation des connaissances, m'explique-t-il, la grande rupture entre sciences humaines et sciences exactes vient de ce que les sociologues racontent une histoire, tandis que les physiciens élaborent des lois éternelles. Mais, dans la nouvelle science du chaos, cette opposition disparaît dans la mesure où les phénomènes physiques ont eux aussi une histoire et n'obéissent donc pas à des lois immuables.

Il faut savoir qu'une grande querelle oppose les déterministes à Prigogine. Pour les déterministes, est scientifique ce qui est prévisible : l'ordre chaotique de Prigogine ne paraît imprévisible que dans la mesure où nos connaissances ne nous permettent pas encore de le prévoir. Faux! répond Prigogine. Le chaos est imprévisible par nature, puisqu'il faudrait, pour le prévoir, disposer d'une quantité d'informations infinie. Prigogine estime qu'il est curieux que de soi-disant rationalistes s'attachent à des principes qui sont devenus contradictoires avec les découvertes récentes de la science. En réalité, ajoute-t-il, bien des savants restent extraordinairement attachés à des idéologies préscientifiques. Ils ont paradoxalement adopté les interprétations religieuses dominantes sur l'origine de la vie, du temps et de l'Univers. Un exemple de cette influence idéologique sur la science : le *Big Bang*, une théorie loin d'être définitive, affirme Prigogine.

« Le *Big Bang* arrange tout le monde », m'explique-t-il, les croyants comme les incroyants, puisque c'est une sorte de « miracle laïque » : il y aurait bien eu un commencement du temps et de l'Univers, donc une Création, et pourquoi pas un Créateur ? En réalité, le temps existait certainement avant le *Big Bang*, et celui-ci est un événement improbable surgi dans un Univers en permanence instable, une conséquence du chaos. Il n'y a pas, selon Prigogine, de « genèse du temps », ni même de genèse du tout. Le passage du pré-Univers à l'Univers actuel s'est fait en « continu ». Mais, selon Prigogine, peu de savants et peu de philosophes acceptent de prendre en compte les découvertes les plus récentes dans leur vision de l'Univers. La « science du chaos » est devenue une nouvelle affaire Dreyfus, dit Prigogine : « Surtout, n'en parlons pas, de crainte que des secrets nous soient dévoilés ! »

Mon ambition, conclut Prigogine, relève de la tradition européenne du savant en quête d'universel. En 1715, Leibniz, le mathématicien allemand, et Newton, le physicien anglais, s'entretenaient régulièrement par courrier sur l'existence de Dieu et les lois de l'Univers. Deux siècles plus tard, l'Allemand Einstein échangeait avec le physicien danois Niels Bohr des considérations comparables sur le rôle du déterminisme et des probabilités ; les techniques avaient progressé, mais les préoccupations restaient les mêmes. Parce que c'est en Europe seulement que les sciences se sont développées, non comme un jeu intellectuel ou comme une pratique utile, mais comme une recherche passionnée de la vérité. Malheureusement, observe Prigogine, cette communauté de l'esprit n'existe plus, les savants européens ne communiquent plus entre eux. Chaque chercheur vit enfermé dans sa discipline ou ne connaît que ce qui se passe aux Etats-Unis... Quant aux excursions de Prigogine hors de sa discipline d'origine, elles irritent bien des savants et bien des philosophes. « Chacun chez soi » est un des grands principes de la science d'aujourd'hui, que Prigogine ne respecte pas. Les milieux scientifiques ne sont pas tendres et le lui pardonnent difficilement. En particulier le mathématicien français René Thom, pour qui la « science du chaos » n'existe pas...

RENÉ THOM

La science est en panne depuis vingt-cinq ans

Les mathématiques sont-elles universelles? Les Indiens ou les Chinois raisonnent-ils exactement comme nous autres, Européens?

Mais oui! m'a répondu René Thom. A l'origine, il est vrai que les mathématiques sont grecques; on peut même considérer qu'elles sont la forme grecque de l'intelligence antique. Mais, par des chemins différents, explique-t-il, d'autres civilisations ont abouti aux mêmes conclusions logiques. Tenons-nous-en à un exemple très simple : les Indiens, pour construire leurs temples, les Chinois, pour confectionner des calendriers, ont « inventé » le triangle et analysé ses propriétés à la même époque que les Grecs. Cette coïncidence ne vient pas de ce que le triangle existe dans la Nature, mais de ce qu'il correspond à une structure de l'esprit humain. Mais, ajoute Thom, nous sommes redevables aux Grecs, et aux Grecs seuls, de l'art de la démonstration. Les Chinois, les Japonais, les Indiens constataient, mais ne démontraient pas; à l'inverse, la logique grecque ne saute jamais une étape dans le raisonnement. De même, on peut considérer que les nombres sont « naturels ». Les nombres et le triangle sont des concepts universels : le relativisme culturel n'existe pas en mathématiques.

Autre trait universel : de tout temps et en tout lieu, les mathématiques ont toujours présenté cette particularité étrange de n'être comprises que par ceux qui les pratiquent. Devons-nous pour autant renoncer à comprendre ce que les mathématiciens recherchent? « Les mathématiciens sont tristes, me dit René Thom, de ne pouvoir faire partager la joie de leurs découvertes aux non-mathématiciens... »

Lecteur, je vais donc vous demander un effort important, mais pas hors d'atteinte, pour dialoguer avec Thom.

Titulaire de la médaille Fields – en 1958, à l'âge de trente-cinq ans –, équivalent du Prix Nobel pour les mathématiques, René Thom figure en bonne place parmi les quelques savants français de niveau mondial. Les mathématiques restent l'une des rares disciplines où la France compte. Et il est difficile d'avoir l'air plus français que René Thom : il pousse la coquetterie nationale jusqu'à porter un béret en toute saison.

Mais savez-vous pourquoi il n'existe pas de Prix Nobel en mathématiques? Tout simplement parce que, selon la petite histoire, l'épouse d'Alfred Nobel entretenait une liaison avec le plus grand mathématicien suédois de son temps, Mittag Leffler : si le mari avait créé un prix, c'est l'amant qui l'aurait reçu... L'anecdote illustre combien les sciences ne sont pas au-dessus des passions.

René Thom précise : « Il est vrai que les mathématiciens se jalousent entre eux, mais ils réservent leur haine aux physiciens! N'écrivez pas cela, ajoute-t-il, j'ai déjà assez de problèmes avec eux! »

Trop tard : ce qui est dit mérite d'être écrit. D'ailleurs, tout le monde scientifique connaît l'ironie corrosive de Thom.

La science, explique Thom, n'est jamais hors de la société, au contraire, elle est toujours un fait sociopolitique. Les savants fonctionnent à l'intérieur de groupes idéologiques fixés *a priori*. C'est ce que le philosophe américain Thomas Kuhn a appelé les « paradigmes » de la recherche. Chaque savant travaille dans un camp qu'il a choisi en fonction de l'idée qu'il se fait *a priori* du monde et de lui-même. Ce qui conduit Thom à distinguer entre deux attitudes fondamentales en science : la science démiurgique et la science herméneutique.

L'attitude démiurgique remonte à Galilée. Elle consiste à retrouver les lois ou la formule cachées qui expliquent tout l'Univers. Thom se range dans l'autre camp, celui de l'herméneutique, qu'il rattache à Platon et Aristote. Cette école, à contre-courant de tous les vents dominants de la recherche du XXᵉ siècle, se contente de rechercher la cause des phénomènes. « Je suis, précise-t-il, un déterministe archaïque. J'estime que les phénomènes peuvent être décrits et compris; je considère que le monde est intelligible et que si nous ne comprenons pas une théorie, c'est qu'elle est insuffisante. » La cible privilégiée de René Thom, ce sont tous les savants qui, à la manière de Prigogine, nous expliquent que le monde n'est que bruits et hasards : la « prétendue science du chaos ».

Prigogine, selon Thom, a amalgamé dans une « science du chaos » des phénomènes essentiellement différents, dont certains relèvent du déterminisme et d'autres de la description probabiliste. Thom reprend l'exemple de la pièce de monnaie cher à Prigogine : Prigogine nous a expliqué qu'il est par définition impossible de prévoir si une pièce lancée en l'air retombera sur pile ou sur face, et que la seule détermination est d'ordre statistique. Cette image d'incertitude et de probabilité résumerait assez bien, selon Prigogine, l'état actuel de la science contemporaine. Mais, me dit Thom, Prigogine nous abuse : si les physiciens ne peuvent pas prévoir le mouvement de la pièce, ce n'est pas parce que c'est impossible, mais parce que c'est expérimentalement difficile et coûteux. Cette prévision reste théoriquement possible pour un observateur qui contrôlerait les conditions initiales du jet de manière assez précise.

Entre Thom et Prigogine, le désaccord est ainsi total et donne la mesure des incertitudes actuelles de la science.

Le hasard, une mode philosophique

Renoncer au déterminisme, privilégier le hasard et le chaos, ce serait donc s'abandonner à des modes intellectuelles. Depuis le début de ce siècle, sous l'influence de la philosophie allemande – Nietzsche et Heidegger –, la logique, explique Thom, a été remplacée par l'absurde, et la nécessité par la probabilité. « Les théories de Prigogine ne sont que la mise en forme, dans un langage scientifique, de préférences philosophiques ». Prétendre que la matière ou la vie sont les produits du hasard – ce que fait la mécanique quantique pour la physique –, c'est se glorifier de son incompréhension, accepter que le monde ne soit pas intelligible. En réalité, dit Thom, derrière le hasard quantique, il existe certainement des causes déterministes, mais nous ne les connaissons pas encore. Ce n'est pas parce que les courants dominants de la sociologie et de la philosophie portent le « collectif de la science du chaos » que Prigogine a scientifiquement raison. Nous devons d'autant moins renoncer à comprendre, conclut-il, que l'attitude défaitiste des partisans du chaos coïncide avec une certaine stagnation du progrès scientifique.

Vous avez bien lu : d'après René Thom, les bénéfices du progrès s'épuisent. Ils ont cessé d'être significatifs, du moins à l'échelle de l'individu.

La science est en panne

Nos parents et nos grands-parents ont connu plus de changements que nous. Entre 1880 et 1940, leur vie a été concrètement modifiée par l'apparition de l'électricité, de la radio, du téléphone, du moteur, de l'automobile, de l'avion et des antibiotiques. Depuis lors, nous avons fait, selon Thom, des progrès quantitatifs, mais aucun bond qualitatif d'une amplitude comparable. Depuis 1940, la seule véritable innovation a été la bombe atomique qui – à l'exception du Japon – n'a guère affecté nos vies individuelles. Les développements de l'informatique ont été importants, mais pour les collectivités et les entreprises plus que pour les individus. Et médecine, les progrès techniques, depuis les antibiotiques, n'ont rien eu de révolutionnaire ; les manipulations génétiques ne valent, en clinique humaine, que pour des maladies rares. Au total, une fois passé le cap de l'enfance, notre espérance de vie n'augmente plus.

Ce blocage du « progrès vécu » a, selon Thom, une seule explication : l'épuisement des théories. Aucun progrès théorique majeur n'a été accompli en physique depuis la mécanique quantique des années vingt-cinq. En astrophysique, le *Big Bang* est à peine plus qu'une hypothèse. En biologie, après la découverte, en 1950, du codage génétique par l'A.D.N., l'embryologie reste un mystère. L'« impasse de la biologie » est, pour René Thom, particulièrement représentative de cet affaissement du progrès.

« Les biologistes se contentent de décrire les faits

sans être capables de les expliquer. » Ils accumulent les informations sans rien y comprendre, sans parvenir à donner une image cohérente des mécanismes qu'ils décrivent. Leur science est devenue un « cimetière de faits » rebelle à toute synthèse. Tout cela parce que, dit Thom, les biologistes sont fascinés comme des enfants par leurs instruments d'observation : « Ils se sont arrêtés de penser. La biologie ne pense pas, donc elle ne progresse pas. » Là où il n'y a pas de réflexion théorique, la science n'est plus qu'une collection d'archives.

Thom rappelle que, dans l'histoire des sciences, c'est l'invention *préalable* des concepts qui a permis de formuler les lois physiques. Depuis le XVIIe siècle, la science moderne n'a été rendue possible que dans la mesure où le progrès théorique a précédé l'expérimentation. Les grandes avancées scientifiques n'ont pas été dues à la découverte de nouveaux faits, mais sont apparues comme une nouvelle manière de penser et de formuler des faits connus. Aujourd'hui, c'est l'inverse qui se produit : les marchands d'informatique poussent le monde de la recherche vers toujours plus d'expériences et de collectes de faits, vers l'observation sans la réflexion. La science moderne s'essouffle parce que les savants appellent vérité ce qui n'est que succès techniques!

Première étape de la reconquête proposée par Thom : renoncer à l'enseignement des mathématiques dans sa forme actuelle.

L'enseignement des mathématiques fait reculer la pensée

L'enseignement des mathématiques tel qu'il se pratique actuellement illustre bien, selon René Thom, pourquoi la pensée recule. Cet enseignement, me dit-il, est à peu près inutile à la compréhension de bien des disciplines scientifiques. Bien plus, la mathématisation de la plupart des sciences est totalement artificielle. C'est « un plaquage qui dérive de la mode du quantifiable et de l'existence des ordinateurs ». Une mathématisation qui n'apporte rien à la compréhension des phénomènes qu'elle prétend décrire : la « science » économique en est un bon exemple.

Malgré cette critique autorisée de Thom (et d'autres grands mathématiciens français, comme Jean Dieudonné), pourquoi les mathématiques restent-elles omniprésentes dans nos écoles?

C'est une tradition ancienne, répond René Thom, que nous partageons avec les Russes. Napoléon voulait de bons artilleurs; pour cela, il a créé des écoles d'ingénieurs. A partir de là, la manie des maths a gagné tout l'enseignement. Ce n'était pas trop grave tant qu'il s'agissait du calcul élémentaire et de la géométrie euclidienne, qui décrivent des phénomènes sensibles. Mais c'est bien plus grave depuis que nous avons basculé dans les maths modernes. Une caricature, quand les enfants de six ans sont contraints d'apprendre la théorie des ensembles : « une simple écriture sténo pour expliquer des situations évidentes »!

Thom ajoute que l'enseignement des mathématiques devrait être arrêté vers les quinze ans. A ce stade, les enfants se séparent entre le cinq à dix pour cent qui peut comprendre les mathématiques complexes et les quatre-vingt-dix pour cent qui n'y parviendront de toute manière jamais. Vouloir à tout prix inculquer les mathématiques modernes à des esprits qui y sont fermés est totalement inutile.

Thom est plus sévère encore sur le rôle des maths dans la sélection scolaire. Il ne s'agit pas, dit-il, d'une nécessité scientifique, mais d'un phénomène socio-politique. La sélection par les maths donne aux enseignants l'illusion de l'objectivité. Pour noter une dissertation, il faut faire appel à son jugement personnel, avec les risques de contestation que cela comporte. Pour noter un devoir de maths, pas de difficultés de cette sorte! La suprématie des maths serait donc, selon Thom, le reflet d'une certaine lâcheté intellectuelle. La situation, ajoute-t-il, est d'autant plus paradoxale que c'est au nom de l'égalité sociale que les maths sont privilégiées par rapport aux lettres. Si bien qu'un critère de sélection *génétique* – les maths plutôt que les lettres – a été retenu sous prétexte de ne pas avantager les enfants de la bourgeoisie!

De plus, cette sélection par les maths, selon Thom, favorise les hommes, car il existe peu de femmes douées pour les mathématiques. La preuve? Avant 1968, il y avait deux concours d'agrégation séparés pour les hommes et pour les femmes. Depuis lors, et au nom du féminisme, il n'y a plus qu'un seul concours, et pratiquement plus de femmes agrégées... « N'écrivez pas cela, demande Thom, mais c'est quand même la réalité! »

De toute manière, estime-t-il, l'enseignement des lettres, s'il est bien fait, est plus propice que les maths au développement du sens des relations humaines qui constitue le fondement de la plupart des métiers modernes.

Oublier Galilée, retrouver Aristote

Avant Galilée, les maths ne servaient qu'à résoudre les problèmes des architectes. Depuis Galilée, explique Thom, les mathématiques ont envahi le raisonnement, tout est devenu quantifiable, et nos capacités sensibles de perception ne nous servent plus à rien pour comprendre l'Univers. « L'esprit humain ne se remet pas de cette rupture. » Avant Galilée, et depuis Aristote, ce qui était vrai et ce qui était intelligible ne faisaient qu'un : la compréhension des phénomènes naturels coïncidait avec la sensibilité courante. Ce qui était inintelligible était accidentel et n'avait donc aucun caractère scientifique. Mais Galilée a introduit la séparation entre le monde sensible et le monde intelligible. Exemple simple : une pierre qu'on jette vers le haut, qui monte et qui redescend, subit en apparence deux mouvements différents. Pas du tout, annonce Galilée : c'est le même mouvement, car la fonction mathématique qui décrit le déplacement de la pierre est identique dans les deux cas.

Nous savons, me dit Thom, ce que nous avons gagné avec Galilée : le formalisme mathématique quantitatif, qui est le fondement de toutes les techniques modernes. Mais nous ne sommes pas assez attentifs à ce que nous y avons perdu : la compréhension des changements qualitatifs. Pour faire redémarrer le progrès, estime-t-il, nous devons essayer de rapprocher l'avant et l'après-Galilée, Galilée et Aristote, le quantitatif et le qualitatif, le sensible et l'intelligible, la science et la conscience. Tel est l'enjeu de la « Théorie » des catastrophes.

Tout est prévisible, même les catastrophes

La Théorie des catastrophes est la contribution scientifique pour laquelle René Thom est un penseur mondialement reconnu. Mais le vocabulaire courant ne permet pas de comprendre ce qu'est cette Théorie des catastrophes, d'abord parce que ce n'est pas une théorie au sens traditionnel du terme. Il s'agit plutôt d'un projet philosophique : « Une tentative pour exorciser l'instabilité et retrouver des lois causales. »

Une *catastrophe*, dans le langage de Thom, est la frontière, spatiale ou temporelle, qui sépare un état d'un autre : frontière entre l'intérieur et l'extérieur d'un objet, entre deux nations ennemies, en psychologie entre la colère et le rire, etc. Au total, la théorie des catastrophes se présente sous la forme d'un catalogue aussi complet que possible visant à décrire des situations où l'on passe de ce qui est instable à ce qui est stable. Ses modèles – il y en a sept, qui décrivent sept types de catastrophes élémentaires – s'expriment par un théorème mathématique dit « théorème du déploiement universel ». La Théorie des catastrophes rend donc compte de situations qualitatives que les équations ne parviennent pas à décrire. Mais ce théorème de Thom n'est pas quantifié, ce qui embarrasse fort les informaticiens qui considèrent que ce qui n'est pas quantifiable est sans intérêt. Thom, naturellement, s'en félicite !

Exemple concret de l'application de la Théorie des catastrophes : les frontières entre Etats. Les signes que nous voyons sur une carte, explique René Thom, sont des souvenirs d'une catastrophe initiale, ils témoignent du passage d'une situation instable à une situation relativement stable. Si nous étudions l'histoire des frontières, nous découvrons qu'elles apparaissent selon un modèle universel. A l'origine, chaque individu a cherché son suzerain dans la capitale la plus proche. Si chaque capitale est représentée par un point, on constate que les frontières sont des segments de médiatrice entre ces points et décomposent l'espace en polygones. Pour presque tout choix de capitale, les frontières partagent le territoire par des points triples. L'entente des Etats ne se fait durablement que si elle aboutit à cette solution stable. Toute autre situation – par exemple des points quadruples – est instable. Le modèle géométrique vérifie l'Histoire, conclut Thom, et il y a donc un déterminisme de la frontière qui finit par s'imposer. Là où certains verraient le chaos de l'Histoire, Thom réimpose le déterminisme.

« Mais si mes modèles permettent de décrire des

tendances, ils ne permettent pas de faire des prévisions. Ce sont des modèles inefficaces, et j'y tiens ! » précise Thom.

René Thom ne serait-il pas totalement archaïque ? Lui-même se définit comme « un bricoleur peu coûteux », donc en marge de la science moderne. A moins qu'il n'annonce un changement profond de l'approche scientifique : la fin du règne du hasard, et la redécouverte du déterminisme.

« On peut tout me reprocher, conclut René Thom, sauf d'être modeste. »

*

Aucun entretien ne m'a donné autant de mal que celui-là. Mais j'avais décidé, d'emblée, de ne pas céder à René Thom. Je vous verrai, lui ai-je dit, aussi souvent que ce sera nécessaire, jusqu'à ce que je comprenne vos travaux. Il m'a fallu ensuite rédiger : rude tâche. J'ai récrit ce texte une dizaine de fois pour tenter de le rendre accessible au plus grand nombre. A tel point que Thom a fini par juger ces pages vraiment trop simples, voire simplistes. Bien que nous les ayons relues ensemble et qu'il en ait pesé chaque mot au cours de longues séances de concertation, il m'a en définitive adressé une lettre véhémente dans laquelle il nie m'avoir dit tout ce qu'il m'avait effectivement dit ! Son principal argument, pour souhaiter la non-diffusion de cet entretien – que je publie quand même – est qu'il fournirait des munitions à ses adversaires, en particulier les physiciens et tous les partisans du hasard.

En fait, les propos de Thom tels que je les ai retranscrits sont bel et bien authentiques; mais ils sont traduits dans une langue compréhensible, alors que, dans les livres qu'il rédige et publie, les mêmes éléments se retrouvent, mais en termes codés à l'usage des seuls spécialistes. C'est donc, me semble-t-il, l'ex-

position du débat au public que redoute Thom. Nous, les non-initiés, n'aurions-nous pas le droit d'apercevoir, même furtivement, le déchaînement des passions – trop humaines – qui déchirent la communauté scientifique?

J'ajoute que tout cela est très français : pareilles querelles ne surgissent décidément qu'à Paris!

III

L'HOMME ACCIDENTEL

Au commencement était la cellule. Cette cellule origi-nelle dont nous descendons a-t-elle été créée par Dieu ou est-elle née par hasard d'une réaction chimique au sein de la « soupe » terrestre, il y a quatre milliards d'années? A moins, comme est allé jusqu'à le suggérer le biochimiste Francis Crick, que ces premières cellules n'aient été semées sur notre planète par des extrater-restres? On peut avoir obtenu le Prix Nobel, comme Crick, dans une discipline, et être totalement déraison-nable dès que l'on en sort...

Sur la Création, la science ne peut, par définition, rien nous proposer d'autre que des théories. Le règne de la connaissance et de l'expérimentation ne com-mence qu'avec la deuxième cellule. Et le long chemine-ment qui l'a menée jusqu'à nous, les hommes. C'est alors que vint Darwin.

La science contemporaine descend de Darwin plus certainement que l'homme descend du singe. Nous en sommes généralement peu conscients et mal informés. Un darwinisme vulgaire s'est emparé des esprits et réduit l'apport de Darwin à des considérations triviales sur nos lointains ancêtres. En fait, bien avant Darwin, l'idée d'évolution des espèces était devenue si évidente qu'elle s'était répandue dans les esprits. Son apport ne se situe donc pas là où on le place d'ordinaire, mais dans son explication du mécanisme de cette évolution : la sélection naturelle des espèces. Ce qui suppose – là est la grande rupture – que le maître du jeu de l'évolution n'est pas Dieu, ni la raison, mais le hasard.

À partir de Darwin, le hasard fait la loi, ou plutôt la remplace : l'ordre du monde naturel serait le produit d'une loterie universelle et éternelle sans aucune nécessité historique.

Cette notion d'un ordre qui émerge du chaos existait déjà, à l'état naissant, chez Adam Smith. Cet économiste écossais dont l'œuvre a influencé Darwin avait, le premier, montré comment la multiplicité des initiatives individuelles apparemment désordonnées pouvait conduire à une plus grande richesse des nations. Mais c'est à partir de Darwin que l'ordre né du chaos s'imposa progressivement à la biologie, à la sociologie, puis à la physique, au XXe siècle, avec les théories de l'incertitude.

Darwin a aussi généré autour de lui une cohorte de métaphores qui vont durablement hanter les sciences sociales : le « combat pour la vie », la « survie des mieux adaptés », dont Darwin limite sagement l'usage aux espèces naturelles, vont inspirer les grandes idéologies du XIXe siècle, qui sont encore les nôtres. Marx avait demandé à Darwin l'autorisation de lui dédier Le Capital, ce que le savant anglais refusa. Mais Marx n'en puisa pas moins dans Darwin une grande partie de son inspiration : la lutte des classes et la victoire finale du prolétariat procèdent directement de la lecture de L'Origine des espèces.

Curieusement, Darwin inspira tout autant les tenants du capitalisme, puis du fascisme : le combat pour la vie servira donc de métaphore et de caution vaguement scientifiques aux idéologies les plus contradictoires.

Voilà ce qui m'a incité à approfondir l'enquête sur le

terrain d'origine de Darwin : l'évolution et la biologie. Nous allons découvrir que les voies qu'il a ouvertes restent encore bien mystérieuses. J'en donnerai trois témoignages : avec Stephen Gould, paléontologue à Harvard, Edward Wilson, entomologiste dans la même université, et Motoo Kimura, biologiste à Mishima, au Japon. Le premier est un darwinien strict, qui s'attache à confirmer que la sélection naturelle des espèces est bien le seul moteur de l'évolution, mais qu'elle n'affecte que la morphologie. Wilson, au contraire, estime que la sélection affecte tout autant le comportement des êtres vivants, voire les traits culturels de l'homme. Enfin, pour Kimura, la sélection est un phénomène secondaire; elle n'interviendrait que de manière accidentelle sur un vaste pool de possibilités génétiques, ce que Kimura a nommé la « théorie neutre » de l'évolution.

Plongeons donc à nouveau dans les contradictions : elles sont, nous l'avons déjà constaté, la nature même de la science contemporaine.

STEPHEN GOULD

L'homme ne descend pas du singe, il est son cousin

« Avez-vous remarqué, m'a demandé Stephen Gould, que Mickey ne cesse de rajeunir? »

Gould a consacré au personnage de Walt Disney une très sérieuse étude de paléontologie. Il y observe que Mickey, dans sa première apparition au cinéma en 1928 (*River Boat*), était un animal agressif, presque sadique. Depuis lors, son caractère s'est adouci jusqu'à devenir tout à fait aimable et même enfantin. Simultanément, son physique s'est transformé. Entre 1928 et 1953, l'œil de la souris, mesuré par Gould, s'est agrandi d'un tiers, et a fini par occuper le quart du visage; les bras et les jambes ont raccourci, le front s'est arrondi. Mickey s'infantilise!

Mais pourquoi donc Walt Disney a-t-il fait évoluer sa création à l'inverse des lois de la Nature, et pourquoi Stephen Gould, sérieux paléontologue, me parle-t-il de Mickey? C'est que, selon lui, l'aventure de Mickey est une bonne représentation de notre attitude face à la Nature et aux règles de l'évolution. Nous savons, depuis les travaux de Darwin, que toutes les espèces évoluent; mais nous aimerions qu'elles évoluent dans le bon sens, vers le charme, la jeunesse, la gentillesse. Malheureusement, ce n'est pas du tout ce que Charles Darwin a révélé au monde; c'est même le contraire!

Il n'est pas question de contredire Stephen Gould sur ce sujet. Professeur à Harvard, figure populaire de l'intelligentsia de gauche aux Etats-Unis, lui-même ne descend pas de Darwin en ligne directe, mais il en est l'héritier spirituel incontesté. L'évolution est une science exacte, précise-t-il, pas une théorie!

L'évolution n'a pas de finalité morale

Darwin, me dit Gould, est le seul des grands savants du XIXᵉ siècle à n'avoir pas été balayé par les progrès scientifiques du XXᵉ. Depuis un siècle, tout a été entrepris pour démontrer que Darwin avait tort. Sans succès! Sa théorie a fait ses preuves; elle peut être considérée comme aussi scientifique que les lois de la biologie ou de l'astrophysique. Bien mieux : son hypothèse de la sélection naturelle des espèces n'a cessé de se renforcer. A l'origine, elle était fondée sur l'observation des fossiles, des pigeons des Galapagos, et sur beaucoup d'intuition! Or, remarque Gould, nous savons aujourd'hui ce que Darwin avait pressenti, mais dont il ignorait les mécanismes. Grâce à la découverte du code génétique par les biologistes (anglais) Francis Crick et (américain) James Watson dans les années cinquante, nous comprenons les lois de l'hérédité. Nous savons que nos gènes ne sont pas de parfaits reproducteurs : il y a constamment des erreurs de copie. Voilà pourquoi ils engendrent parfois des évolutions accidentelles. S'il apparaît que ces accidents sont mieux adaptés à leur environnement que l'original, ils prolifèrent. Cette sélection naturelle des espèces les plus aptes se poursuit sous nos yeux : nous voyons bien, par exemple, que seuls se répandent les microbes ou les insectes les plus capables d'affronter l'impitoyable « sélection » de la pénicilline ou du D.D.T.

Mais le plus important, ajoute Gould, est de comprendre que chaque espèce nouvelle est sélectionnée *uniquement* pour sa capacité d'adaptation, et en aucun cas parce qu'elle est « bonne » ou « supérieure » : l'évolution darwinienne n'a pas de finalité morale. Par conséquent, dans la théorie darwinienne, l'homme n'a pas été créé à la suite d'un « projet », mais par accident, il y a cinq millions d'années, à l'emplacement du Kenya actuel. Ce premier hominien connu, l'australopithèque, nous ressemblait déjà comme un frère; c'est de lui que descend, par des sélections ultérieures, l'*Homo sapiens*, notre espèce, apparue il y a deux cent mille ans.

Le darwinisme, précise Gould, ne dit pas que l'homme « descend du singe », mais que nous sommes « les cousins éloignés du chimpanzé ». Nous partageons avec lui un ancêtre commun vieux de cinq millions d'années. Cet ancêtre a donné naissance à des branches parallèles dont l'une seulement a débouché sur l'*Homo sapiens*. Celui-ci, événement improbable dans une évolution accidentelle, aurait donc pu ne pas apparaître. Il pourra tout aussi bien disparaître, dit Gould, comme les dinosaures qui ont dominé notre planète pendant des millions d'années, puis se sont volatilisés pour des raisons mystérieuses. (Une hypothèse de Gould sur les dinosaures : ils n'ont pas réellement disparu, mais leur espèce a évolué pour donner naissance aux oiseaux actuels. Sauf la taille, oiseaux et dinosaures présentent en effet des traits communs...)

Ce qui n'est pas darwinien n'est pas scientifique

A suivre Gould, on peut se demander pourquoi contester une théorie aussi clairement « prouvée » par l'analyse des fossiles, les lois de l'hérédité et, plus récemment, par la biologie moléculaire. C'est que, répond-il, l'esprit humain parvient mal à accepter la vraie révolution darwinienne. Celle-ci ne tient pas à l'« évolution », phénomène largement admis avant Darwin, mais au caractère *hasardeux* de la sélection naturelle. Le « scandale » darwinien est que les espèces n'obéissent pas à un plan préconçu – par Dieu ou l'Esprit – et qu'elles ne s'acheminent vers aucun but. Les critiques du darwinisme, estime Gould, relèvent toujours de la morale, voire de la politique, non de la science. C'est pourquoi Gould consacre beaucoup de son énergie à ferrailler dans la presse américaine contre toutes les atteintes à la « vraie science ».

Sa bête noire, ce sont les « créationnistes », adeptes de mouvements religieux nés dans le sud des Etats-Unis, qui considèrent que la création selon la Bible doit être prise au pied de la lettre et enseignée dans les écoles au même titre que la théorie darwinienne. Mais, malgré les efforts de Gould, quarante-quatre pour cent des Américains, si l'on en croit les sondages, restent fidèles au créationnisme biblique !

L'autre grand ennemi de la science de l'évolution, c'est le lamarckisme. Gould aime bien opposer Lamarck, « le parfait savant français », à Darwin, « le véritable savant anglais ». Lamarck s'était contenté d'observer l'Univers de son fauteuil. A partir de ses réflexions théoriques, il élabora en 1802 un système satisfaisant pour l'esprit, mais sans rapport avec la réalité : le transformisme. Comme il était devenu évident dès cette époque, après la découverte d'accumulations de fossiles, que les espèces avaient évolué depuis leurs origines, Lamarck imagina qu'elles s'étaient adaptées à leur environnement – ce qui était juste. Mais il crut que cette adaptation était progressive et héréditaire – ce qui était faux. Exemple connu : la girafe. Selon Lamarck, elle avait progressivement allongé son cou pour atteindre les feuilles d'arbres, puis elle avait transmis ce « caractère acquis » à sa descendance. En vérité, dit Gould, les girafes n'ont pas allongé leur cou, et elles n'ont rien transmis du tout : ce sont des girafes nées par hasard avec un long cou – et sans doute d'autres caractères simultanés – qui ont survécu, par sélection. Partant d'observations concrètes, contrairement à Lamarck, Darwin avait compris que la Nature ne progressait pas de manière linéaire, mais se ramifiait par accident.

La grande théorie de l'évolution, m'explique Gould, est fondée sur l'accumulation de petits faits qui auraient paru insignifiants à Lamarck. Gould me donne une illustration type de la méthode de Darwin : le savant anglais a consacré deux années d'études à l'examen des vers de terre de son jardin. Pour quoi faire? Pour démontrer que les vers de terre, en quelques siècles, peuvent bouleverser le paysage, et que le facteur « temps » explique comment de minuscules causes peuvent aboutir à de grands effets.

Le temps est la dimension essentielle de l'évolution. Il n'y a pas de combinaisons d'apparence logique auxquelles le hasard ne puisse aboutir s'il dispose de quelques millions d'années. Avec le temps, le hasard peut tout créer.

La fausse science est meurtrière

Mais sommes-nous si sûrs que le transformisme de Lamarck soit faux? Est-il impensable qu'un organisme vivant puisse transmettre un caractère acquis? Gould est intransigeant : « Tout ce que nous savons sur le code génétique nous indique qu'il ne peut pas incorporer une information extérieure. Une cellule ne sait pas retenir et transmettre une habitude acquise par un être vivant. » Et pourtant, reconnaît Gould, la conception lamarckienne de l'évolution est toujours populaire.

Comment est-il possible qu'une théorie fausse reste aussi répandue dans le grand public, et jusque dans la communauté scientifique? Arthur Koestler n'a-t-il pas consacré un livre entier à démontrer que le lamarckisme était envisageable? Parce que c'est une théorie rassurante, répond Gould. Elle récompense l'effort : le caractère est réputé s'acquérir. Elle satisfait la morale : le caractère est réputé se transmettre. Voilà pourquoi les Français en particulier y sont toujours très attachés. L'évolution à rebours de Mickey peut elle aussi être considérée comme une conséquence inattendue de cette sympathie spontanée pour le « transformisme »...

Un autre animal, vrai celui-là, illustre bien, selon Gould, notre refus de voir la Nature telle qu'elle est : le panda. Gould lui a consacré de nombreux essais. Il existe, me dit-il, deux sortes de panda, celui de notre imagination, gros ours doux et tranquille au regard attendrissant, et le vrai panda, qui a peu de rapports avec la peluche. Le vrai panda, explique Gould, est un être mal adapté à son environnement naturel; il est condamné par un système digestif absurde à manger onze heures par jour des pousses de bambou; il n'a de temps pour aucune autre activité. Morale de cette histoire : Gould y voit une manifestation du caractère approximatif de la Nature; l'évolution est « un bricolage imparfait », parce qu'elle n'a pas de finalité. Dans le laboratoire de Gould, il y a malgré tout un panda en peluche : le chercheur a ses faiblesses...

Mais Mickey et le panda ne sont que d'aimables tentatives pour apprivoiser l'histoire naturelle. Le lamarckisme peut malheureusement provoquer des dégâts beaucoup plus considérables. Gould nous le rappelle avec l'histoire du lyssenkisme.

Dans l'Union soviétique de Staline, le biologiste

Lyssenko a truqué ses expériences pendant vingt ans pour démontrer que l'on pouvait transmettre héréditairement des espèces améliorées de céréales. Derrière ce débat technique, il s'agissait de prouver que le communisme stalinien était capable de brûler les étapes de la biologie. En 1930, Lyssenko déclara que « l'incapacité de la science occidentale à susciter des améliorations rapides et transmissibles des principales céréales était due à l'idéologie décadente de la science bourgeoise et à sa croyance absurde dans les lois génétiques ». A l'inverse, Lyssenko qualifiait sa biologie de « prolétarienne », ou de « darwinisme créateur soviétique ». En 1948, Lyssenko ajoutait que ses propositions étaient exactes, puisqu'elles avaient été approuvées par le Parti communiste et par Staline! Entre-temps, tous les savants de son pays qui s'opposaient à lui furent écartés, souvent emprisonnés. Le désastre pour la recherche biologique en U.R.S.S. fut tel que, trente ans après l'abandon du lyssenkisme, le pays ne s'en est pas encore remis. « Rien n'est plus meurtrier que la fausse science », conclut Gould.

Et pourtant, celle-ci ne cesse de resurgir sous des formes nouvelles! Gould en voit pour dernier avatar la sociobiologie.

Les différences entre les peuples sont culturelles et non pas biologiques

Les lamarckiens, comme les créationnistes, livrent aujourd'hui un combat d'arrière-garde. Plus sérieux, selon Gould, est le défi des sociobiologistes, une école de pensée conduite par l'un de ses propres collègues de Harvard, un spécialiste des fourmis : Edward Wilson. D'après Wilson, tout serait darwinien, y compris l'évolution culturelle : ce sont non seulement la morphologie, les formes extérieures des espèces qui auraient été sélectionnées au cours des âges, mais leur comportement, et, dans le cas de l'homme, son patrimoine culturel. Les mécanismes de la sélection qui expliquent la diversité des espèces expliqueraient de la même manière, selon les socio-biologistes, les différences entre les cultures et les civilisations, entre les hommes et les femmes, et entre les peuples. Différences, inégalités et hiérarchies seraient donc de nature biologique, et par consé-quent insurmontables.

La grande faiblesse de ce déterminisme biologique, selon Gould, est qu'il est faux. Aucune recherche scientifique ne justifie les théories de Wilson : jusqu'à plus ample informé, la sélection naturelle affecte notre enveloppe extérieure, et non pas ce qui se passe dans nos têtes. On ne voit donc pas comment les différences entre les comportements et les cultures pourraient s'expliquer par la sélection naturelle.

Gould illustre son propos par l'exemple des castes en Inde. Si l'on suit la sociobiologie, la hiérarchie des castes devrait se retrouver inscrite dans les gènes; or, les analyses génétiques qui ont été conduites en Inde montrent que le patrimoine génétique est le même pour toutes les castes étudiées. Il s'agit donc là d'un phénomène exemplaire de différenciation culturelle sans rapport avec le darwinisme.

Ce qui est vérifié dans le cas des castes de l'Inde vaut aussi bien pour les races, ajoute Gould.

Les analyses génétiques des groupes humains font toutes apparaître que les différenciations raciales sont superficielles : elles ne vont pas au-delà de l'épiderme. Surtout, précise Gould, « les variations à l'intérieur d'une même population se révèlent tou-jours plus importantes que les différences entre deux populations distinctes... L'unité biologique de l'es-pèce humaine exclut toute corrélation entre la race, la culture et l'intelligence ».

Ce qui veut dire, explique Gould, que les cultures

et les civilisations, depuis l'apparition de l'*Homo sapiens*, ont effectivement évolué, mais selon un rythme propre qui est celui de l'Histoire, non celui de la biologie. Gould en donne une illustration : au Ve siècle, les Arabes étaient considérés en Occident comme globalement plus intelligents que les Européens; pourtant, leur patrimoine génétique était le même qu'aujourd'hui. Le nôtre aussi. Nos cultures respectives ont donc changé depuis lors, non nos aptitudes raciales. Mille ans, ajoute Gould, est d'ailleurs une période trop courte dans l'histoire naturelle pour que puisse s'accomplir la moindre évolution biologique. Depuis cinquante mille ans, l'espèce humaine n'a, selon Gould, pratiquement pas évolué ni dans son aspect extérieur, ni dans ses capacités intellectuelles. En admettant que l'on puisse mesurer « cette chose » que l'on appelle l'intelligence, nous ne sommes guère différents de l'homme des cavernes ni plus intelligents que lui.

C'est là aussi un terrain de combat pour Gould : il fait observer que pour mesurer l'intelligence, les Français (Binet) et les Américains (Jensen) ont élaboré des tests. Mais qu'est-ce que l'intelligence, « sinon ce que testent les tests »?

Le cerveau échappe à l'évolution

En fait, précise Gould, il faut se garder d'utiliser le darwinisme hors de sa discipline. La sélection naturelle explique l'évolution, mais elle est inutile pour comprendre l'Histoire, la culture, la société. Toutes les tentatives idéologiques pour passer de l'histoire naturelle à l'histoire culturelle relèvent, selon Gould, de la métaphore littéraire ou de l'imposture scientifique. Tout simplement parce que l'homme a hérité, par la sélection naturelle, d'un organe tel qu'aucune autre espèce n'en dispose : son cerveau. Cet organe n'est pas programmé, et il nous permet donc d'effectuer des choix libres. Dès lors, l'homme a échappé à la loi de la sélection naturelle pour entrer dans un nouvel ordre, celui de la culture.

Le darwinisme ne réduit donc pas notre liberté, estime Gould, mais il nous contraint à chercher un sens à la vie ailleurs que dans les mécanismes de l'évolution : dans l'art, la musique, la littérature, la morale, les combats personnels, l'humanisme ou la foi. Tous ces domaines échappent au darwinisme et relèvent d'un autre type d'évolution, l'évolution culturelle. Là, estime Gould, Darwin ne nous sert plus à rien. Car « la culture, à l'inverse de la nature, s'acquiert, s'adapte et se transmet ». Contrairement à tous les animaux, les êtres humains peuvent imaginer des solutions et des comportements, les enseigner à leurs voisins et à leurs enfants, sans préalables ni conséquences génétiques. En définitive, après avoir traversé depuis ses origines quelque deux cent mille ans et être né d'une sélection que Darwin dit accidentelle, l'*Homo sapiens* apparaît comme une espèce qui n'est réductible à aucune autre : elle est bien, selon Gould, « la seule capable de s'émanciper des contraintes naturelles ».

Le mystère de la Création reste entier

Ne concluons pas de cet entretien que les darwiniens savent tout et que le sujet de l'évolution est épuisé. Il est vrai, reconnaît Gould, que le mécanisme exact de la sélection naturelle reste à découvrir. On ne sait pas comment les gènes déterminent les formes extérieures. Quelle est, en termes plus savants, la relation exacte entre le génotype (l'intérieur) et le phénotype (l'extérieur). On ne sait pas non plus si les espèces vivantes évoluent graduellement ou par bonds.

L'hypothèse de Gould est que l'évolution a été ponctuée par une série de catastrophes entre deux zones de calme. La recherche sur les fossiles fait apparaître de nombreux chaînons manquants. Manquent-ils parce qu'on ne les a pas encore trouvés ou bien parce qu'ils n'ont jamais existé?

Mais, surtout, ni Darwin ni Gould ne nous disent pourquoi les espèces évoluent vers toujours plus de complexité : une question à laquelle Teilhard de Chardin avait tenté de répondre dans les années cinquante.

Le père Teilhard, jésuite, paléontologue et grand chasseur de fossiles, avait bien admis que les espèces évoluaient sur des millions d'années, mais il estimait qu'elles évoluaient vers « quelque chose ». Ce qu'il appela le « point Oméga », un projet divin, une fusion des consciences vivantes dans un esprit universel voulu par Dieu, la « noosphère ».

Que pense Gould de Teilhard? Pour lui, il est démodé : « Aucune découverte n'est venue soutenir sa théorie finaliste. » Le mystère de la complexité reste donc entier. De même que celui de la Création. Le mécanisme de la création d'espèces nouvelles a été disséqué par les darwiniens, mais pas le fait même de la Création. Darwin nous dit que toute espèce vivante dérive d'un organisme fort simple et probablement unique, mais on ne pourra jamais recréer en laboratoire l'expérience unique de la Création. Les darwiniens ne répondent pas à nos inquiétudes métaphysiques : ce n'est pas notre rôle! conclut Gould.

Gould est donc un curieux mélange de certitudes et de modestie. Mais pourquoi fallait-il qu'il attaque la sociobiologie d'Edward Wilson de manière aussi brutale?

Pour tirer l'affaire au clair, il me suffisait de traverser le campus de Harvard, tapissé cet automne-là de feuilles d'érable. Je suis entré sans m'annoncer dans le département d'entomologie. Edward Wilson était dans son laboratoire, à observer des fourmis dans une boîte en plastique. Et tout à fait disposé à m'expliquer pourquoi Gould avait tort.

EDWARD O. WILSON

Nous sommes les prisonniers de nos gènes

A la fin des années trente, un enfant solitaire de l'Alabama occupait ses loisirs à observer le comportement des fourmis. Vingt ans plus tard, devenu professeur à l'Université de Harvard, Edward Osborne Wilson est reconnu comme l'autorité mondiale sur le sujet. Il a montré que les insectes « sociaux » – fourmis, termites, abeilles – sont parfaitement programmés dès leur naissance, comme des robots. Le destin de Wilson rappelle celui de Henri Fabre, le fondateur français de l'entomologie. « Les travaux de Fabre restent valables, me dit Wilson, mais j'ai ajouté un élément qu'il ne pouvait découvrir par la seule observation. » Fabre s'était demandé en vain comment les fourmis communiquaient; Wilson a trouvé la réponse : « par l'échange de substances chimiques ».

Je n'aurais pas retenu Wilson dans ma galerie des « vrais penseurs » s'il s'était contenté de regarder les fourmis. En fait, comme tous les bâtisseurs de système, Wilson a transgressé les frontières de sa discipline pour en tirer des enseignements généraux. C'est là qu'il devient intéressant pour nous, les non-spécialistes; et contesté, comme tous les inventeurs.

Car Wilson est le fondateur d'une théorie neuve et contestable : la sociobiologie. En simplifiant à l'extrême, je dirai que la sociobiologie est l'application à la société humaine de notations biologiques observées chez les animaux : selon Wilson, nos comportements humains seraient tout aussi tributaires du patrimoine génétique légué par l'évolution naturelle qu'ils le sont de notre culture acquise.

Pour être franc, j'ai longtemps hésité avant de voir Wilson. Ses livres, à l'époque non encore traduits en français, avaient été brandis, à la fin des années soixante-dix, par un courant politico-intellectuel inquiétant : la « nouvelle droite ». Sur ce point, Gould avait raison. Ce groupuscule bruyant, en s'appuyant sur la sociobiologie sans trop l'avoir étudiée, nous laissait entendre que les différences entre les races et les peuples n'étaient pas le fait de l'Histoire, mais une nécessité biologique. Voilà qui n'était pas sans rappeler quelques vieilles thèses sur la supériorité des races, revigorées à l'aide de la génétique moderne. Au vrai, je n'avais pas lu Wilson. Mais Wilson est si décrié à gauche, en France comme aux Etats-Unis, que je me suis persuadé qu'un homme ayant autant d'ennemis ne pouvait être totalement inintéressant. J'avais deviné juste : Wilson n'est pas un idéologue. Comme il me l'a déclaré : « La sociobiologie n'est pas un programme politique, c'est un programme de recherche. »

La Nature sélectionne aussi les comportements

Darwin n'avait appliqué la théorie de l'évolution qu'aux formes extérieures, à l'anatomie humaine ou animale. Un saut décisif, m'explique Wilson, fut accompli dans les années trente par le savant autrichien Konrad Lorenz. Celui-ci explique non seulement l'évolution des formes, mais également celle du comportement animal par la logique darwinienne : il crée une science nouvelle, l'éthologie.

C'est une conférence de Konrad Lorenz, prononcée à Harvard dans les années cinquante, qui détermina le destin de Wilson. Ce fut, se souvient-il, « un éblouissement ». Dans le même temps, Wilson découvrait que Lorenz était plus intuitif que scientifique. Car au moment d'élaborer sa théorie, Lorenz ignorait le fonctionnement du système génétique. Comme Darwin, il avait pressenti les lois de la sélection naturelle des espèces et de leur comportement, mais sans pouvoir les expliquer. Cette explication devait venir plus tard et confirmer la théorie : tout le comportement est génétique – ou presque – chez l'animal.

Il l'est aussi « en partie chez l'homme », ajoute Wilson – et c'est là que commence le « scandale » de la sociobiologie. « Si je m'étais arrêté au singe, souligne-t-il, je n'aurais jamais eu aucune difficulté avec l'*establishment* scientifique; la sociobiologie est généralement bien acceptée quand elle concerne le comportement animal. Mais comme j'ai transgressé cette frontière pour m'intéresser à l'homme, j'ai été soumis à des brimades et à des agressions de toutes sortes, dont on a du mal à croire qu'elles puissent se produire sur un campus respectable des Etats-Unis! »

Mais commençons par les fourmis.

Les fourmis : des robots civilisés

Les animaux sont des robots, me dit Wilson. Plus ils sont « sociaux », comme les fourmis ou les termites, plus ils sont robotisés. Les fourmis n'apprennent pratiquement rien de leur vivant. Elles sont programmées à la naissance. Il n'empêche que leur comportement et leur société sont extrêmement complexes.

Sur le bureau de Wilson, une dizaine de boîtes en

plastique translucide communiquent entre elles par des tunnels. Dans chaque boîte, des fourmis – recueillies au Costa Rica – vaquent automatiquement à leurs occupations. Chaque boîte correspond à une fonction : masticage des feuilles, transport, alimentation, nidification, reproduction, évacuation des cadavres. « Si je les laissais faire, m'explique Wilson, elles envahiraient la pièce en quelques semaines, et la planète en l'espace de quelques années. Seule l'existence d'autres espèces limite leur prolifération. » L'évolution darwinienne a sélectionné chez ces fourmis les comportements sociaux complexes les plus favorables à leur multiplication. Ces comportements sont tous hérités et transmis par les gènes. Il n'y a rien chez les fourmis qui soit culturel ou apporté par l'environnement : les insectes sociaux ne sont pas concernés par le débat culture/ nature, inné/ acquis. Tout, chez eux, est inné et naturel.

Si nous observons ces fourmis, me dit Wilson, nous sommes rapidement troublés de constater qu'elles vivent dans une société qui ressemble à certaines sociétés humaines. Cela vaut pour bien des comportements animaux. Par exemple, les termites ont un système de castes qui n'est pas sans évoquer certaines de nos civilisations. Les chimpanzés ont des comportements qui, s'ils étaient observés chez l'homme par un ethnologue, seraient considérés comme parfaitement humains. « Bien plus, ajoute-t-il, on retrouve facilement chez le chimpanzé tous les traits qui constituent les premiers chapitres des manuels d'anthropologie. » Ce qui n'empêche pas les anthropologues d'expliquer que ces comportements, ou les organisations sociales élémentaires des sociétés primitives, sont entièrement d'origine culturelle. Ils le font sans preuves! En réalité, nous avons du mal, selon Wilson, à reconnaître combien nous sommes conditionnés par notre biologie, et combien ce que nous imaginons devoir à notre culture acquise est, en fait, inscrit dans notre patrimoine génétique.

Wilson illustre sa pensée par deux exemples considérés comme typiques des civilisations humaines; la prohibition de l'inceste et l'altruisme.

Nos sentiments sont programmés

Pour les anthropologues, en particulier Claude Lévi-Strauss, la prohibition de l'inceste est un trait constitutif de toutes les sociétés humaines, le fondement même de la culture. C'est cet interdit culturel qui rend indispensable la recherche des épouses et débouche sur les échanges organisés. A cette thèse Wilson oppose l'explication de la sociobiologie : l'inceste a été bloqué par l'évolution, et sa prohibition a été inscrite dans nos gènes; ce n'est pas un choix de civilisation, mais un produit darwinien.

Pourquoi la sélection naturelle aurait-elle éliminé le gène de l'inceste? Parce que, selon Wilson, les espèces, y compris l'homme, ne sont rien d'autre que des machines à porter et à transmettre les gènes. Or l'inceste conduit à la dégénérescence, à l'appauvrissement du patrimoine génétique. D'ailleurs, la prohibition de l'inceste peut s'observer chez plusieurs espèces de mammifères sauvages, en particulier chez les chimpanzés.

Passons à l'altruisme. Le fait qu'un animal – ou un homme – se sacrifie pour le bien de ses congénères a toujours posé problème aux darwiniens. Dans la logique de l'évolution, chacun devrait égoïstement préférer la transmission de son propre patrimoine génétique. Sauf, explique Wilson, si l'on admet que chaque espèce porte les gènes d'un patrimoine collectif : le sacrifice de soi devient alors logique, il permet la prolifération de l'espèce. N'est-ce pas ce qui se passe dans les guerres où le sacrifice de quelques-uns permet la survie du plus grand nombre? La guerre serait donc elle aussi un phénomène que l'on pourrait expliquer par la biologie. Du moins, précise Wilson, les guerres limitées, comme toutes celles du passé, qui ne mettaient pas en cause la survie de l'ensemble de l'espèce.

Comme je ne suis pas convaincu par ce qui me paraît ici plus métaphorique que scientifique, Wilson avance un troisième exemple plus complexe, emprunté aux relations de parenté. Dans la plupart des sociétés primitives observées par les ethnologues, les oncles sont plus attentifs aux enfants de leurs sœurs qu'aux enfants de leurs frères. Pourquoi? L'énigme serait à nouveau résolue par la sociobiologie wilsonienne : un modèle mathématique simple démontre que la transmission génétique du patrimoine collectif est mieux assurée par les neveux issus des sœurs que par les neveux issus des frères.

D'une manière générale, m'explique Wilson, c'est selon cette méthode que procèdent les sociobiologistes : ils construisent un modèle mathématique qui décrit des comportements optimisant la transmission génétique. Puis ils regardent si les espèces vivantes se conforment à ce modèle. Dans l'affirmative, il est fortement probable que le comportement observé relève de la sélection naturelle, et non pas de la transmission culturelle.

Nous ne sommes pas libres de nous détruire

Selon Wilson, le vrai débat contemporain n'oppose plus les darwiniens aux non-darwiniens : « La théorie de l'évolution est incontournable. » La querelle se situe à l'intérieur même du darwinisme. Certains, comme Stephen Gould, considèrent que l'évolution s'applique bien à toutes les espèces, jusqu'à l'apparition de l'homme. Mais ils estiment que l'*Homo sapiens*, depuis son apparition, a cessé d'évoluer et que le cerveau de l'homme lui confère une liberté totale, non programmée. A partir de ce moment, selon cette école, la culture aurait remplacé la nature comme facteur de l'évolution humaine. L'autre école, celle de la sociobiologie, estime au contraire que l'homme continue d'évoluer et qu'il n'y a pas nécessairement unité de l'espèce humaine. En effet, me dit Wilson, « rien ne prouve ni l'unité de l'homme, ni sa totale liberté, ni sa fixité ». Par conséquent, il n'est pas scientifiquement fondé d'écarter les hypothèses de la sociobiologie sous prétexte que, politiquement, elles ne nous arrangent pas. « Il me paraît contradictoire, dit Wilson, d'admettre que le cerveau soit le produit de l'évolution et d'expliquer que ce cerveau a ensuite échappé à toute contrainte biologique. »

Il est vrai, reconnaît-il, que le cerveau humain est un organe sans équivalent dans les autres espèces, et qu'il nous a donné une certaine liberté de choix. Mais cette liberté peut aussi bien aboutir à des désastres. L'homme est en effet la seule espèce vivante qui a créé les moyens de se détruire. L'intelligence et l'individualisme non programmés, chez l'homme, menacent l'espèce même. « Heureusement, ajoute Wilson, notre héritage génétique a également sélectionné des comportements qui limitent ce risque d'autodestruction. » Par exemple? « Les religions et, d'une manière plus générale, les grandes institutions. » Elles canalisent l'individualisme destructeur et empêchent l'éclatement de la société humaine qui pourrait aboutir à l'extinction de l'espèce.

Dans l'analyse de Wilson, la question n'est donc pas de savoir si les religions sont vraies ou fausses : elles sont absolument nécessaires à la survie de l'homme, et l'aspiration religieuse est génétiquement programmée. C'est également dans nos gènes qu'il faudrait, selon lui, trouver les sources du Bien et du

Mal : deux notions programmées qui canalisent nos instincts vers la procréation plutôt que vers l'extinction.

Nous serions donc prisonniers de nos gènes. La plupart des philosophes, précise Wilson, ont admis le principe de l'évolution, mais refusent qu'une de ses conséquences puisse être la détermination biologique du Bien et du Mal. Que reste-t-il en effet de notre liberté si nous sommes ainsi programmés? « Mon hypothèse, répond Wilson, est que nos gènes nous prédisposent à un certain comportement plutôt qu'à un autre, mais sans qu'il y ait automatisme. » Nos choix évoluent bien en fonction de notre culture et de la pression du groupe, notre liberté existe, mais ce que nous désirons s'inscrit dans un champ délimité par nos gènes. D'après Wilson, ce que nous « voulons » se situe en partie au-delà de notre contrôle, car nous agissons à l'intérieur d'un code génétique. Exemple : le mariage. Si nous n'épousons pas n'importe qui, c'est parce que « nos gènes nous tiennent en laisse ».

Voilà pourquoi Wilson est relativement optimiste sur l'avenir de l'espèce humaine : « Notre programmation génétique devrait nous empêcher de nous détruire dans un holocauste nucléaire. » Je lui fais observer que si nous parvenons néanmoins à nous détruire, c'est que notre culture l'aura emporté sur notre nature et que la sociobiologie n'aura alors été qu'une hypothèse fausse. Wilson en convient d'autant mieux... qu'il ne se trouvera alors plus personne pour se poser la question.

La coévolution de la nature et de la culture

Je ne prétends pas, précise Wilson, que la sélection naturelle explique cent pour cent de nos comportements. La sociobiologie n'est qu'une composante de l'interprétation du comportement humain, avec des variations importantes selon les cultures. De plus, à la manière de l'anthropologie pour les sociétés primitives, la sociobiologie recherche les origines de ces comportements davantage qu'elle n'étudie leurs manifestations actuelles.

Je note au passage que Wilson a beaucoup rabattu de ses ambitions initiales. Dans son ouvrage fondateur, *Sociobiology*, paru en 1973, il estimait que la science nouvelle permettrait – en théorie – de prévoir tous les comportements humains. Sous les coups de la critique et à la suite de ses propres recherches, Wilson pense aujourd'hui que la sélection génétique explique de moins en moins nos attitudes au fur et à mesure que nous nous éloignons de notre état primitif. Il admet que l'évolution culturelle a pris depuis des milliers d'années le relais de l'évolution naturelle. Mais pas totalement : nos gènes tiennent toujours notre culture en laisse. La laisse s'allonge parfois démesurément, devient presque invisible, mais probablement existe-t-elle toujours. De plus, ajoute Wilson, il y a certainement une interaction, « une coévaluation de la culture et de la nature ». Certains comportements culturels finissent par s'inscrire dans le patrimoine génétique : il y suffirait de quelques milliers d'années. Il n'est en tout cas pas possible, estime-t-il, de considérer *a priori* que tout changement historique serait essentiellement culturel et n'aurait jamais aucune dimension génétique.

Reprenons, suggère Wilson, l'exemple cher à Stephen Gould sur les Arabes et les mathématiques. Les Arabes excellaient en mathématiques il y a mille ans, mais plus aujourd'hui. L'explication de Gould est à cent pour cent culturelle. Pourquoi? Parce que, politiquement, c'est facile à soutenir. Mais on pourrait tout aussi bien prétendre que le patrimoine génétique de ces populations a évolué et les rend moins aptes aux mathématiques. Ce qui, souligne

Wilson, n'en fait pas pour autant une race inférieure!

Restons dans les mathématiques, propose Wilson : au cours de l'histoire de l'humanité, le nombre des femmes mathématiciennes est très faible. Pourquoi ne pas admettre que la prédisposition génétique aux mathématiques leur fait défaut? rien ne permet d'exclure cette hypothèse. A l'inverse, il semble bien que les Eskimos aient un avantage génétique sur les autres espèces dans la protection contre le froid. Est-ce que cela en fait une race supérieure?

Conclusion de Wilson : « Le postulat de l'unité de l'espèce humaine n'est pas démontré. » Probablement est-ce le contraire qui est vrai, même si ce n'est pas une idée très populaire... Donc, tous les hommes ne sont pas « égaux ». Mais ces différences n'impliquent aucune supériorité. Wilson rappelle que Darwin avait déjà mis en garde contre la tentation de passer de la « différence à la supériorité ». En aucun cas la sociobiologie ne conduit au racisme, insiste Wilson. « Je fais en particulier observer que le métissage ne provoque aucune dégénérescence, puisque, dans le mélange des races, jamais aucun gène ne se perd : la seule perspective ouverte par le métissage est qu'à terme il produit statistiquement à la fois une plus grande variété de savants et une plus grande variété d'escrocs. »

La sociobiologie ne sert à rien

La sociobiologie, me répète Wilson, n'est pas un programme politique, mais un programme de recherches qui occupe aujourd'hui de nombreux laboratoires, en particulier aux Etats-Unis, au Canada et en Grande-Bretagne; l'Union soviétique et la Chine commencent à s'y intéresser. Les sociobiologistes s'attachent à interpréter les comportements humains en fonction de l'optimum génétique. Ils essaient aussi de retracer les origines et les cheminements de la connaissance. Wilson a ainsi démontré comment, dans les civilisations les plus variées, la désignation des couleurs correspondait à l'organisation interne du cerveau, et non pas à des prédispositions culturelles. Enfin, les sociobiologistes essaient de comprendre la coévolution : comment les mutations génétiques et les mutations culturelles peuvent-elles agir les unes sur les autres?

Comme pour toute théorie scientifique, la validité de la sociobiologie, me dit Wilson, sera mesurée par sa capacité de prévoir les phénomènes observables, en particulier les comportements humains qui sont actuellement les plus inexplicables. Mais ces recherches, si elles aboutissent, ne déboucheront que sur de la connaissance, non sur des prescriptions. « Mes travaux, conclut Wilson, n'ont pas une grande utilité pratique dans l'immédiat. Mon ambition essentielle est de mieux cerner la nature exacte de l'espèce humaine. Je ne revendique que le droit de poursuivre ces recherches, même si elles sont impopulaires. »

Wilson, il est vrai, ne sera jamais populaire. La gauche le hait parce qu'il doute de l'égalité naturelle entre les hommes. La droite aimerait le récupérer, mais ne peut accepter son athéisme.

En quinze ans de polémique, depuis la publication de sa *Sociobiology*, Wilson m'assure s'être habitué au tumulte. D'ailleurs, cet homme tranquille ne craint pas l'isolement : je soupçonne même l'enfant de l'Alabama de préférer, à celle des hommes, la compagnie des fourmis. « Avant que nous ne nous quittions, me dit-il, je veux vous montrer le joyau de ma collection. » Il sort d'une boîte en carton un morceau d'ambre dans lequel est fossilisée une fourmi minuscule. « Elle a quatre millions d'années, je l'ai découverte dans l'île de Saint-Domingue! »

Le message de Wilson? Cette fourmi était là avant

nous, et elle nous survivra si nous refusons de nous voir tels que la Nature nous a faits.

*

De retour en France, j'ai eu la curiosité de rechercher ce que nos biologistes écrivaient sur les travaux de Wilson; j'ai alors découvert des textes qui en disent long sur l'absence de sérénité des savants. « La sociobiologie ramène l'humanité à la termitière », écrit en particulier Jacques Ruffié, l'un de nos plus éminents savants, dans son ouvrage fondamental, Traité du vivant[1]. Il ajoute qu'elle est « élitiste » et fait « resurgir l'Angleterre victorienne ». Ruffié nous apprend aussi que, bien avant Wilson, un certain K. Escherich avait fait « une confusion caricaturale entre l'inné et l'acquis ». Or, Escherich était « proche du parti national-socialiste, et ses théories ont servi aux penseurs du IIIᵉ Reich ». Ce monsieur était, « comme Wilson, un brillant entomologiste »... A un seul instant, prenant acte de ses propres excès, Ruffié admet que « les outrances de la sociobiologie sont dues aux admirateurs de Wilson plus qu'à Wilson lui-même » : réparation un peu tardive... C'est en fait le droit à la recherche qui semble ici contesté à Wilson par Jacques Ruffié. Avec succès, puisque, en France, aucun crédit public n'est affecté à cette discipline.

1. *Traité du vivant*, Fayard, 1982, pp. 670-671.

MOTOO KIMURA

Darwin s'est trompé : la chance est la clé de l'évolution

Au pied du mont Fuji, à deux cents kilomètres de Tokyo, Motoo Kimura crée des espèces nouvelles d'orchidées. C'est sa passion. Il faut savoir que le Japon a une longue tradition de recherche en biologie. Au XIXᵉ siècle, déjà, son avance était considérable dans le croisement et la sélection des espèces de riz : très probablement était-ce dû aux contraintes de l'environnement. Feu l'empereur Hiro-Hito fut lui-même un biologiste reconnu : il se consacra à l'étude des goujons.

Motoo Kimura est certainement l'un des très grands biologistes de notre temps, ou plus exactement un spécialiste de la génétique des populations. Cette science, dérivée des travaux de Mendel sur l'hérédité des caractères, analyse par les mathématiques l'évolution des espèces, y compris la nôtre. Mais on doit surtout à Kimura la « théorie neutraliste de l'évolution », une rupture dans le monde darwinien, comparable à l'introduction, dans les années vingt, du principe d'incertitude dans le monde newtonien.

Selon Kimura, c'est le hasard qui gouverne l'évolution et ce sont les espèces les plus chanceuses qui survivent. Il faudra, m'a-t-il expliqué, encore dix ans d'expérimentations pour vérifier l'exactitude ou la fausseté de cette théorie. Mais si Kimura est tellement intéressant, c'est aussi parce que ce grand savant japonais nous donne une leçon de relativisme culturel. Le darwinisme ne serait-il pas, en effet, un simple reflet de la société occidentale? Mais, dans ce cas, sa propre théorie neutraliste ne serait-elle pas elle-même qu'un produit de la société orientale?

Kimura n'est bien sûr pas d'accord avec cette interprétation. Formé aux Etats-Unis et au Japon, il se réclame de la science universelle.

La vie intelligente n'existe que sur la Terre

Comme Carl Sagan, Motoo Kimura ne doute pas de la manière dont la vie est apparue : une réaction chimique provoquée par les rayons du Soleil a suscité dans la « soupe » originelle la première cellule capable de se dupliquer. Kimura est également certain que les hommes constituent la seule espèce intelligente dans l'Univers. La succession d'événements qui, en quatre milliards d'années, a conduit de l'apparition de la première cellule vivante à l'homme fut tellement improbable qu'il n'est mathématiquement pas possible qu'elle se reproduise ailleurs. Ce n'est pas, m'explique-t-il, parce qu'il existe plusieurs milliers de planètes où l'environnement rendrait la vie possible, que cette vie y est apparue. Et même s'il y a une vie sur quelques-unes de ces planètes, la probabilité que celle-ci ait évolué vers une civilisation comparable à celle de l'homme est quasi nulle : « C'est mathématique! »

Cette improbabilité, m'explique Kimura, tient à la manière dont la vie s'est développée sur notre Terre : par une succession de hasards difficilement reproductibles.

Bon exemple de ce hasard et de ses conséquences inattendues : l'extinction massive des dinosaures. Il est à peu près certain que celle-ci a été provoquée par une météorite, il y a soixante-cinq millions d'années. Il aurait suffi que cette météorite traverse l'orbite de la Terre vingt minutes plus tôt ou plus tard pour éviter celle-ci. Dans ce cas, le règne des dinosaures se serait poursuivi indéfiniment. Or, c'est parce que les dinosaures ont disparu que les mammifères qui existaient à l'époque ont pu prendre leur place. Ces mammifères n'étaient alors que des espèces de souris insignifiantes, assez intelligentes cependant pour résister à la tyrannie des dinosaures. Voilà comment, dit Kimura, elles sont devenues nos ancêtres.

Sommes-nous sûrs que les choses se sont bien passées ainsi? Il est vrai, me répond Kimura, que les lois scientifiques de l'évolution se cessent d'être contestées depuis qu'elles ont été découvertes par Lamarck et par Darwin. En particulier, parce que nous ne parvenons pas à appréhender intuitivement le facteur « temps » propre à l'évolution. Lorsque nous disons que la Terre est apparue il y a 4,6 milliards d'années, cela n'évoque rien pour nous. Essayons donc, propose Kimura, de ramener cette échelle du temps sur une année théorique, chaque mois étant l'équivalent d'environ quatre cents millions d'années réelles. Sur ce calendrier, la Terre apparaît le 1er janvier, et l'origine de la Vie vers la mi-février. Les plus anciens fossiles que nous connaissons, des bactéries, remontent à la fin avril. L'âge des dinosaures s'étend du 11 au 26 décembre, et les mammifères naissent à la mi-décembre. L'origine de l'homme peut être fixée au 31 décembre à 8 heures du soir, et l'apparition de l'agriculture à 23 h 59. C'est dans les deux dernières secondes, sur cette échelle du temps, qu'est née la science moderne; c'est elle qui nous a permis de découvrir tout ce qui précède. Voilà pourquoi l'esprit humain a du mal à s'habituer aux lois de l'évolution, bien que les preuves incontestables de leur bien-fondé s'accumulent.

Ces preuves, quelles sont-elles ? Tout d'abord, l'étude des fossiles démontre l'évolution chronologique des formes vivantes ; elle permet de reconstituer les espèces intermédiaires disparues. Nous avons également découvert des fossiles vivants comme le cœlacanthe, il y a trente ans, avec ses nageoires pédonculées qui éclairent la manière dont les poissons ont développé des pattes pour s'acclimater sur terre. L'étude des embryons humains témoigne également de nos origines : dans les premières semaines de vie, le fœtus a des ouïes comme nos ancêtres les poissons, et une queue comme notre ancêtre le singe. Mais c'est surtout, dit Kimura, l'étude des molécules qui, depuis vingt ans, a apporté les preuves les plus déterminantes de l'évolution.

La preuve de l'évolution est contenue dans nos molécules

Tous les êtres vivants partagent à peu près le même code génétique, ce qui n'est explicable que par notre héritage commun d'une molécule originelle. Si l'on examine par exemple la composition de l'hémoglobine des différentes espèces vivantes, on peut vérifier leur origine unique et la manière dont elles ont progressivement divergé. La biologie moléculaire permet aujourd'hui de dater avec précision à quelle époque a vécu l'ancêtre commun de l'homme et du cheval : c'était il y a quatre-vingts millions d'années. Enfin, ajouta Kimura, nous pouvons observer des évolutions rapides qui confirment bien la théorie : un exemple connu et spectaculaire est celui des mites de Manchester.

Au XIXe siècle, ces mites étaient de couleur verte et se confondaient avec le lichen des arbres, ce qui leur permettait d'échapper aux oiseaux. Quelques-unes, très rares, étaient alors de couleur sombre : des mutantes. Mais, vers 1950, les mites sombres représentaient quatre-vingt-dix-huit pour cent de la population totale. Leur couleur les protégeait dans un nouvel environnement, devenu industriel. Ces mutantes n'avaient, dans l'ancien environnement, que des chances de survie très faibles, mais la sélection naturelle les a favorisées et a éliminé leurs congénères.

Un autre exemple simple permet de comprendre le mécanisme de la sélection : celui des bactéries confrontées à un antibiotique. Nous savons que la présence de l'antibiotique aboutit au développement de bactéries « résistantes ». Mais cela ne veut pas du tout dire, explique Kimura, que les bactéries deviennent résistantes à la manière dont un sportif développe ses muscles dans la compétition. Ce sont des bactéries qui existaient auparavant, dotées de caractères résistants, qui soudain se trouvent avantagées par le nouvel environnement et remplacent les organismes sensibles à l'antibiotique.

Mais pourquoi une espèce se substitue-t-elle ainsi à une autre? C'est parce qu'elle a remporté le combat pour la vie, répondent les néo-darwiniens. Pas du tout, rétorque Kimura : c'est tout simplement parce qu'elle a eu de la chance.

Attention : là est la rupture introduite par Kimura dans la science moderne de l'évolution.

La survie des espèces est uniquement une question de chance

A peu près toute la communauté scientifique, déclare Kimura, partage la même doctrine sur l'évolution. Ce n'est pas pour cela qu'elle est exacte. Cette doctrine dominante, que l'on appelle soit néo-darwinisme, soit – aux Etats-Unis – théorie synthétique de l'évolution, fait la synthèse entre Mendel et Darwin.

A Darwin elle emprunte les notions d'évolution et de sélection naturelle; de Mendel, elle retient la transmission des caractères génétiques. Dans cette vision synthétique, la sélection naturelle agirait comme une sorte de triage actif, éliminant les caractères défavorables à la survie des espèces et favorisant les caractères positifs.

Kimura observe que la théorie synthétique nous a ainsi enfermés dans un nouveau déterminisme simple et rassurant pour l'esprit. D'ailleurs, les implications philosophiques, voire sociologiques, que l'on tire de ce néo-darwinisme sont bien connues : le *struggle for life* et le rôle privilégié des mutants, ces minorités porteuses d'avenir. Ce néo-darwinisme, observe Kimura, est cohérent avec les idéologies dominantes de l'Occident. Mais, ajoute-t-il immédiatement, cette théorie synthétique de l'évolution n'est pas moins fausse.

« Comme tout le monde, j'y croyais, me confie Kimura, avant de me rendre compte – en 1968 – qu'elle était superficielle et mathématiquement impossible. » Le néo-darwinisme ne considère en effet que les formes extérieures – ce que les biologistes appellent le phénotype –, mais il ne rend pas compte de ce qui se passe à l'intérieur de l'organisme – le génotype. Depuis une vingtaine d'années, explique Kimura, nous savons que nos gènes sont de véritables usines chimiques où se produisent constamment des mutations, c'est-à-dire des erreurs de copie. C'est donc à ce stade qu'il convient d'expliquer l'évolution, et non pas à celui de la morphologie, comme l'avait fait Darwin.

Kimura fait une comparaison avec la physique : « Les biologistes qui s'en tiennent au néo-darwinisme sont comme des physiciens qui en seraient restés à Newton : ils continueraient à interpréter les mouvements apparents, mais ne tiendraient pas compte des découvertes de Planck sur la structure de la matière. » Or, depuis l'apparition de la mécanique quantique, nous savons que l'intérieur de la matière est régi par le hasard, et que la loi de la physique est le probabilisme, et non pas le déterminisme. Einstein, rappelle Kimura, a été le dernier savant à croire que Dieu ne jouait pas aux dés et que la Nature obéissait à des lois déterministes. Mais ce déterminisme s'est révélé faux en physique : comme Prigogine, Kimura considère que Dieu joue bel et bien aux dés.

La théorie neutraliste

Le déterminisme est également faux en biologie, nous dit Kimura. Pourquoi? Pour deux raisons essentielles :

Tout d'abord, chaque espèce vivante porte en elle plusieurs milliards de gènes, et la plupart d'entre eux ne jouent aucun rôle dans l'évolution. Ils sont invisibles pour la Nature et échappent donc à toute sélection.

Seconde raison : les mutations positives sont si rares qu'il faudrait attendre un temps infini pour qu'elles suscitent l'évolution, comme l'imaginent les néo-darwiniens.

Conclusion de Kimura : la plupart des mutations sont neutres : ni positives, ni négatives; elles sont le pur produit du hasard et se produisent chez toutes les espèces vivantes à peu près au même rythme, quel que soit l'environnement. Chaque espèce porte en elle un gigantesque *pool* de ces caractères neutres et apparemment inutiles. Ainsi, sur la totalité des messages qui sont inscrits dans les gènes des mammifères, Kimura estime qu'une toute petite fraction est véritablement utile à la vie : deux à trois pour cent. Le reste est apparemment sans importance, ce sont des possibilités inemployées : ces possibilités génétiques ne deviendront des réalités morphologiques que si le hasard les sélectionne.

Reprenons l'exemple concret des dinosaures et des souris. Selon Kimura, ces souris n'ont pas pris la place des dinosaures à la suite d'un combat pour la vie. Il se trouve simplement que les souris disposaient dans leur patrimoine génétique – en stock et en sommeil – d'un ensemble de caractères que le hasard a rendus utiles le jour où les dinosaures ont disparu. C'est ainsi que les souris ont pu s'emparer de la niche écologique laissée vacante par les dinosaures. Seule la théorie neutraliste, affirme Kimura, explique comment l'évolution a pu ainsi s'effectuer « par bonds », comme l'a constaté en particulier Stephen Gould, et non par petites améliorations successives sur une longue période, comme le croyait Darwin.

Il existe, me dit Kimura, mille autres preuves du caractère hasardeux de la sélection naturelle. Un nouvel exemple simple : la couleur de la peau. En bonne logique darwinienne, les peuples d'Afrique devraient avoir la peau blanche, car celle-ci réfléchit les rayons du soleil, alors que la peau noire les absorbe. En revanche, dans les pays froids, une peau noire serait un trait avantageux.

Et pourquoi, demande Kimura, y a-t-il une aussi grande diversité de chiens sous un même climat, du chihuahua au mastiff? La bonne réponse est celle de la théorie neutraliste : « Par hasard! »

A la nécessité néo-darwinienne Kimura substitue donc le hasard génétique. Cette révolution scientifique à l'intérieur de la biologie, comparable à celle de la mécanique quantique en physique, est-elle fondée?

« Je constate, me répond-il, que toutes les expériences faites depuis vingt ans pour démontrer que j'avais tort ont échoué. Cependant, la théorie neutraliste n'est pas encore suffisamment étayée pour se substituer à la théorie synthétique de l'évolution. »

Mais je vois bien, à sa fébrilité, que Kimura s'impatiente : il craint de disparaître aussi incompris que l'a été, en son temps, Mendel, le moine de Brno, avec ses croisements de petits pois lisses et ridés. Motoo Kimura est si frêle et émouvant que je souhaite que le temps lui donne raison, avant le délai de dix ans qu'il s'est fixé pour l'emporter. Et avant qu'une autre théorie ne vienne bousculer la sienne !

Une nouvelle victoire pour les partisans du hasard

Le débat suscité par Kimura n'a pas que des implications biologiques. De même que le darwinisme et le néo-darwinisme ont servi de supports à une certaine vision de la Nature et de la société, la théorie neutraliste a des conséquences philosophiques. Kimura fait marquer un point supplémentaire au camp scientifique du hasard et du chaos, contre les tenants du déterminisme. Le darwinisme était un peu hasardeux, mais, au fond, rationnel ; Kimura, lui, est totalement probabiliste. Pour les néo-darwiniens, la loi de l'évolution est la survie des mieux adaptés *(survival of the fittest)* ; pour Kimura, c'est la survie des plus chanceux *(survival of the luckiest)*. Dans la théorie de Kimura, la chance devient plus importante que la force, l'essentiel n'est plus la compétition, mais le hasard. Chez Darwin, la sélection naturelle était individuelle ; un individu mieux adapté survivait et donnait naissance à une nombreuse progéniture, voire à une nouvelle espèce. Chez Kimura, la sélection naturelle ne se fait pas entre les individus, mais entre les groupes ; le *struggle for life* devient collectif. C'est parce qu'une collectivité se trouve mieux adaptée qu'elle prospère. A l'inverse, la sélection naturelle élimine les individus marginaux, les extrêmes, et favorise les « moyens ». Kimura estime donc que la sélection naturelle est un instrument de stabilisation des espèces : son rôle consiste, pour quatre-vingt-dix-neuf pour cent, à éliminer les êtres mal adaptés et les gènes mortels. En revanche, la sélection « positive » est rarissime.

Autre apport essentiel de la théorie de Kimura, en rupture avec le darwinisme classique : c'est la liberté et non la contrainte qui favorise l'apparition d'espèces nouvelles. Lorsque la contrainte écologique est sévère, m'explique-t-il, chaque espèce reste là où elle est; elle ne peut évoluer, parce que le « coût d'entrée » de l'innovation dans la Nature est trop élevé. C'est en revanche lorsque la contrainte s'allège que l'on assiste à une diversification et à des évolutions spectaculaires.

Au total, le modèle néo-darwinien ne s'appliquerait, selon Kimura, qu'aux êtres les plus simples, comme les bactéries : « Elles ne savent rien faire d'autre que se reproduire, et, dans leur cas, le darwinisme caricatural du *struggle for life* s'applique bien. »

Le groupe plutôt que l'individu, la chance plutôt que la force, la moyenne plutôt que l'originalité, le hasard plutôt que la nécessité, la liberté plutôt que la contrainte : Kimura dresse là un portrait de l'évolution radicalement différent de la métaphore darwinienne. La théorie neutraliste serait-elle le reflet de la société japonaise, comme le darwinisme serait celui de la société occidentale?

Kimura réfute ces comparaisons. « Il n'y a pas, estime-t-il, deux catégories de recherche scientifique, l'une asiatique, l'autre occidentale. Mes méthodes sont universelles, fondées sur l'observation du fonctionnement des molécules et sur les mathématiques. Les rapprochements avec les sociétés américaine ou japonaise sont inévitables, mais ce ne sont rien d'autre que des images sans fondement scientifique. D'ailleurs, ajoute-t-il, même au Japon, je suis un marginal! La preuve? Je pense qu'il faudrait faciliter les examens d'accès aux universités japonaises, puisque c'est l'allègement des contraintes qui favorise la créativité... »

L'eugénisme est inévitable

Nous savons désormais tellement de choses sur la biologie moléculaire que les manipulations génétiques deviendront inévitables dans l'avenir, estime Kimura. L'opinion publique y est aujourd'hui hostile, mais, dans le même temps, elle s'y habitue inconsciemment. Ainsi le fait que la fécondation *in vitro* se banalise acclimate à l'idée que l'on peut manipuler la vie. De plus, le maintien en vie, par la médecine, d'individus qui souffrent de malformations génétiques contribue à diffuser dans la population des gènes qui, autrefois, auraient été éliminés. Par conséquent, l'augmentation du nombre des malformations génétiques est inévitable, ce qui conduira à intervenir sur ces gènes eux-mêmes.

Exemple : un enfant peut aujourd'hui survivre avec le trouble génétique très grave qu'est la phénylcétonurie, à condition de suivre un régime alimentaire adapté. Autrefois, ce défaut génétique était mortel. La survie des individus atteints leur permet donc de transmettre leur défaut génétique.

Il est vrai, précise Kimura, que la diffusion de ces gènes mortels est très lente. En admettant qu'ils soient tous capables de procréer, il faudrait quinze cents ans pour que la proportion des malades de la phénylcétonurie double. Et sept cents ans dans le cas de la mucoviscidose, une maladie génétique plus répandue. Des généticiens tirent argument de ces chiffres pour écarter le risque, mais, selon Kimura, ils ont tort. Car la survie des hommes qui souffrent de ces malformations génétiques n'est, explique-t-il, qu'un aspect particulier d'un phénomène plus général : le recul de la sélection naturelle chez l'homme. Le *pool* génétique de l'humanité se réduit et se fragilise sous l'effet de la médecine, qui atténue la mortalité infantile, et sous l'effet du contrôle des naissances. A terme, les réparations génétiques deviendront indispensables. Kimura envisage que chaque individu, à la naissance, passera par une usine génétique avant d'être rendu à ses parents en état de fonctionnement. Mais attention : quand Kimura parle de l'avenir, son échelle temporelle est celle de l'évolution – plusieurs milliers d'années!

De l'eugénisme réparateur tel qu'il commence à exister, est-il concevable de passer à un eugénisme « positif » qui consisterait à améliorer la race humaine? Par la manipulation génétique, c'est à peu près impossible, répond Kimura, parce que l'intelligence ou le comportement social – si on les retient comme critères – ne sont pas liés à un seul gène, mais à une interaction entre de multiples facteurs. La seule méthode valable serait la constitution d'une banque de sperme et d'ovules basée sur une sélection des qualités recherchées. Mais, pour que cette banque débouche sur des résultats appréciables, le *pool* des donneurs devrait être vaste : au moins un million dans un pays de cent millions d'habitants. Si l'on se limitait aux Prix Nobel, comme cela a été proposé, leurs caractères tomberaient en dessous du seuil de sélection et disparaîtraient.

Une autre méthode envisageable est la création de clones, la duplication d'êtres identiques à partir de la culture de leurs cellules *in vitro*. Kimura prévoit que, là aussi, les résistances culturelles à ces expériences diminueront quand se sera généralisée la reproduction *in vitro* : « Inévitable! » De plus, Kimura estime que ces êtres humains produits par clonage et sélec-

tion génétique auront une vocation toute trouvée :
« coloniser l'espace ».

Comment les clones vont coloniser l'espace

Au fur et à mesure que la Terre deviendra surpeu-
plée et que l'énergie disponible s'épuisera, le projet
de colonies de l'espace s'imposera! Kimura considère
que la forme la plus probable sera celle de cylindres
en aluminium remplis d'air, flottant entre la Terre et
la Lune. Une rotation permanente créera une gravité
comparable à celle de la Terre et permettra de se
mouvoir normalement. Les matériaux proviendront
pour l'essentiel de la Lune, et il sera possible, par un
système de miroirs, de recréer le jour, la nuit et les
saisons. Plusieurs millions de personnes devraient
pouvoir vivre confortablement dans ces cylindres. Ils
seront coûteux à construire, mais, en contrepartie, ils
serviront à produire de l'électricité solaire à bon
marché, qui pourra être émise vers la Terre par
ondes courtes.

Tout cela se produira à condition que notre espèce
ne soit pas anéantie par une météorite. Statistiquement, affirme Kimura, la Terre connaît une extinction de masse comparable en ampleur à celle des
dinosaures tous les vingt-six millions d'années. C'est
mathématique...

IV

LA CULTURE RELATIVE

Au terme de nos rencontres avec des paléontologues, des physiciens et des biologistes, l'homme – surtout l'homme occidental – sort déjà meurtri, diminué et modeste. Mais si nous ne sommes pas au centre de l'Univers, ne nous reste-t-il pas au moins la culture, voire la supériorité de la culture occidentale?

Ce serait compter sans les anthropologues. Claude Lévi-Strauss, de retour de chasse chez les primitifs, nous rapporte la dépouille de l'homme blanc. La pensée sauvage, nous explique-t-il, n'est pas inférieure à la nôtre, elle conduit aux mêmes résultats selon un itinéraire différent. Cela vaut pour les langues comme pour les cultures, confirme Noam Chomsky : il n'y a pas de langue primitive, et, de toute manière, il ne saurait y en avoir, car le langage est inné, produit de notre nature et non pas de notre culture.

De même que les darwiniens ont brisé les hiérarchies entre les espèces, les anthropologues et les linguistes réfutent donc toute supériorité d'une culture sur une autre. Cet éloge de la différence et du relativisme est le trait dominant de l'analyse contemporaine des cultures. Un éloge qui doit être rapproché de la mauvaise conscience de l'Occident au terme d'un siècle de colonisation du Tiers-Monde.

Mais n'est-ce pas un trait permanent de notre

civilisation que cette capacité de se remettre en cause jusqu'aux limites de l'autodestruction? Les cultures primitives se trouvent parfaites. C'est sans doute leur grande faiblesse. Nous nous jugeons extrêmement imparfaits, et c'est peut-être cette feinte modestie qui fait historiquement notre force. Jusqu'à plus ample informé, c'est bien Lévi-Strauss qui est allé observer les Nambikwaras d'Amazonie, et Noam Chomsky qui étudie des langues aborigènes. Pas l'inverse. Mais si les deux m'entendaient, ils condamneraient sans doute avec sévérité mon incartade intempestive hors du relativisme culturel.

Enfin, pour nous ramener à la modestie, écoutons Zhao Fusan : il nous explique pourquoi un milliard de Chinois ne pensent pas et ne penseront jamais comme nous autres, Européens.

CLAUDE LÉVI-STRAUSS

Je recherche ce qui,
dans la nature humaine,
est constant et fondamental

Un entretien avec Claude Lévi-Strauss ne ressemble à aucun autre. D'abord il faut l'obtenir, ce qui exige quelques mois de patience. L'homme ne recherche pas la notoriété, son œuvre la lui a déjà conférée. Et puis, le genre questions/ réponses l'embarrasse et l'ennuie : il préfère prendre le temps de la pensée. « Soyez assez aimable, m'avait-il demandé, de venir sans magnétophone, de manière que nous ayons un entretien de fond sur mes travaux. » Cela allait de soi.

Inutile de souligner l'importance de Claude Lévi-Strauss. Je rappellerai seulement qu'il refuse d'être un intellectuel au sens français du terme, c'est-à-dire de prendre position sur tout et n'importe quoi. Comme il l'a déclaré : « On ne peut pas penser à tout ! » J'ajouterai une observation personnelle : parmi tous les « penseurs » que j'ai rencontrés, c'est lui qui m'a le plus fasciné par sa rigueur. Chaque question posée suscite chez lui un long silence : celui de la réflexion préalable. Puis vient la réponse : courte, lapidaire, incisive, définitive. Pas un mot de trop, pas un seul qui prête à équivoque. Dans les sciences humaines encombrées par l'idéologie et les discours, voilà qui fait exception.

Une note d'atmosphère : Lévi-Strauss est un collectionneur. « Je le suis, me dit-il, depuis l'âge de six ans. Sans doute est-ce le point de départ de ma passion pour ce qui est lointain. » Parmi les objets qui retiennent l'attention : un tanka tibétain, un mât sculpté d'Amérique du Nord, un luth birman. Mais ne nous y trompons pas : l'explorateur n'est pas en quête d'objets rares; ce qu'il recherche, c'est la nature de l'homme.

La réhabilitation des primitifs

« Je hais les voyages et les voyageurs! » Cette apostrophe célèbre ouvre le livre le plus populaire de Claude Lévi-Strauss, publié en 1955 : *Tristes Tropiques*. Comment un observateur des sociétés primitives a-t-il pu ainsi contredire sa propre démarche? C'est que, m'explique-t-il, le voyage n'est pas le but de l'anthropologue; il n'est que le passage obligé et fastidieux qui le sépare du terrain de ses expériences.

Quelle nécessité intérieure a donc conduit le jeune Lévi-Strauss, dans les années trente, à voyager si loin, à remonter les vallées et les rivières du Brésil, à la recherche de l'objet convoité : la véritable, l'authentique tribu « sauvage »? « C'était sans doute dû, me répond-il, à la lecture de Jean-Jacques Rousseau. La découverte du *Contrat social* et de l'*Emile* m'avait donné le désir de retrouver l'humanité des origines. » C'est au Brésil qu'il tente de découvrir, chez les Indiens Nambikwaras et Tupis, la société telle qu'elle avait pu exister à l'ère néolithique, avant qu'elle n'entre dans le cycle de l'Histoire. « J'ai essayé, me dit-il, de reconstituer le choc initial de la rencontre des Indiens avec les Européens. Mais ne me jugez pas sur *Tristes Tropiques*. C'est un roman en marge de mon œuvre scientifique, plus proche de Mac Orlan que de l'ethnologie. Je m'y laisse porter à des excès littéraires, par exemple lorsque je crois voir chez une bande d'Indiens les origines du *Contrat social* telles que Rousseau les a décrites. »

Séparons donc *Tristes Tropiques* des autres livres, mais sachons que ce « roman » a joué, dans le monde occidental, un rôle considérable en réhabilitant les sociétés primitives à l'époque même où se levaient partout les mouvements de la décolonisation. Lévi-Strauss y « démontrait » que le missionnaire jésuite n'était pas supérieur au sauvage bororo qu'il venait convertir au Christ et à la modernité. Le livre marqua un temps fort dans l'examen de conscience de l'Occident. La société primitive était-elle donc parfaite? « Non, mais c'était une société paisible et en harmonie avec la Nature », répond Lévi-Strauss.

Hors ce désir de retrouver une civilisation « perdue », qu'est-ce que l'anthropologue moderne peut observer dans une tribu primitive?

« Je recherche dans l'homme ce qui est constant et fondamental »

Pour comprendre quelque chose à l'homme, me dit Lévi-Strauss, il ne faut pas se limiter à s'observer soi-même à la manière du philosophe qui pratique l'introspection. Il ne suffit pas non plus de se limiter à une période, à la manière de l'historien. Il est au contraire indispensable de brûler ses vaisseaux, de partir à la rencontre de ceux qui semblent le plus éloignés possible de nous-mêmes, afin de rechercher ce qui, dans la nature humaine, est constant et fondamental.

Mais peut-on véritablement « voir » les Indiens du Mato Grosso ou de l'Amazonie et comprendre quelque chose à leur culture? Il est vrai que l'anthropologue ne peut pas tout comprendre, mais les approximations, répond Lévi-Strauss, valent mieux que rien. La tâche de l'anthropologue n'est d'ailleurs pas plus difficile que celle du physicien ou du chimiste; eux aussi n'observent qu'une partie de la réalité, avec des instruments imparfaits. Lévi-Strauss va jusqu'à faire l'éloge du voyage rapide : il permet quelquefois à l'observateur pressé de mieux saisir, comme en instantané, les grands traits d'une société qui échapperaient à un scientifique en apparence plus consciencieux.

Au demeurant, Lévi-Strauss a pratiquement cessé, depuis cinquante ans, d'effectuer le travail de terrain auquel restent si attachés la plupart des autres ethnologues. Comme chez les grands romanciers – Melville ou Jack London –, toute l'œuvre ultérieure puise dans les sensations du voyage originel au Brésil. Lévi-Strauss n'y est pas retourné. « Pour éviter, me précise-t-il, de pleurer sur mes souvenirs. » Et aussi parce qu'il estime que le travail sur le terrain n'est plus indispensable pour lui. Il a à sa disposition un matériau ethnographique surabondant. Depuis deux siècles que les Occidentaux observent les « primitifs », la masse des informations est gigantesque; mais elle n'est pas organisée, elle n'est pas structurée.

Ce qui manquait à l'anthropologie jusque dans les années cinquante, estime Lévi-Strauss, c'était une théorie, un système, un instrument pour comprendre ce que l'on voyait. « Toutes les sciences, affirme-t-il, ne fonctionnent que sur la base de théories explicatives. » Ainsi, en sociologie, Marx, le premier, a montré que pour interpréter la réalité sociale, il fallait sortir de la perception immédiate et la voir à travers un système. Ce que Marx a fait pour la sociologie, Lévi-Strauss le fera pour l'anthropologie : « Un effort modeste, insiste-t-il, pour appliquer dans mon domaine ce que les sciences traditionnelles font ailleurs depuis des siècles. » Il n'aura jamais cessé de ramener l'anthropologie vers cette rigueur scientifique. D'où son éloignement intellectuel avec d'autres anthropologues qu'il juge plus proches de la littérature que de la science, comme Clifford Geertz aux Etats-Unis ou René Girard en France.

– Girard regrette de n'avoir jamais pu débattre avec vous des origines de la culture.

– Mais, réplique Lévi-Strauss avec ce mélange de sincérité et de férocité sarcastique qui le caractérise, Girard est un écrivain visionnaire, ce qui est son droit le plus absolu et exclut toute discussion de fond.

Pareillement pour Clifford Geertz :

– Il croit avoir révolutionné l'anthropologie en expliquant que l'objet de notre discipline ne devrait pas être d'observer les cultures primitives, mais d'observer l'observateur qui les observe.

– Et la sociobiologie?

– Konrad Lorenz est passionnant lorsqu'il nous parle des rites amoureux chez les oies, et Edward O. Wilson de la société des fourmis; mais lorsque, de là, ils prétendent passer aux sociétés humaines, ils basculent dans le roman ou dans la métaphysique!

Lévi-Strauss refuserait-il par hasard toute critique?

– Je suis, me répond-il, sans illusions sur la pérennité de mes livres : dans trente ans, mes démonstrations seront complètement dépassées.

Le structuralisme, une lunette pour déchiffrer les civilisations

La lunette à déchiffrer les civilisations construite par Lévi-Strauss s'appelle le structuralisme. Ou, pour être plus précis, les commentateurs de Lévi-Strauss l'ont appelée ainsi. Lui-même se méfie du mot, qu'il juge trop simplificateur et dont il n'est pas le père.

L'un des véritables fondateurs du structuralisme, me rappelle Lévi-Strauss, est Roman Jakobson. Ce linguiste russe, créateur de l'Ecole de Prague, qu'il rencontra à New York en 1941, a, le premier, démontré comment, « dans la quantité illimitée de sons que la voix peut émettre, chaque langue en sélectionne un petit nombre formant système et qui, par la façon dont ils s'opposent entre eux, servent à différencier les significations ».

Cette définition vous paraît-elle complexe? J'en avais initialement retenu une plus simple, mais Lévi-Strauss a tenu à récrire lui-même ces quelques lignes. Elles illustrent bien le style véritable de son œuvre : chaque mot compte, il n'y en a pas un de trop.

Pour Roman Jakobson, chaque langue est donc une variation à partir d'une structure. Or, de son côté, en comparant les relations de parenté chez les primitifs et leurs mythes, Lévi-Strauss avait observé qu'il retombait toujours sur les mêmes problèmes de base. Il en conclut que, derrière la variété des cultures, il existe une unité psychique de l'humanité.

Une image simple permet de comprendre le structuralisme de Lévi-Strauss : celle du kaléidoscope.

Dans un kaléidoscope, un nombre important mais limité d'objets colorés permet, par simple rotation, de composer une variété de figures organisées. Il en va de même pour les civilisations : elles ne font que combiner des éléments de base communs à toute l'humanité. Voilà pourquoi on constate parfois, dans des civilisations éloignées, des ressemblances troublantes : ce n'est pas nécessairement parce que ces civilisations ont communiqué entre elles. Un témoignage que me cite Lévi-Strauss : on retrouve dans l'Antiquité classique, en Extrême-Orient, en Amérique, le même mythe d'un peuple de nains en guerre contre des oiseaux aquatiques. A-t-il été inventé plusieurs fois? C'est peu probable; ou bien on se l'est emprunté, ou bien l'esprit humain a travaillé ici et là de la même façon.

Dès lors, tout l'art de Lévi-Strauss consiste à détecter chez les peuples modernes ou primitifs des contraintes mentales analogues. L'avantage de l'observation des primitifs, c'est que leur société étant plus simple et plus petite, une analyse globale se heurte à moins d'obstacles. Les mythes et les règles de la vie sociale sont en effet le matériau de base dans lequel Lévi-Strauss détecte les « invariants structurels ».

Exemple ? Le plus connu dans son œuvre est la prohibition de l'inceste. Dans toutes les sociétés, cet interdit, en contraignant au mariage hors de la famille, assure le passage de l'homme « biologique » à l'homme en société. Voilà le type même de la structure invariante.

Mais, depuis la parution des *Structures élémentaires de la parenté* – ce texte sur l'inceste a été écrit de 1943 à 1947 –, les observateurs de la vie animale ont repéré l'évitement de l'inceste chez plusieurs espèces sauvages, en particulier les chimpanzés. L'argumentation « culturelle » de Lévi-Strauss n'est-elle pas périmée par celle des défenseurs de la thèse « naturelle » ?

Réponse de Lévi-Strauss : « Si la prohibition de l'inceste avait véritablement un fondement naturel, on comprendrait mal comment les sociétés humaines ont été obsédées par elle et se sont appliquées, avec un soin maniaque, à l'édicter. » Pour Lévi-Strauss, le fondement de la culture, c'est la règle : on ne peut « ramener les phénomènes culturels à des modèles copiés de la zoologie ».

C'est donc le structuralisme qui nous permet de comprendre ce que nous autres Européens pouvons avoir de commun avec les Nambikwaras qui dorment nus sur la terre et passent leurs loisirs à s'épouiller. « Nous sommes, me dit Lévi-Strauss, des hommes comme eux, et, à ce titre, nous pouvons établir avec eux des relations personnelles. Nous voyons chez eux des coutumes d'apparence absurde ou choquante, mais, en réalité, elles constituent un ordre d'essence comparable à nos coutumes et à nos institutions. » Au total, il n'y a pas de civilisation « primitive » ni de civilisation « évoluée »; il n'y a que des réponses différentes à des problèmes fondamentaux et identiques. Non seulement les « sauvages » pensent, mais la « pensée sauvage » n'est pas inférieure à la nôtre, et elle est fort complexe; simplement, elle ne fonctionne pas comme la nôtre.

« La pensée occidentale, me dit Lévi-Strauss, est dominée par l'intelligible : nous évacuons nos sensations pour manipuler des concepts. A l'inverse, la pensée sauvage calcule, non pas avec des données abstraites, mais avec les enseignements de l'expérience sensible : odeurs, textures, couleurs. »

Dans les deux cas, l'homme s'emploie à déchiffrer l'Univers, et la pensée sauvage, à sa manière, y parvient aussi bien que la pensée moderne.

Ce qui distingue des « primitifs », c'est l'Histoire

Qu'est-ce donc qui distingue l'homme civilisé de ce que nous tenons pour un primitif? L'attitude devant l'Histoire, répond Lévi-Strauss. Les primitifs n'aiment pas l'Histoire, ils désirent ne pas en avoir; ils se *veulent* primitifs plus qu'ils ne le sont véritablement. En fait, bien des événements ont bousculé les sociétés sauvages – guerres et paix, règnes et révolutions –, mais elles préfèrent en effacer les traces. Si l'on considère les aborigènes d'Australie ou les Indiens d'Amazonie, il est faux de croire qu'ils sont dans l'état où ils pouvaient être il y a des milliers d'années; eux aussi ont beaucoup changé. Mais ces sociétés que Lévi-Strauss, par opposition aux nôtres, appelle « froides » préfèrent se voir immuables, telles qu'elles se croient créées par les dieux.

Chez nous autres « modernes », à l'inverse, l'Histoire est un objet de vénération. C'est par l'idée que nous nous faisons de notre histoire que nous cherchons à comprendre le passé, le présent, et à orienter l'avenir. L'Histoire est, selon Lévi-Strauss, le dernier mythe des sociétés « modernes ». Nous arrangeons l'Histoire à la manière dont les primitifs arrangent les mythes : une manipulation arbitraire pour inventer une vision globale de l'Univers.

Le rôle de l'anthropologue n'est pas d'améliorer la société

L'ethnologie est-elle encore possible alors qu'il n'y a plus – ou pratiquement plus – de sociétés primitives? Lévi-Strauss rejette ma question. Au XVIIIe siècle, les savants croyaient déjà qu'en peu d'années ils auraient étudié ce qui restait à découvrir. En fait, il subsiste de par le monde des centaines de sociétés à explorer. Ou plutôt, il y a beaucoup à découvrir chez les peuples lointains ou exotiques. Et beaucoup à comprendre dans notre propre culture.

Ce n'est que dans les années trente, me rappelle-t-il, que les pouvoirs publics en France ont commencé à encourager l'étude de nos propres coutumes et la collecte de documents, considérées jusque-là comme un folklore indigne du regard scientifique. Le laboratoire d'anthropologie sociale de Lévi-Strauss, au Collège de France, a d'ailleurs appliqué à un village français, Minot, au nord de la Bourgogne, les mêmes méthodes ethnologiques que celles qui valent pour les Indiens d'Amérique ou les aborigènes d'Australie.

Dans quel but ? Pour ce qui me concerne, répond Lévi-Strauss, le seul but est la connaissance. « D'autres font de l'anthropologie pour rendre service à leurs contemporains, ou améliorer la société. C'est peut-être possible, mais ce n'est pas ce qui m'intéresse ! Et je ne nie pas que l'anthropologie a souvent été pour moi un refuge, parce que je ne me sens pas parfaitement à l'aise dans mon siècle. »

Le champ d'exploration reste donc immense, mais c'est vrai qu'il recule. Ce qui ne nuit pas à l'anthropologie. Lévi-Strauss observe que deux mille ans après sa disparition la civilisation grecque reste un objet d'étude. Les anthropologues sont devenus les hellénistes des sociétés qui ont disparu depuis Christophe Colomb. Lévi-Strauss me fait observer au passage que la découverte du Nouveau Monde et le colonialisme furent un désastre humain, « le crime des crimes ». Mais, ajoute-t-il immédiatement, nous ne sommes pas pour autant coupables de ce qu'a fait Christophe Colomb ou de ce qu'ont fait nos grands-parents. Lévi-Strauss juge particulièrement absurde et mal orientée la culpabilité des intellectuels européens qui pleurent sur le Tiers-Monde : « Les dirigeants actuels du Tiers-Monde, estime-t-il, sont au moins aussi responsables de la destruction des cultures dites " arriérées " qui subsistaient chez eux, que ne l'est l'Occident actuel. »

Attention : dans cette phrase aussi, chaque mot compte...

La pensée de Lévi-Strauss ne s'embarrasse pas – on le constate – de tabous intellectuels. En 1971, il prononça devant l'Unesco, à Paris, une conférence intitulée *Race et Culture*. Elle causa un énorme scandale. Dix-huit ans après, j'essaie de comprendre pourquoi.

« J'avais, me répond Lévi-Strauss, transgressé trois interdits. Tout d'abord, j'avais observé que la génétique moderne, en discréditant la notion de race et en lui substituant celle de stocks génétiques, permettait d'en parler autrement qu'en termes métaphysiques et de comprendre sur quelles données objectives reposaient les distinctions. J'avais dit ensuite que les bons sentiments portent à confondre avec le racisme des attitudes psychologiques qui ont existé et continueront d'exister de tout temps; ces bons sentiments ne suffisent donc pas à lutter contre le racisme. Il est par exemple reconnu qu'entre les cultures s'établissent des relations de plus ou moins grande sympathie; il est donc normal que, mises en contact sur des territoires contigus ou qui se chevauchent, elles génèrent des réactions d'agressivité. Les " primitifs " le savent très bien. Enfin – troisième transgression –, j'estimais que les cultures sont créatives lorsqu'elles ne s'isolent pas trop, mais il faut qu'elles s'isolent quand même un peu. » Dans chaque civilisation, il existe, selon Lévi-Strauss, des optimums d'ouverture et de fermeture entre isolement et communication, qui correspondent aux périodes les plus fécondes de leur histoire. Si les cultures ne communiquent pas, elles se sclérosent, mais il ne faut pas non plus qu'elles communiquent trop vite, afin de se donner le temps d'assimiler ce qu'elles empruntent au-dehors. « Aujourd'hui, me dit Lévi-Strauss, le Japon me paraît l'un des seuls pays à atteindre cet optimum : il absorbe beaucoup de l'extérieur et refuse beaucoup. »

Comment cette approche de Lévi-Strauss peut-elle s'appliquer à la France d'aujourd'hui? Il faut, me répond-il, accueillir des étrangers dans notre pays, ne serait-ce qu'en raison de notre déséquilibre démographique. Mais il est clair que les peuples étrangers sont plus ou moins « intégrables ». D'autant que les mécanismes de l'intégration – l'école, par exemple – fonctionnent de plus en plus mal. La société française a donc le droit de choisir parmi les plus rapidement intégrables. C'est, rappelle Lévi-Strauss, ce qu'ont toujours fait les Etats-Unis, avec le système des quotas, sans que personne y voie rien d'inacceptable pour l'esprit.

A quatre-vingts ans, Lévi-Strauss hait-il toujours les voyages et les voyageurs? Plus que jamais! Mais il voyage quand même. Uniquement, me précise-t-il, pour retrouver un peu de passé derrière le présent. Intellectuel « juif », comme le décrivit l'anthropologue Alfred Métraux dans les années cinquante, Lévi-Strauss s'est rendu récemment en Israël pour la première fois. Qu'en a-t-il retiré? Je n'ai fait, me répond-il, que de l'archéologie. « D'ailleurs, mes origines juives ne m'ont jamais tourmenté, ni le judaïsme comme religion. Je me sens plus proche de l'animisme, en particulier du shintoïsme des Japonais. »

Il y a peu, Lévi-Strauss a découvert la Corée. Au grand désarroi de ses guides, il se montra totalement indifférent aux réalisations modernes et aux succès économiques; il ne recherchait que les vestiges de cette grande civilisation. « Ce Lévi-Strauss, observa un jeune étudiant coréen, il ne s'intéresse qu'à ce qui n'existe plus! »

NOAM CHOMSKY

Les enfants n'apprennent pas à parler, il savent

Noam Chomsky n'est pas d'un abord facile. On l'appelle communément le « pape de la linguistique ». « Je ne suis le pape de rien du tout, rétorque-t-il; la linguistique n'est pas une religion et elle n'a pas de chef. D'ailleurs, j'apprends plus des autres qu'ils n'apprennent de moi! »

Ce pape-là, en tout cas, porte un vieux tricot, des blue-jeans délavés et des baskets. Même dans une université américaine, pour un professeur de soixante ans, c'est original. De plus, son « département » est introuvable : c'est une sorte de baraquement provisoire, paradoxalement niché au cœur de la plus moderne université du monde, le Massachusetts Institute of Technology, à côté de Boston. Ses bureaux en désordre sont tapissés d'affiches anti-nucléaires, anti-impérialistes et anti-Reagan. Ici, Mai 68 semble se poursuivre. Les professeurs qui entourent Chomsky forment une étrange tribu de « décalés », « babas cool », plus ou moins révolutionnaires. La plupart d'entre eux sont engagés dans la défense des droits civils, le tiers-mondisme ou le pacifisme. Ils sont aussi les plus grands linguistes au monde. A eux tous, ils maîtrisent les dialectes et les grammaires les plus bizarres, parlent le letton ou l'ouïgour. « S'il vous prend l'envie de découvrir quelques langues aborigènes d'Australie, c'est ici qu'il faut venir », me dit Chomsky.

Je suis étonné qu'il ait accepté de me recevoir : Chomsky est l'emblème des intellectuels de gauche – très à gauche – aux Etats-Unis. « Je n'hésite jamais, me répond-il, à rencontrer des journalistes conservateurs comme ceux du *Figaro* ou du *Wall Street Journal*; ils sont dans l'ensemble plus honnêtes que les journalistes de gauche. » Chomsky voue une haine particulière au *Nouvel Observateur*! Il précise cependant qu'il n'accepte de parler que de linguistique ou de science, pas de politique. « J'ai appris d'expérience, me dit-il, que dans la presse française, les engagements idéologiques déforment la communication au point que mes interviews publiées n'ont plus aucun rapport avec mes déclarations. Ce qu'un journaliste parisien écrit, à quelques rares exceptions près [merci quand même!], est ce qu'il a voulu entendre, et ce que j'ai effectivement dit est pour lui de peu d'importance... C'est d'ailleurs pareil à Moscou! » ajoute Chomsky.

Nous ne parlerons donc que de linguistique, et c'est tant mieux – de mon point de vue.

Chomsky est en effet doublement célèbre : comme intellectuel engagé et comme linguiste. Depuis la fin des années 60, il n'a cessé d'épouser et de symboliser aux Etats-Unis toutes les causes gauchistes, contre l'arme nucléaire ou pour la création d'un Etat palestinien. « Je récuse l'étiquette de gauchiste, réplique-t-il pourtant. Je n'ai cessé de m'opposer au marxisme et au léninisme. Je prends position problème par problème, en me basant sur les faits et non pas pour être à la mode. » Bon. C'est tout de même lui qui s'est rendu à Hanoi en 1968 pour y déclarer que le Nord-Vietnam défendait la liberté contre l'impérialisme américain... Mais, vu d'Europe, Chomsky est avant tout le fondateur de la linguistique moderne.

En 1957 – il avait moins de trente ans –, Chomsky a proposé une nouvelle théorie du langage. Elle devait provoquer dans ce domaine une rupture aussi profonde que celle de Marx en sociologie, ou de Lévi-Strauss pour l'anthropologie. Selon Chomsky – et contrairement à ce qu'avançaient la plupart de ses prédécesseurs –, « nous parlons comme nous voyons ». La preuve? Les linguistes constatent que, dans toutes les langues, certaines caractéristiques sont apprises et d'autres ne le sont pas. Ces dernières sont donc héritées, elles font partie de notre patrimoine génétique. Nous n'apprenons pas notre langue, nous dit Chomsky : elle est innée, inscrite dans notre biologie. Depuis cette « révolution chomskyenne », la linguistique est devenue une science à part entière. Son but : découvrir les règles universelles du langage.

Contrairement à ce que l'on croit d'ordinaire, la diversité des langues n'est pas infinie, m'explique Chomsky. « Nous ne pouvons pas dire n'importe quoi, ni parler n'importe comment. » Toutes les langues reposent en fait sur une seule grammaire universelle, et la structure des langues que l'homme est susceptible de parler est limitée. Pourquoi? Parce que nous sommes conditionnés par notre patrimoine génétique. « Notre biologie ne nous permet pas de produire ou de combiner n'importe quels sons, car le langage est le produit de notre évolution naturelle. » Exemple : aucune langue ne distingue les phonèmes *u* et *i* si elle ne possède pas un phonème *a* auquel s'opposent ensemble les deux autres. Autre exemple : de nombreuses langues marquent le pluriel en ajoutant au mot un phonème supplémentaire; aucune ne fait l'inverse. Mais l'originalité, chez l'homme – différent en cela de toutes les autres espèces « parlantes » –, c'est qu'avec des moyens limités, son esprit peut engendrer un nombre infini de combinaisons. En langage « chomskyen », notre grammaire est dite « générative »; c'est la base de notre liberté d'expression et de compréhension.

La linguistique prouve que l'humanité est homogène

L'humanité, ajoute Chomsky, est homogène dans son expression linguistique, comme elle l'est dans sa biologie. C'est un fait que toutes les langues peuvent s'apprendre et se traduire dans une autre langue. Aucune difficulté de traduction n'est insurmontable au sein de l'espèce humaine. A l'inverse, si notre humanité entrait en contact avec des « extraterrestres » constitués autrement que nous sur le plan biologique, nous ne pourrions certainement pas les comprendre; la communication orale serait probablement impossible dans la mesure où celle-ci est conditionnée par notre nature.

La linguistique de Chomsky est évidemment très proche du structuralisme que Lévi-Strauss a appliqué aux civilisations. Qu'ils appartiennent à une tribu primitive d'Amazonie ou à un peuple moderne, les hommes – selon Lévi-Strauss – ne font que combiner un nombre limité de conduites possibles. A la manière dont nous jouons avec un kaléidoscope, les figures sont nombreuses, mais elles ne font que déplacer des structures de base, toujours les mêmes. Chomsky estime qu'il en va de même pour les langues. Il ajoute que sa thèse s'est imposée en concomitance avec la découverte du code génétique au début des années 50. C'est parce que l'on a appris, à cette époque, par quels mécanismes les hommes étaient programmés par leurs gènes que lui-même a pu d'autant plus facilement affirmer : la source du langage est dans nos gènes.

Chomsky est évidemment très contesté. Mais il ajoute qu'il l'est souvent « pour des raisons politiques ». En particulier en France, précise-t-il. « Beaucoup de vos linguistes appartiennent à une ère préscientifique : leur recherche est filtrée par l'idéologie. » Mais la France n'est pas le seul pays où il arrive que le fanatisme idéologique interfère avec la recherche scientifique : « Il y a aussi l'Union soviétique... »

Avant la « révolution chomskyenne », le travail des linguistes consistait traditionnellement à classifier les langues ou à dresser l'inventaire de leurs éléments constitutifs. Aujourd'hui, les chercheurs du M.I.T. s'emploient à retrouver, derrière la diversité apparente des langues, une unité profonde : la « grammaire universelle ». Chomsky justifierait-il le mythe de Babel? Non, me répond-il, une « grammaire universelle », cela ne veut pas dire qu'il y aurait eu à l'origine une langue unique parlée par Adam et Eve, qui se serait ensuite diversifiée.

Pourquoi toutes les recherches de la linguistique moderne sont-elles le plus souvent formulées en modèles mathématiques? Je fais observer à Chomsky que cela ne facilite pas la lecture des traités de linguistique. Mais il m'assure que lui-même fait ce qu'il estime être un grand effort de vulgarisation. Surtout, il considère que le formalisme et les principes mathématiques sont indispensables pour qu'une science humaine puisse communiquer avec toutes les autres sciences.

Pourquoi les enfants apprennent un mot à l'heure

L'apport le plus neuf et le plus provocateur de Chomsky consiste à prétendre que ce ne sont pas les

adultes qui apprennent à parler à leurs enfants :
« Les enfants savent parler comme ils savent voir ou
comme l'oiseau sait voler. » L'adulte ne fait que
stimuler l'enfant : il l'oriente vers une certaine langue, dans le cadre contraignant de la grammaire
universelle. Seule une absence *totale* d'exposition au
langage pourrait empêcher un enfant de parler. Le
fait est, me dit Chomsky, que tous les enfants savent
parler. « Je ne peux pas vous en apporter de preuves,
précise Chomsky, je ne peux que citer des faits. Il n'y
a pas de " preuves " en science, il n'y a que des faits.
Seuls les mathématiciens " prouvent "... » Dont
acte.

Autre « fait » cité par Chomsky : la vitesse avec
laquelle les enfants apprennent – un mot à l'heure en
« vitesse de pointe »! Et, chaque fois qu'un enfant
apprend un mot, il intègre simultanément un ensemble de connaissances. Exemple : lorsqu'un enfant
apprend à dire « une personne », il découvre rapidement ce qu'est une personne, même si celle-ci vieillit
ou si on lui coupe un bras ou une jambe. Un enfant
« sait » cela sans qu'on le lui enseigne, parce que la
capacité d'interpréter la réalité fait partie de notre
patrimoine génétique. Le mot « personne » est une
notion qui appartient à notre « langue primitive ».
De plus, dès qu'il parle, un enfant applique spontanément des règles de grammaire très complexes
qu'on ne lui a jamais enseignées. Le langage relève
donc de la biologie, comme la croissance du corps ; il
ne relève pas de l'enseignement.

Enfin, il est clair que l'apprentissage de la langue
coïncide avec les étapes de notre développement
physique. La langue est donc organique, et non pas
intellectuelle. La preuve – pardon : les faits? « Il n'y
a pas d'autre explication plausible », répond
Chomsky. La capacité d'apprendre une langue n'est
d'ailleurs pas influencée par le coefficient d'intelli-

gence d'un enfant. Même s'il n'est pas très doué, le langage de l'enfant est normal, la syntaxe se met en place spontanément, tout fonctionne. L'environnement exerce peu d'influence sur cet apprentissage : Chomsky m'apprend que les expériences menées avec des enfants aveugles montrent que la cécité ne retarde pas l'acquisition du langage, même pour apprendre les couleurs! Les enfants aveugles ou clairvoyants utilisent tous, spontanément, les couleurs comme des adjectifs. Bien entendu, par la suite, seuls les clairvoyants appliquent ces adjectifs aux situations réelles.

Passé un certain seuil de croissance, note encore Chomsky, nous ne pouvons plus apprendre, ou bien nous n'apprenons plus qu'en conservant l'accent de nos origines. La frontière biologique semble être la puberté. Au-delà, nous gardons notre accent « initial » qui semble déterminé par des raisons biologiques particulièrement résistantes. Ce fameux accent n'est rien d'autre qu'une manière d'articuler dans les limites physiologiques possibles telles qu'elles se fixent au cours de notre enfance.

Si un adulte est « doué » pour les langues, me dit également Chomsky, ce n'est pas nécessairement un signe d'intelligence, ce peut être au contraire un manque de maturité biologique. Les vieux professeurs barbus, compagnons de Chomsky, qui passent avec aisance du finnois à l'ossète, ne seraient-ils que de grands enfants? L'hypothèse, me répond Chomsky, n'est pas à exclure, mais nous sommes dans un domaine où la science moderne n'a guère fait progresser les connaissances...

Aucune langue n'est plus difficile qu'une autre

Chaque peuple, me dit Chomsky, croit que sa langue est supérieure aux autres, ou plus claire, ou plus difficile. « Diderot, me rappelle-t-il, expliquait que le français était la langue des sciences dans la mesure où l'ordre des mots y correspondrait à l'ordre de la pensée naturelle; par contraste, il estimait que l'allemand était la langue de la littérature. » Ce genre de considérations se retrouvent à toutes les époques, dans toutes les civilisations et n'a pas d'autre fondement que le chauvinisme. L'absence de supériorité d'une langue est d'autant plus évidente dans le cas du français ou de l'anglais, souligne Chomsky : l'un pas plus que l'autre n'existe en tant que tel; ces deux langues se sont constituées en « ramassant » des mots épars dans toutes les autres langues à l'occasion de victoires ou de défaites politiques. Ce que nous appelons ordinairement une langue n'est « pas un phénomène linguistique; ce ne sont que des notions socio-politiques ».

De même, en l'état actuel de nos connaissances, rien ne permet de croire qu'un mode de pensée puisse être influencé par la langue. Aucune langue ne semble conduire à un comportement particulier. Mais je demande à Chomsky si certaines langues – comme l'hébreu ou l'arabe – n'inclineraient pas naturellement à une certaine exaltation prophétique. Ce n'est pas la langue, mais la culture de ces peuples qui pousse à l'exaltation, me répond Chomsky : la Bible ou le Coran – ni l'hébreu ni l'arabe. De plus, le fait de parler ces langues n'interdit pas une démarche rationnelle : un mathématicien qui parle arabe est un mathématicien aussi logique qu'un autre qui parle français ou chinois!

On ne peut pas dire non plus que certaines langues soient particulièrement difficiles. Le japonais, par exemple, ne présente aucun caractère inusuel, et ses structures sont semblables à celles des langues européennes. Un enfant japonais apprend sa langue avec la même dextérité qu'un enfant français la sienne, sans que l'on puisse dire que l'un est plus capable ou plus intelligent que l'autre. Si, d'aventure, une langue devenait par trop complexe, les enfants élimineraient cette complexité, car ce sont eux qui recréent la langue à chaque génération. Aucune langue, précise encore Chomsky, ne peut évoluer au point de devenir trop difficile pour qu'un enfant l'apprenne, sinon cette langue disparaîtrait en tant que telle au bout d'une génération. C'est pourquoi aucune langue n'est plus compliquée qu'une autre, et aucune n'évolue vers plus de complexité.

Il n'existe donc pas de langue « primitive » qui serait simple et qui, en « progressant », deviendrait sophistiquée. De même, il n'y a pas de supériorité d'une « langue » sur un « dialecte » ou un « patois ». Une langue n'est pas un dialecte évolué, les deux sont aussi complexes et aussi complets l'un que l'autre; la hiérarchie que l'on établit habituellement entre langue et « patois » relève uniquement de la politique.

Parce qu'elles sont innées, toutes les langues, dès leur origine, sont uniformément complexes. Cela, me dit Chomsky, est frappant lorsqu'on étudie les langues des aborigènes d'Australie. Ces peuples que l'on qualifie de primitifs ont une langue qui n'est simple ni dans son vocabulaire, ni dans sa grammaire. Comme tous les peuples prétechnologiques, les aborigènes parlent une langue d'une extrême richesse, particulièrement développée pour classifier les éléments naturels ou les systèmes de parenté. De très nombreux mots des langues primitives n'ont pas d'équivalents dans les langues « civilisées », celles-ci étant plus pauvres dès qu'il s'agit de traduire la Nature ou les sensations. Par conséquent, souligne Chomsky, « aucune langue n'est compliquée, aucune n'est étrange, et aucune n'est primitive ».

La nature n'est pas de droite et la culture n'est pas de gauche

En apparence, la théorie de Chomsky est contradictoire avec ses positions politiques. Dans nos sociétés occidentales, nous sommes en effet habitués à ce que les partisans du développement naturel se classent à droite, les défenseurs de la culture apprise, à gauche. Depuis le XIXᵉ siècle, sont à droite ceux qui privilégient l'inné, à gauche ceux qui ne jurent que par l'acquis. Le « progressisme » considère que l'homme est le produit de l'environnement et de l'Histoire plus que de son patrimoine biologique. En vérité, rétorque Chomsky, les intellectuels n'insistent sur l'influence de l'environnement et de l'éducation que pour conforter leur pouvoir personnel. Plus l'environnement est considéré comme déterminant, plus l'esprit humain est considéré organiquement comme une page blanche, plus l'autorité des intellectuels – et particulièrement des enseignants – est reconnue. Les intellectuels « progressistes » sont donc opposés au déterminisme biologique non parce qu'ils sont des savants, mais parce qu'ils sont des « managers idéologiques », des propagateurs de doctrines. Les enseignants n'ont aucun intérêt personnel à accepter qu'il existe en chacun de nous une « nature » susceptible de dresser une barrière morale contre leur intervention. Au total, « faire croire que ce qui est inné est réactionnaire n'est qu'une perversion de commissaires intellectuels ou politiques en quête de pouvoir ».

Mais pourquoi Chomsky est-il lui-même un intellectuel de gauche? Je ne suis pas un intellectuel, me répond-il, mais un savant et un homme; c'est en tant qu'homme et non en tant que linguiste que je prends des positions personnelles sur le Nicaragua ou la Palestine. « Rien ne me choque plus, ajoute-t-il, que ces intellectuels français qui jouent de leur compétence dans un domaine scientifique pour prendre position sur des sujets qu'ils ignorent. Mes travaux sur la linguistique n'ont en eux-mêmes aucune conséquence idéologique; leur caractère est purement scientifique. Au même titre que l'archéologie, la biologie ou l'ethnologie, le seul but de la linguistique est la connaissance de la nature humaine. Au mieux, les linguistes se préoccupent de sauver des langues perdues ou en voie de disparition, et de préserver la variété de nos civilisations. Mais la linguistique ne permet pas de changer le monde! »

Là-dessus, Chomsky me met à la porte, dévale les escaliers et court rejoindre ses étudiants à une manifestation contre l'impérialisme américain en Amérique latine. J'en reste tout ébloui : Chomsky, quel spectacle!

ZHAO FUSAN

Les Chinois ne sont pas et ne seront jamais comme vous

Aller en Chine, c'est un peu plus que voyager. Malgré la rapidité et l'apparente facilité d'accès, l'arrivée en avion à Pékin donne toujours le sentiment d'atterrir sur la lune. Nous sommes ici sur une autre planète. J'ai beau avoir vu se moderniser son économie au cours d'une douzaine de visites effectuées depuis 1977, la planète Chine reste totalement « ailleurs ». Il est vrai qu'au fur et à mesure que la Réforme de Deng Xiaoping fait son œuvre, les anciennes maisons basses et grises laissent place peu à peu à des immeubles ordinaires, les voitures individuelles chassent les vélos noirs, et la foule n'est plus en bleu. Mais l'âme d'un peuple ne change pas si vite. Surtout lorsqu'il s'agit du plus vieil empire de la terre, me fera observer Zhao Fusan.

C'est lui que je suis venu voir à Pékin. Parce qu'il est l'un des intellectuels les plus notoires de la Chine actuelle, et parce qu'il me permet de communiquer avec elle, de jeter des ponts entre notre culture occidentale et l'univers mental des Chinois. Zhao est en effet à cent pour cent chinois, mais, comme il le dit lui-même, il est aussi chrétien à cent pour cent – pasteur luthérien, pour être tout à fait précis. Ancien élève du St John's College à Shanghai – avant la révolution communiste de 1949 –, il parle un anglais parfait et cite Hegel ou saint Augustin avec la même aisance que Confucius et Lao Tseu. Mais c'est précisément cette « double appartenance » de Zhao Fusan qui va nous faire comprendre que les cultures peuvent certes communiquer entre elles, mais restent fondamentalement irréductibles les unes aux autres.

De cette leçon de relativisme culturel professée par Zhao Fusan, nous apprendrons tout ce que nous avons toujours voulu savoir sur les Chinois sans jamais oser le demander.

L'individualisme est haïssable

L'existence même de la Chine a toujours posé un sérieux problème aux intellectuels occidentaux. Au siècle des Lumières, rappelle Zhao Fusan, les Français rationalistes comme Voltaire s'interrogeaient sur la valeur universelle de leurs concepts dès lors que les Chinois pensaient exactement le contraire. Par exemple : le rôle de l'individu dans la société. A l'Ouest, il ne fait pas de doute, depuis le XVIIIe siècle, que le but de la société est de permettre à l'individu de s'épanouir : la recherche du bonheur individuel est la raison d'être de l'homme. Mais cela n'a jamais été le cas en Chine. L'homme chinois ne s'accomplit que s'il prend conscience de sa dimension sociale; il se considère comme subordonné à la société. « Ne pas aller contre la société, me dit Zhao Fusan, est pour chaque Chinois une préoccupation sérieuse, prioritaire même; il est impensable en Chine de trop insister sur soi-même. » Le terme d'individualisme, plutôt respectable en Occident, particulièrement aux Etats-Unis, est en Chine plus qu'un défaut : c'est pratiquement une insulte. L'individualiste s'exclut de la société chinoise en méconnaissant ses devoirs; il trouble l'Harmonie.

C'est pourquoi la Chine classique n'a jamais eu le

culte du succès personnel. Selon un dicton populaire, « les héros ne sont pas jugés sur leurs succès ni sur leurs échecs ». D'ailleurs, la plupart des héros nationaux vénérés par les Chinois ont connu un destin tragique. « A l'Ouest, précise Zhao Fusan, l'individu se réalise par son accomplissement égoïste; pour les Chinois moyens, l'individu se réalise dans ses responsabilités sociales, dans sa recherche de l'intégration collective. » Un aphorisme célèbre de Tung Chung-Shu, au 1ᵉʳ siècle de notre ère, dit : « Il faut soutenir ce qui est droit sans en calculer les bénéfices, suivre la voie sans tenir compte des résultats. » Dans la tradition chinoise, en effet, il existe des décrets de la Providence – une Providence qui se confond avec l'Histoire selon le confucianisme, avec la Nature selon le taoïsme – et, dans tous les cas, l'homme doit essayer de s'y conformer. Cette subordination de l'individu à la société et à l'Harmonie naturelle s'exprime clairement dans la peinture classique. Contrairement à l'art occidental, Zhao Fusan me fait observer que les personnages en Chine sont toujours minuscules, immergés dans le paysage.

La nature humaine est une question de définition

Cette subordination de l'homme à la société chinoise n'est-elle pas une contrainte imposée, ne fait-elle pas violence à la nature humaine?

Mais, répond Zhao Fusan, « est-on si sûr que l'accomplissement de la personne humaine réside dans la poursuite du bonheur individuel? » Les Occidentaux placent au-dessus de tout leur liberté individuelle, mais ce qu'ils craignent le plus, c'est la solitude. La liberté et la solitude sont les deux faces d'un même comportement étranger à la tradition chinoise. Et rien ne permet d'affirmer la supériorité du modèle occidental.

De plus, ajoute Zhao Fusan, cette approche est tout à fait occidentale, car elle suppose que la définition de la nature humaine soit universellement acceptée. Or, ce n'est pas le cas. Dans la conception occidentale et chrétienne, le Bien et le Mal sont étroitement mêlés dans l'individu depuis le péché originel. Mais, selon la tradition confucéenne qui imprègne l'esprit chinois, l'homme est naturellement enclin à la droiture et à la bienveillance : ses vertus sont innées. Dans cette philosophie, ce qui distingue l'homme de l'animal, c'est son sens spontané de la moralité, qui dépasse le désir individuel. Zhao Fusan ajoute que la sexualité, dans cette tradition, relève de l'instinct animal, qu'il convient de maîtriser. Le Mal, chez l'homme, ne vient donc pas de sa nature, mais résulte de ce qu'il n'est pas conscient de sa propre vertu. Là intervient le rôle décisif de l'éducation : elle inculque le sens du Bien, elle conduit les vertus potentielles de l'homme à leur épanouissement. L'homme non éduqué est pareil à l'animal; il ne s'accomplira comme homme que si l'éducation lui fait prendre conscience de sa dimension sociale.

Ainsi la philosophie de l'éducation, m'explique Zhao Fusan, est-elle fondamentalement différente en Chine et en Occident. En Occident, il s'agit de développer la personnalité de l'enfant et de favoriser la diversité sociale. En Chine, le devoir moral des parents et des maîtres est de veiller à ce que les enfants ne commettent pas de fautes; le but est l'harmonie sociale. La conséquence néfaste peut en être l'endoctrinement. Voilà pourquoi, me dit Zhao Fusan, les formes politiques de la Chine et de l'Occident ont évolué de manière radicalement différente.

De même que la démocratie en Occident est le produit de son individualisme, la conséquence logique du système confucéen est l'autoritarisme aristocratique. Le confucianisme expliquerait la tradition d'autorité du règne des empereurs jusqu'à Mao.

Mais alors comment comprendre les révolutions chinoises, celle de 1949, la révolution culturelle de 1966 et les révoltes estudiantines de 1989? C'est que, répond Zhao Fusan, depuis des millénaires, l'idée prépondérante, dans la pensée politique chinoise, a été celle de « l'Age de l'Harmonie universelle » *(Ta Tung)*, sorte de « fin de l'Histoire » où l'ensemble des biens terrestres serait partagé par tous. Cette utopie court à travers les temps, se manifeste dans les rébellions paysannes, la révolte des Taïping au xixe siècle, les grands principes de Sun Yat-sen, qui renversa l'Empire en 1911, et enfin la révolution communiste. Celle-ci n'aurait pas été acceptée par le peuple s'il n'avait entretenu depuis toujours cette tradition utopiste. Dans la perspective chinoise, le marxisme de Mao Zedong n'est pas une théorie nouvelle; ce n'est qu'un instrument pratique pour réaliser cette utopie. En revanche, la révolution culturelle de 1966 à 1976 ne peut s'expliquer par la tradition chinoise : « Elle me paraît même, précise Zhao Fusan, une conséquence directe de l'influence occidentale. »

La « révolution culturelle », une importation de l'Occident

La Chine a le respect des lettrés et un long passé de tolérance. Comment se fait-il qu'elle ait basculé soudain dans l'extermination des intellectuels et dans l'intolérance politique? L'explication, selon Zhao Fusan, remonte à ce que l'on appelle en Chine le « mouvement du 4 mai 1919 ». Telle est la date d'un manifeste d'intellectuels chinois qui ont répudié la tradition nationale, rejeté le confucianisme et suggéré d'adopter la culture occidentale pour entrer dans la modernité politique et économique. « Depuis lors, la Chine est le seul pays à disposer d'un mouvement d'intellectuels qui proposent de faire disparaître leur culture », dit Zhao Fusan. C'est à 1919 que remonte le slogan « A bas Confucius! », qui allait servir de mot d'ordre aux gardes rouges des années soixante.

Funeste erreur, dit Zhao Fusan, de croire que l'on peut rejeter sans dégâts plusieurs milliers d'années de culture, et qu'un peuple puisse se passer de ses élites! Les dégâts furent en effet considérables : plusieurs millions de morts, à commencer par la quasi-totalité des enseignants. Zhao Fusan lui-même fut relégué dans un lointain village pendant six ans : toute lecture lui était interdite, sauf celle de Mao et de Marx; interdiction aussi d'écrire. « J'ai survécu, me confie Zhao Fusan, grâce à ma foi chrétienne; j'ai voulu maintenir la Cité de Dieu contre les Barbares. » Les Barbares, en l'occurrence, étaient des enfants. « Aucun geste politique, précise Zhao Fusan, n'est plus meurtrier que de déchaîner les enfants et leur donner des armes : gardes rouges, Khmers rouges, Jeunesse hitlérienne étaient des enfants. » Nous retrouvons là Confucius et la nécessité de l'éducation pour révéler l'homme en nous.

Rejeter le confucianisme, c'est donc courir le risque de déchaîner les plus bas instincts contre l'éducation, la culture et les élites. De même il est faux de croire que la modernisation exige de se débarrasser de la tradition, alors que l'expérience du Japon, de Taiwan et de la Corée du Sud montre qu'il est parfaitement possible de se moderniser tout en restant fidèle aux valeurs confucéennes. Il suffit seulement de purifier le confucianisme de ses aspects tardifs – excès rituels, révérences excessives pour le pouvoir – et d'en revenir à ses valeurs fondamentales.

Débat théorique? Pas du tout : il occupe actuellement le devant de la scène intellectuelle en Chine. La politique et l'économie chinoises gravitent en permanence autour de Confucius. Faut-il ou non le répudier pour libérer la Chine de la tyrannie de ses bureaucrates féodaux et se rallier à l'individualisme et à la démocratie occidentale?

La démocratie chinoise n'est pas encore inventée

La démocratie n'est pas un modèle théorique que l'on puisse transposer d'une nation à une autre, estime Zhao Fusan. En Occident, elle est un produit de l'Histoire; pas en Chine. D'ailleurs, les tentatives visant à y instaurer une monarchie constitutionnelle sur le modèle occidental, à la fin du XIX\ :sup:`e` siècle, ont échoué. De même qu'échoua Sun Yat-sen, au début de ce siècle, quand il essaya de créer une république démocratique. « Notre tradition exige que les réformes viennent d'en haut; elles restent tributaires d'un monarque compétent et éclairé. »

Mais il est également vrai, prédit Zhao Fusan, que le développement actuel de l'économie fait croître le désir individuel, suscite l'initiative personnelle et nourrit dans le pays un nouveau courant libéral et démocratique. Comment l'organiser, quelles institutions adopter? Nul en Chine n'a actuellement de réponse : la synthèse de la Chine et de la démocratie n'a encore été élaborée par personne, et les étudiants qui manifestent en exigeant la démocratie ne savent pas très bien – selon Zhao Fusan – ce qu'ils veulent. Sans doute la démocratie en Chine ne ressemblerat-elle jamais à ce qu'elle est à l'Ouest, le pluralisme n'y sera jamais aussi développé.

Et les droits de l'homme? Les Chinois, répond Zhao Fusan, n'en ont pas exactement la même conception que les Occidentaux. D'ailleurs, même en Occident, c'est une notion qui a évolué au cours des temps. Les Chinois ont l'esprit pratique, terre à terre, même. Ils ne posent donc pas la question des droits de l'homme de façon théorique, strictement indivi- dualiste. Là où un intellectuel occidental part d'hy- pothèses abstraites, un intellectuel chinois part de la réalité. En Chine, les droits de l'homme consistent d'abord en une vie décente, le droit d'être habillé, nourri, logé. Et les droits de l'individu ne sont pas dissociables de ceux du peuple auquel il appartient. Cette approche n'est ni marxiste, ni confucéenne, mais « fondamentalement chinoise ».

Dieu n'est pas très chinois

Dans cette Chine si pragmatique et matérialiste, à suivre Zhao Fusan, comment lui-même, chrétien et croyant, trouve-t-il sa place? La religion, la transcen- dance ne sont-elles pas des notions totalement étran- gères aux Chinois?

En Occident, on considère volontiers que jamais les Chinois n'ont vraiment cru en Dieu. « Cette image d'une Chine sans Dieu, répond Zhao Fusan, vient de ce que sous l'Empire le confucianisme était la philosophie officielle, et il est exact que celle-ci ne fait guère de place aux préoccupations métaphysi- ques. » Mais le peuple chinois a toujours connu d'autres influences que celle de Confucius, en parti- culier l'enseignement de Lao Tseu. Or, le taoïsme a une dimension transcendantale et insiste sur la liberté spirituelle de l'individu que rejette le confucia- nisme. La culture chinoise incorpore en fait les deux courants, confucéen et taoïste : l'un est agnostique, l'autre cultive le sens de l'infini. Mais ces deux traditions ne sont-elles pas périmées depuis la révolution de 1949? « Non, répond Zhao Fusan, car, contrairement à ce qu'imaginent les Européens, il reste en Chine suffisamment de prêtres taoïstes et confucéens pour entretenir les croyances du peuple. » Sans oublier le bouddhisme, qui s'est combiné avec le confucianisme pour devenir une philosophie morale, profondément chinoise et fort différente du spiritualisme hindou des origines.

Toutes ces traditions ont d'autant mieux persisté que la révolution communiste, contrairement à ce qui s'est passé en Union soviétique, n'a pas professé l'athéisme. Même sous Mao, dit Zhao Fusan, la tolérance religieuse l'a emporté, jusqu'à la Révolution culturelle. L'Eglise catholique de Chine – quatre millions de fidèles – a bien connu quelques difficultés avec le pouvoir, à cause de la nomination des évêques par Rome; en revanche, les protestants – trois millions environ – n'ont jamais cessé d'évangéliser les campagnes.

Le christianisme en Chine ne fait que commencer

Comment peut-on être à la fois chinois et chrétien? Zhao Fusan ne voit pas là de contradiction : le confucianisme, le taoïsme et les idéologies récentes – marxisme, libéralisme – ne se situent pas sur le même niveau que le christianisme. S'il est vrai que le confucianisme, humaniste et agnostique, a doté les Chinois d'une grande capacité de résistance aux religions étrangères, quelles qu'elles soient, il ne répond pas aux préoccupations métaphysiques. Le chrétien chinois est donc « celui qui interpelle sans cesse et ne tolère ni le repos, ni la passivité ». Le chrétien alerte le confucéen sur la liaison entre le Bien et le Mal qui existe en chaque homme. Il le questionne sur le sens de la mort, alors que le confucéen ne s'interroge que sur le sens de la vie. Etre chrétien en Chine est une douleur vive; c'est, comme l'écrit Kierkegaard, « vivre en enfer sur la terre ».

Le christianisme, ajoute Zhao Fusan, peut apparaître comme marginal en Chine, mais son histoire ne fait que commencer. Le bouddhisme est arrivé ici au Ier siècle, il n'est devenu chinois que mille ans plus tard. L'islam est arrivé au VIIe siècle et ne s'est imposé qu'au bout de huit siècles. Contrairement aux Occidentaux, précise Zhao Fusan, les Chinois ont l'habitude de raisonner sur la longue durée. Dans la perspective chinoise, la rencontre avec l'Occident est donc toute récente, et nul ne peut prévoir encore vers quelle synthèse elle s'achemine.

L'Empire chinois, rappelle Zhao Fusan, est né à peu près à la même époque que la Rome républicaine, que l'Empire maurya en Inde, que Babylone ou la Perse. Tous ces grands empires ont disparu; seule la Chine a subsisté comme entité politique et culturelle – certainement, selon Zhao Fusan, grâce à sa tolérance religieuse. Les Chinois savent aussi que l'Histoire est lente, qu'il ne faut pas trop entreprendre en un temps trop court, et que le progrès n'a rien d'inéluctable. Contrairement aux optimistes occidentaux, ils sont persuadés que l'Histoire est cyclique, avec des hauts et des bas; que lorsque tout va bien, l'abîme n'est pas loin; et que, quand tout va mal, le désastre n'est que transitoire. Cette perspective historique « longue » aide les Chinois à supporter et dépasser leurs souffrances; celles-ci ne sont que des étapes.

La Chine, explique Zhao Fusan, traverse actuellement une grave crise économique, politique et morale : « Il faut donc s'attendre à de grands changements, mais nul ne peut prévoir dans quelle direction. » Une seule chose est certaine : même si la Chine se modernise, les Chinois resteront différents. « Les voyageurs contemporains jugent le monde de moins en moins exotique, conclut Zhao Fusan, mais ils auraient tort de croire qu'il devient uniforme. »

*

Doit-on accepter sans réserve cette leçon de relativisme culturel que nous a dispensée Zhao Fusan? Ne faudrait-il pas la restituer dans les circonstances actuelles de la Chine plutôt que dans son éternité?

Je constate qu'après l'effondrement du maoïsme et de l'économie socialiste les dirigeants chinois sont à la recherche d'une nouvelle source de légitimité. En renouant avec Confucius, Zhao Fusan apporte sa caution philosophique au refus permanent des élites d'accorder au peuple chinois des libertés politiques équivalant à celles de l'Occident. Au nom de leur sinitude! Zhao Fusan s'inscrit en fait dans une longue tradition, souvent relayée par des sinologues occidentaux, qui prétend que les Chinois, « n'étant pas comme nous », n'aspirent pas aux mêmes droits. Zhao Fusan est, en réalité, partisan du despotisme éclairé comme mode de gouvernement le mieux adapté à la Chine. Il faut savoir que bien des intellectuels chinois, comme Fang Lizhi ou Liu Binyan, réfutent absolument ce relativisme culturel et dénoncent le « néo-conservatisme » de Zhao Fusan. Mais l'on peut considérer à l'inverse que Zhao Fusan, parce qu'il garde ses distances envers les dissidents en exil, lui-même a choisi l'exil à Paris après la fusillade de la place Tien Anmen, est d'autant plus représentatif de la Chine réelle. Cette problématique du relativisme rejoint une interrogation plus générale, que nous allons maintenant aborder, sur le caractère naturel ou culturel de la liberté.

155

V

LA LIBERTÉ SOUS CAUTION

La liberté de l'esprit est-elle naturelle ? Telle est la question que j'ai posée en des termes voisins au psychanalyste Bruno Bettelheim à Los Angeles, à l'antipsychiatre Thomas Szasz à Syracuse, et au père des machines intelligentes, Marvin Minsky, à Boston. Tous trois sont américains, mais venus d'ailleurs, d'Europe centrale.

Si les Etats-Unis mènent le monde de la pensée, et non pas seulement celui de la technique ou de l'économie, c'est bien parce qu'ils sont une terre d'accueil. La conjonction entre l'immigration européenne des années trente, conséquence inattendue du fascisme, et l'essor de la puissance américaine est, dans l'ordre intellectuel, le fait majeur de notre siècle. Nulle part ailleurs qu'aux Etats-Unis Bettelheim n'aurait eu la liberté d'expérimenter en grandeur réelle ses méthodes de cure pour les enfants autistiques. Peu d'universités au monde supporteraient le non-conformisme du professeur Szasz, qui enseigne à ses étudiants de l'Université de Syracuse que les psychiatres sont des charlatans. Ce n'est qu'au Massachusetts Institute of Technology, à Boston, que Minsky pouvait trouver les fabuleux moyens financiers exigés par ses recherches sur l'intelligence artificielle.

Outre la communauté de leurs origines, qu'est-ce qui

rassemble ces trois hommes qui s'interrogent sur ce que penser veut dire? L'inquiétude, probablement. Pour Bettelheim, si la liberté de l'esprit recule, c'est que, face aux difficultés particulières du monde moderne, les hommes sont tentés d'abdiquer tout effort individuel et de s'en remettre à des solutions totalitaires. Szasz ajoute que la montée du pouvoir médical, en particulier celui des psychiatres, renforce la répression dans toutes les sociétés : le psychiatre y a remplacé l'inquisiteur. Minsky, enfin, estime que les milieux culturels qui ont donné naissance à la pensée libre sont en voie de disparition; mais, plus radical encore, il considère que des machines intelligentes vont pouvoir remplir les mêmes fonctions que le cerveau de l'homme.

J'ignore si Minsky a tort ou raison, mais, après avoir appris que j'étais né par hasard, au terme de quelques milliards d'années d'évolution, sur une Terre également formée par accident, que ma culture n'avait pas été apprise, mais inscrite dans mes gènes, il me faut maintenant apprendre que je ne suis qu'une machine pensante destinée à être bientôt remplacée par un ordinateur : le voyage devient rude!

BRUNO BETTELHEIM

La tentation totalitaire est le reflet de nos anxiétés individuelles

Rien n'est plus simple que d'avoir Bettelheim au téléphone. Il me répond : « Si vous voulez me rencontrer, il faut venir tout de suite à Los Angeles, car je vais mourir bientôt! » Bettelheim m'a dit cela d'un ton tranquille, tout à fait naturel. Nous avons donc pris date pour le lendemain, en priant le Ciel qu'il ne lui arrive rien dans les vingt-quatre heures!

Le temps de passer de l'hiver parisien à l'été californien, j'ai trouvé Bettelheim fatigué, mais moins atteint qu'il ne me l'avait laissé croire. Et nous avons aussitôt entamé notre entretien par une consultation.

Impossible, en effet, de rencontrer Bruno Bettelheim sans lui demander des conseils. Cet homme a bouleversé la compréhension des relations entre parents et enfants en y introduisant la psychanalyse. Tout parent qui élève un ou plusieurs adolescents comprendra pourquoi, à mon tour, je n'ai pu laisser passer cette occasion de lui soumettre mon cas – sans gravité, d'ailleurs!

Bruno Bettelheim me rassure d'emblée. Il n'y a rien de nouveau sous le soleil : les parents ont toujours entretenu avec leurs enfants adolescents des relations conflictuelles, et il ne peut en être autrement. Un adolescent est en effet déchiré entre deux personnalités contradictoires : l'enfance, qu'il quitte à regret; l'âge adulte, où il entre avec appréhension. Si le parent traite son fils ou sa fille en adulte, l'enfant, en lui ou en elle, s'inquiète de ne plus être protégé. S'il le traite en enfant, l'adulte, en lui ou en elle, s'indigne d'être ainsi rabaissé. L'attitude parentale est donc forcément mauvaise, le conflit inévitable, et il est d'ailleurs recherché par l'enfant.

Mais quels sont alors les conseils de Bruno Bettelheim? « Soyez patient! Cela finira par s'arranger, mais peut-être dans longtemps. Et souvenez-vous toujours de l'enfant que vous avez vous-même été... »

D'une manière générale, Bettelheim ne donne jamais de réponses simples à des questions qui sont complexes. Son œuvre écrite, qui compte des millions de lecteurs de par le monde, permet à des parents déboussolés de mieux comprendre le mode d'emploi, la psychologie de leurs enfants, d'éviter les erreurs les plus grossières ou irréparables. Mais elle ne nous propose pas un catalogue de remèdes, et Bettelheim nous met en garde contre la psychanalyse de bazar. *Be patient*, répète-t-il, soyez patient... Ou faut-il traduire par : « *Soyez un patient* »? Cette formule, il la prononce au choix en anglais ou en français, mais toujours avec l'accent de l'Autriche de ses origines...

Vienne ou la psychologie des profondeurs

Encore un Viennois! Avant de rencontrer Bettelheim à Los Angeles, je n'avais pas fait le rapprochement avec d'autres grands penseurs comme le philosophe Karl Popper et l'économiste Hayek, que nous allons rencontrer, et tant d'autres qui ont bouleversé la pensée du XXᵉ siècle : Wittgenstein en linguistique, Schönberg en musique, Freud en psychologie, Konrad Lorenz en biologie, Von Mises en économie, Gombrich en histoire de l'art... Bettelheim m'apprend qu'il appartient au même groupe, cette constellation de génies tous nés en Autriche avec le siècle et dispersés aux quatre coins du monde, dans toutes les disciplines. Pourquoi donc tant de révolutionnaires de l'intelligence moderne sont-ils apparus en ce lieu précis, à cette époque précise?

Tout remonte, me dit Bettelheim, à la défaite militaire de l'Autriche face à l'Allemagne, en 1866. Depuis lors, Vienne était devenue une capitale sans empire, une tête trop grosse. Ses élites intellectuelle et sociale ont été coupées du monde extérieur; elles se sont reconverties dans la conquête du monde intérieur. Toute une génération s'est ainsi plongée dans l'étude de l'homme : ses mœurs, ses perversions, sa folie ont cessé d'être des sujets tabous. A l'époque, ces idées aventurées se heurtaient à un ordre politique conventionnel, ce qui stimulait encore plus l'imagination. La capitale draina les étudiants de partout. Il y avait là des Italiens, des Tchèques, des Hongrois, des Allemands, des Juifs, et tous devaient apprendre l'allemand; en lui-même, cet effort était productif. Un seul génie viennois, me dit Bettelheim, était réellement de Vienne : Schubert. « Notre situation était comparable à celle de la Grèce dans son coin perdu de Méditerranée, à l'époque où toutes les cultures s'y croisaient. » Vienne, m'apprend Bettelheim, est la première ville où, dès la fin du XIXe siècle, l'homosexualité n'est plus un crime. Des écrivains comme Arthur Schnitzler, des peintres comme Klimt ou Egon Schiele, et le maître de cette génération, Sigmund Freud, fouillent la psychologie des profondeurs. C'est à Vienne qu'apparaissent les premiers traitements de la folie par les médicaments, la psychothérapie, l'électrochoc, la psychanalyse...

Ce milieu fasciné par tout ce qui est marginal – on l'a appelé l'« Apocalypse joyeuse » – façonne le jeune

163

Bettelheim. Elève de Freud, il se fait lui-même psychanalyser pendant sept ans, « par esthétisme », me dit-il; c'était il y a cinquante ans. Jusqu'à ce qu'en 1938 l'Histoire bascule : Bettelheim, l'intellectuel raffiné, découvre la réalité la plus brutale. Opposant aux Nazis, il est interné dans un camp de concentration, à Dachau, puis à Buchenwald. Il en sortira en 1940, à une époque où l'on pouvait encore s'en échapper et fuir vers l'Amérique.

Notre comportement est plus dicté par les circonstances que par notre personnalité

« La psychanalyse, me dit Bettelheim, m'a certainement sauvé la vie. » L'important était de ne pas sombrer dans la folie ou la désintégration de sa personnalité, qui était le but recherché par les Nazis. Pour cela, il fallait préserver une zone de liberté de pensée, si insignifiante fût-elle. Bettelheim y parvint en s'astreignant à observer ses camarades, comme ses tortionnaires, avec le regard et les instruments critiques de sa science. Grâce à cet exercice pratique de la psychanalyse, me dit Bettelheim, je ne suis pas devenu ce que l'on appelait dans les camps un *musulman*[1]. On désignait ainsi, m'explique-t-il, les prisonniers qui s'abandonnaient à leur sort : cadavres ambulants, ils étaient devenus comme des objets dépersonnalisés, mus de l'extérieur par les gardes, incapables de sentir, penser, agir ou réagir. Bettelheim avait très vite compris que toute l'organisation des camps était précisément destinée à transformer les prisonniers en « musulmans ». En interdisant d'observer, de réagir, d'entreprendre, ou même de se livrer à ses besoins naturels sans autorisation, les S.S.

1. Au sens étymologique, le musulman est celui qui « s'abandonne » à Dieu.

transformaient les prisonniers en objets, incapables de vivre leur propre vie.

Pour les « anciens » – les prisonniers qui avaient survécu aux premières semaines –, le camp était devenu la seule réalité, le monde extérieur n'existait plus, m'explique Bettelheim. De nouvelles hiérarchies apparurent, alignées sur les valeurs des S.S. : l'« ancien » survit en s'identifiant à ce que le S.S. attend de lui ; cela rassure le S.S. et élimine les conflits. A l'inverse, tout acte d'héroïsme est réprimé par la suppression de tous les membres du groupe auquel appartient le héros. Les « nouveaux » qui arrivent au camp apprennent d'emblée que, pour survivre, il faut, comme les « anciens », adopter l'univers du camp et les valeurs des Nazis. Pour tous les autres, l'issue de cette vie inhumaine est la mort, choisie ou acceptée.

« Autant que la psychologie des prisonniers – "anciens", "nouveaux" et "musulmans" –, j'ai observé celle des S.S. », me dit Bettelheim. Contrairement à ce qu'imaginaient les prisonniers, tous les S.S. n'étaient pas interchangeables. C'était le plus souvent des êtres peu sûrs d'eux, en général d'origine modeste – l'entrée dans les S.S. constituait une promotion sociale – et ils étaient persuadés que leurs prisonniers, les Juifs en particulier, représentaient un danger réel, qu'ils faisaient partie d'une puissante conjuration mondiale visant à anéantir l'Allemagne. La violence que les S.S. exerçaient sur les prisonniers était donc destinée à les rassurer sur eux-mêmes. « Leur sadisme me frappait par son manque d'imagination, me confie Bettelheim ; il était sans comparaison possible avec le plaisir sadique que j'avais pu rencontrer chez certains de mes patients en traitement psychanalytique à Vienne. »

La conclusion radicale à laquelle parvint Bettelheim au bout de ces deux années de camp, c'est que les comportements les plus imprévisibles peuvent se faire jour dès que les circonstances deviennent exceptionnelles. C'est l'environnement qui détermine le comportement du S.S. comme celui du prisonnier. « Voilà qui explique qu'un bon Allemand d'avant la guerre ait pu devenir un bourreau ou un "musulman ". Vous ne devez donc en aucun cas vous dire : " Jamais je ne ferai ça ", observe Bettelheim, car vous ignorez comment un monde rompant avec vos habitudes pourrait modifier votre personnalité. » Bien plus, ajoute-t-il, nous devrions tous nous préparer à modifier nos comportements pour survivre dans un monde différent : c'est parce que Anne Frank et sa famille n'ont pas compris que le monde avait changé et qu'il ne fallait plus mener la même vie familiale qu'auparavant qu'ils sont morts. Enfin, dit Bettelheim, si un environnement organisé pour détruire la personnalité y parvient, l'inverse devrait être possible : reconstruire l'homme par un environnement totalement « positif ».

L'invention de l'anti-camp de concentration

Reconstruire la personnalité humaine : telle va être, après sa libération, l'obsession, puis l'œuvre de Bruno Bettelheim, immigré aux Etats-Unis. « Le lien entre mon internement dans les camps et mon intérêt pour les enfants autistiques est direct, m'apprend-il. Je me suis demandé s'il y avait une relation entre les deux sortes d'inhumanité que j'avais connues, l'une infligée pour des raisons politiques, l'autre " choisie " par l'enfant pour des raisons affectives. »

Nommé en 1944 directeur de l'école orthogénique de Chicago, Bettelheim transforme cet univers carcéral pour enfants psychotiques en une sorte de paradis affectif où rien n'est laissé au hasard : de la couleur des rideaux aux placards pleins de bonbons et ouverts en permanence. Bettelheim est l'inventeur de l'« anti-camp de concentration » et crée ainsi une nouvelle médecine psychanalytique pour les enfants; il y obtient les premières guérisons de l'autisme, un trouble mental jugé jusque-là incurable.

Il faut savoir que ces « guérisons » par Bettelheim soulèvent toujours de violentes controverses dans le monde médical. Bien des psychiatres considèrent que l'autisme est de caractère génétique, et non pas psychologique; leur conclusion : soit les enfants guéris n'étaient pas autistiques, soit ils ne sont pas guéris. L'approche de Bettelheim sépare donc partisans et adversaires de la psychanalyse, et elle recoupe la grande querelle entre l'inné et l'acquis, la culture et la nature. Bettelheim me concède qu'il existe des degrés dans l'autisme et qu'il a connu beaucoup d'échecs. Mais, dans l'attente de progrès décisifs sur la liaison entre défauts génétiques et troubles psychologiques, il juge incontestable que la psychanalyse a bel et bien « guéri » des enfants.

« Je reconnais – et j'ai été suffisamment critiqué à ce sujet – que l'école orthogénique de Chicago ne propose pas de cures de masse, ajoute-t-il. Elle n'a jamais pu accueillir plus de cinquante enfants à la fois, et elle exige le dévouement d'un personnel attentif aux enfants vingt-quatre heures sur vingt-quatre. »

Face à la marée de nouveaux troubles – en particulier la drogue chez les jeunes –, Bettelheim nous propose aujourd'hui des explications, non des solutions toutes faites.

Les conflits parents-enfants ne peuvent que s'aggraver

L'éducation des enfants, me dit-il, a toujours été difficile, mais jamais dans l'histoire de l'humanité elle n'a posé autant de problèmes que maintenant.

Dans la société traditionnelle, les liens unissant parents et enfants n'étaient pas seulement affectifs, ils étaient également économiques, « objectifs ». Parents et enfants travaillaient souvent ensemble; quand les parents étaient âgés, les enfants subvenaient à leurs besoins, comme c'est encore le cas dans les pays pauvres. Aujourd'hui, dans nos sociétés développées, seul subsiste le lien affectif; par nature, ce lien est ambigu et fragile. Le travail des enfants a été remplacé par divers modes d'assistance publique, si bien que les adolescents reçoivent de l'argent de poche sans rien apporter en échange à leurs parents : cette dépendance leur donne mauvaise conscience. Pour la surmonter, ils imaginent volontiers que l'argent donné par leurs parents a été gagné de manière indue. Ils sont ainsi enclins à condamner le système économique dans lequel nous vivons.

De plus, les études et la difficulté de trouver un emploi prolongent la dépendance, donc les occasions de conflit entre parents et enfants très au-delà de la puberté. Dans la société traditionnelle, les enfants quittaient le foyer parental rapidement, après l'âge de la puberté. Or, cet âge n'a cessé de baisser au fil de l'Histoire, ce qui accroît d'autant la période de tensions possibles entre parents et enfants. Les parents, de leur côté, refusent de vieillir, ce qui crée des rivalités autrefois inconnues entre pères et fils, mères et filles. En dernier lieu, les mécanismes traditionnels d'intégration des enfants dans l'âge adulte ont disparu. Exemple cher à Bettelheim : les contes de fées.

Le Père Noël a disparu; la télévision ne l'a pas remplacé

Bettelheim attache beaucoup d'importance aux contes de fées, aux rites et aux fêtes. C'est grâce à eux, m'explique-t-il, que l'enfant pouvait progressivement trouver sa place dans le chaos du monde. Avec *Le Petit Chaperon rouge*, l'enfant découvrait que le Bien et le Mal coexistent dans notre univers : la bonne grand-mère pouvait se transformer en méchant loup, ce qui, selon Bettelheim, permettait aux enfants de comprendre comment une même personne peut successivement être bonne et mauvaise. Avec *Les Trois Petits Cochons*, l'enfant découvrait que l'effort coûte, mais qu'il est finalement récompensé. Grâce à l'attente de Noël, il était rassuré sur sa propre place dans sa famille : lui aussi, à l'image du Père Noël, avait été attendu comme un joyeux événement, et non pas rejeté. Et si le Père Fouettard accompagnait le Père Noël, cela signifiait qu'au fond d'eux-mêmes les parents acceptaient que leur enfant puisse être à la fois bon comme le Père Noël et méchant comme le Père Fouettard.

Aujourd'hui, le Père Noël s'est envolé, le Petit Chaperon rouge est en plastique, et les petits cochons sont télévisés. La télévision, me dit Bettelheim, a déplacé mais n'a pas remplacé l'imaginaire; elle prive l'enfant de tout effort de créativité et ne lui permet pas de s'identifier aux héros, parce que ceux-ci sont devenus trop réels. L'effet le plus nocif de la télévision est qu'elle apporte des réponses trop simples à des questions complexes. Or, dans la vraie vie, les solutions simples n'existent pas. Par conséquent, les parents – mais aussi les enfants – se découragent et démissionnent devant le premier obstacle.

Pourtant, me dit Bettelheim, ni les parents ni les enfants ne sont en cause; c'est notre époque qui donne aux difficultés de l'adolescence une acuité inconnue dans le passé. Les enfants sont donc plus conditionnés par leur époque – l'« air du temps » – que par l'éducation parentale. Voilà une conclusion de Bettelheim qui inquiétera les parents « actifs » et rassurera les autres sur leur « irresponsabilité »!

« Je ne suis pas optimiste pour le court terme, précise Bettelheim. Il faudra plusieurs générations avant que la famille ne retrouve son équilibre intérieur, pour que les enfants s'intègrent sans troubles majeurs dans la société adulte... Plusieurs générations, insiste-t-il, pour résorber l'écart entre notre évolution psychologique et culturelle, d'une part, et l'état technique de la société, de l'autre. En attendant, l'anxiété individuelle ne va faire que monter. »

La tentation totalitaire est présente

Pour Bruno Bettelheim, la société n'est que le reflet de nos anxiétés. Si les individus sont capables de surmonter par eux-mêmes leurs angoisses, ils construisent une société libre et démocratique; s'ils n'en sont pas capables, ou s'ils jugent l'effort individuel au-delà de leurs possibilités, ils sont attirés par la société totalitaire. Celle-ci permet à l'individu de se fondre dans la masse et de s'en remettre à d'autres – le Chef, le Parti, l'Idéologie – du soin de penser pour lui et de résoudre ses angoisses personnelles. La société totalitaire a de surcroît l'apparent mérite d'apporter des réponses simples à des questions complexes – des réponses qui, parfois (c'est le cas du marxisme), ont même l'air scientifique! L'ultime aboutissement de cette société de masse est le camp de concentration dans lequel il n'y a plus d'individus du tout.

Ce péril totalitaire, ajoute Bettelheim, est aujourd'hui d'autant plus menaçant que les élites traditionnelles sont en voie de disparition. Or, ce sont les élites qui peuvent s'opposer à la dérive totalitaire, aussi longtemps qu'elles paraissent constituer un modèle intellectuel et moral. Là où il n'y a plus d'élites porteuses de valeurs de référence, la démocratie est menacée.

Que propose donc Bettelheim? « A la solution totalitaire j'oppose l'approche freudienne : permettre à chaque individu de maîtriser son Moi, de ne pas laisser son intelligence être submergée par ses émotions. » Ce n'est pas un hasard, me rappelle-t-il, si les régimes totalitaires interdisent la psychanalyse.

« Mais je reconnais, ajoute-t-il, que c'est là une solution longue, peu économique, et qui n'est pas populaire. Quand vous m'avez téléphoné de Paris pour venir me voir à Los Angeles, je vous ai prévenu que vous seriez déçu : je n'ai aucun remède simple à proposer aux maladies de notre temps; je n'ai jamais guéri qu'une poignée d'enfants. Le traitement que je propose n'est pas politique, il ne peut être qu'individuel. »

THOMAS SZASZ

La folie n'est pas
une excuse

Comment peut-on vivre à Syracuse? (Etat de New York) La chaleur y est insupportable en été, et l'hiver sous la neige dure six mois. Comme dans la plupart des villes américaines, le centre se réduit à quelques drugstores et à deux hôtels; le reste n'est qu'une gigantesque banlieue. La population s'y répartit en fonction de son revenu, de son statut social et de la couleur de sa peau. C'est pourtant dans ce type d'agglomérations sans caractère que résident la plupart des grands intellectuels américains.

Thomas Szasz vit ici et enseigne à la Faculté de médecine de Syracuse depuis vingt-cinq ans. Comme Bettelheim, il fait partie de ces immigrés d'Europe centrale – la Hongrie, dans son cas – qui ont popularisé aux Etats-Unis la psychologie des profondeurs. Szasz aime la vie paisible et l'isolement de la province américaine. Ils lui ont permis d'écrire dix-neuf livres réputés et d'innombrables articles sur la folie et la psychiatrie.

L'œuvre de Szasz est souvent caricaturée. Lorsque j'ai annoncé autour de moi que j'allais le rencontrer, la réaction – prévisible – fut : « Ah, celui qui raconte que tout le monde est fou... sauf les fous, naturellement! » En fait, Szasz explique plutôt que personne

173

n'est fou, y compris les « fous ». Mais que les « fous » essaient de nous dire des choses embarrassantes que nous ne voulons surtout pas entendre. Aussi la société compte-t-elle sur les psychiatres pour les faire taire. C'est cette conspiration du silence que rompt Thomas Szasz, le fondateur de ce qu'on appelle généralement l'« antipsychiatrie ».

Les fous nous disent ce que nous ne voulons pas entendre

Il n'est jamais rassurant d'aller voir un psychiatre, même pour l'interviewer. Mais Szasz me met à l'aise : « Il n'y a pas de malades mentaux, la folie n'existe pas, ce n'est qu'une métaphore! » Ce que l'on appelle maladie mentale, ce sont les comportements d'individus qui nous dérangent. Voilà pourquoi, depuis le XVIIIe siècle, on enferme les fous. Et pourquoi, aujourd'hui, on les soigne comme s'ils étaient malades.

Il faut savoir que Szasz mène le combat depuis trente ans contre les internements psychiatriques. Avec un certain succès – et le soutien de « syndicats de malades mentaux » aux Etats-Unis et en Grande-Bretagne. « Ce sont les seuls malades organisés en syndicats de défense, me dit Szasz. Ce qui prouve bien qu'ils sont opprimés et que la maladie mentale n'est pas un problème médical, mais un problème de pouvoir. »

Szasz n'est pas le seul, mais il a été l'un des premiers à dénoncer la répression de la folie avec son cortège de camisoles, enfermements, électrochocs, lobotomies et abrutissements chimiques. Michel Foucault l'a fait en France avec sa célèbre *Histoire de la folie*, et Ronald Laing poursuit un combat voisin en Grande-Bretagne. « Je suis proche de Foucault, me dit Szasz, pour dénoncer l'oppression psychiatrique, mais je me sépare totalement de lui sur l'analyse et sur les solutions. » Foucault voyait dans les asiles un instrument de répression de la bourgeoisie contre les « classes dangereuses ». C'est historiquement faux! s'exclame Szasz. Les premiers asiles furent créés en Grande-Bretagne par l'aristo-cratie afin d'empêcher ses membres « égarés » de dissiper leur fortune. Le diagnostic de folie a tou-jours été et reste un moyen de se débarrasser des gêneurs. Le fou est celui qui dérange, met en cause, accuse. La folie ne peut d'ailleurs être définie par aucun critère objectif.

Prenez la schizophrénie : c'est le diagnostic de « folie » le plus courant. Les psychiatres essaient de nous faire croire qu'elle existe au même titre que la jaunisse ou un ulcère. Faux! Dans la plupart des cas, ce qu'on appelle schizophrénie ne correspond à aucun dérangement organique. « Arrêtons de racon-ter qu'il y a, derrière chaque pensée tordue, une molécule tordue dans notre cerveau! » Si tel était le cas, précise Szasz, il faudrait traiter la schizophrénie comme n'importe quelle autre maladie, et ne plus faire des malades mentaux une catégorie à part que l'on enferme et que l'on soigne d'autorité. « Mais, précise-t-il, je n'idéalise pas la folie, comme le font certains mouvements dits d'antipsychiatrie; je ne pense pas que les fous soient des êtres supérieurs, victimes de la société capitaliste. » Szasz apprécie d'ailleurs beaucoup la société capitaliste; ce n'est pas un gauchiste, bien au contraire...

Le psychiatre est l'inquisiteur du XXe siècle

« Pour comprendre le rôle de la maladie mentale dans notre société, il faut savoir que nous sommes en présence d'un phénomène religieux et non pas scien-tifique. » Le diagnostic de « folie », ajoute Szasz, a pris la succession, dans notre civilisation occidentale, de celui de « possession ». La sorcière, les possédés dérangeaient et étaient donc éliminés par des inquisiteurs au nom de la vraie foi. Aujourd'hui, les psychiatres sont les nouveaux inquisiteurs et procèdent à une élimination comparable, mais au nom de la « vraie » science. Autrefois, l'on croyait dans la religion; aujourd'hui, dans la science.

Preuve supplémentaire, selon Szasz, du caractère peu scientifique de la maladie mentale : l'évolution des diagnostics selon les mœurs. A la fin du XIXe siècle, les psychiatres traitaient surtout des hystériques et des épileptiques. L'hystérique, comme la sorcière du Moyen Âge, était généralement une jeune femme. En fait, explique Szasz, l'hystérie n'est rien d'autre qu'une catégorie verbale inventée par Charcot, le maître de Freud, pour médicaliser les conflits opposant les jeunes femmes à leur entourage. Aujourd'hui, l'hystérie et l'épilepsie ont pratiquement disparu – sans traitement. Elles ont été remplacées par la schizophrénie et la paranoïa. Conclusion de Szasz : ce qui nous dérange a évolué. Or, les prétendus malades mentaux cherchent précisément à nous déranger : « La maladie mentale est le plus souvent une représentation destinée à un public. » Mais les « fous » ne font pas que nous embarrasser. Malgré eux, ils nous rendent également d'éminents services. Le concept de « maladie mentale » nous permet de nous accommoder de comportements dont nous avons du mal à accepter qu'ils puissent être normaux. Par exemple : le « crime ».

Les criminels sont plus intelligents que fous

« Les criminels ne sont plus exécutés, ils sont soignés. » Un exemple : le fait que John Hinckley, qui tenta d'assassiner Ronald Reagan en 1982, soit interné dans un hôpital psychiatrique est un symbole qui résume bien la situation. Par son geste, Hinckley voulait épater l'actrice Judy Foster. Les psychiatres en conclurent naturellement qu'il était fou. Mais Hinckley ne voulait pas être déclaré fou, et il insista pour être jugé. Aux yeux des psychiatres, c'était là, de toute évidence, une raison supplémentaire de le déclarer fou. Le rôle des psychiatres dans la société moderne « est de libérer les coupables et d'interner les innocents » : voilà le genre de formule dont Szasz a le secret et qui a fait sa réputation, bonne ou mauvaise.

Autre histoire vraie : un condamné à mort, en Floride, ne peut être exécuté parce que les psychiatres de la prison le trouvent trop fou pour subir sa peine. Faut-il donc le soigner pour pouvoir l'exécuter ? demande Szasz. La Cour suprême des Etats-Unis s'interroge.

Mais pourquoi donc s'obstine-t-on désormais à chercher la maladie mentale derrière le crime ? Est-ce par humanité ? C'est tout le contraire ! répond Szasz. Si nous reconnaissons qu'un homme est capable de commettre sciemment un crime affreux, c'est que la nature humaine peut être parfaitement mauvaise. Or, tout ce que nous souhaitons, c'est que la nature humaine soit bonne. Nous ne voulons pas admettre que le libre arbitre puisse conduire au crime. Donc, le crime ne doit pas être le résultat du libre arbitre, mais celui de la maladie mentale !

Jusqu'au XVIIIe siècle, le mal était interprété comme une possession par le Diable. Aujourd'hui, le mal est nécessairement le signe d'un désordre génétique et chimique. Tout cela, selon Szasz, relève de la pensée mythique, et non pas de la science. D'ailleurs, ajoute-t-il, si véritablement le comportement peut s'analyser à partir de l'observation du cerveau, pourquoi ne cherche-t-on pas à expliquer les causes chimiques d'une bonne action et ne s'intéresse-t-on qu'aux mauvaises? « En fait, la plupart des criminels sont normaux, et même suffisamment intelligents pour accomplir des crimes fort complexes. »

Conclusion de Szasz : rien, dans les connaissances actuelles sur le fonctionnement du cerveau, ne permet d'expliquer nos choix. Le libre arbitre n'est pas un phénomène chimique ou électrique. Il est impossible de lire nos pensées dans le cerveau. S'il est exact que certaines pensées déclenchent certaines réactions chimiques, c'est la libre pensée qui est cause de la réaction, et non pas l'inverse.

Mais, précise Szasz, la transformation des criminels en malades mentaux n'est que la pointe de l'iceberg. Ce n'est que l'expression la plus caricaturale d'un profond mouvement de médicalisation de la société moderne et du refus de considérer l'homme comme un individu libre et responsable.

C'est la faute de votre libido

Dans cette « dépersonnalisation » de l'ère moderne, Freud et les psychanalystes qui se réclament de lui portent, selon Szasz, une lourde responsabilité historique. Que nous dit Freud? Que nous ne sommes pas réellement maîtres de nos actes, puisque nous sommes mus par des pulsions inconscientes. Ce n'est plus nous qui agissons, c'est notre libido ou notre complexe d'Œdipe. Donc, nous ne pouvons plus nous connaître : à suivre la logique freudienne, seuls le psychanalyste ou le psychiatre savent qui nous sommes. En créant des métaphores du type « complexe d'Œdipe », Freud se donnait et a donné à tous les psychanalystes futurs des instruments pseudo-scientifiques de pouvoir. On en est arrivé, dit Szasz, à croire que la libido ou le complexe d'Œdipe existaient en tant qu'objets réels, alors qu'il ne s'agit que de créations verbales. « Vous savez, ajoute

Szasz, Freud savait parfaitement ce qu'il faisait. Il cherchait l'argent et le pouvoir, et il a obtenu l'un et l'autre... »

– Avez-vous des débats avec les psychanalystes freudiens?

– Non, pour eux, je suis un homme mort!

La psychanalyse, comme la psychiatrie, ne servirait donc qu'à nier le libre arbitre et à faire reculer la responsabilité individuelle. Par exemple? Les voleurs, explique Szasz, étaient autrefois considérés comme responsables de leurs actes et punis comme tels. Mais dès l'instant où le voleur devient un « kleptomane », il n'est plus responsable du vol; il est « agi » de l'extérieur par des pulsions qui lui échappent et qu'il ignore. Ce raisonnement s'applique maintenant à l'incendiaire, qui est devenu un pyromane, au violeur, au joueur, au noceur ou au fumeur. L'illustration la plus récente citée par Szasz est celle d'un fumeur invétéré qui, devant les tribunaux, vient d'obtenir réparation financière d'un fabricant de cigarettes américain. La publicité agressive du fabricant l'aurait *subconsciemment* incité à fumer et à ruiner sa santé!

Plus sérieux est le problème de la drogue, sur lequel Szasz a beaucoup écrit et, là encore, à contre-courant.

La drogue n'est pas une maladie, c'est un choix

« Avez-vous remarqué, me demande Szasz, que depuis vingt-cinq ans les gouvernements occidentaux mènent une prétendue " guerre " contre la drogue et ne remportent aucune victoire? »

Szasz ne cesse de me poser des questions, mais il se répond toujours à lui-même!

« C'est qu'ils aiment cette guerre et ne souhaitent pas la gagner. » Chaque société a besoin de mener une guerre, civile de préférence. Pendant les années vingt, aux Etats-Unis, ce fut, avec la Prohibition, une guerre contre les trafiquants d'alcool. Aujourd'hui, elle vise les trafiquants de drogue. Avec les mêmes arguments, les mêmes armes, les mêmes « bons » et les mêmes « méchants ». Et la même inefficacité. Si, à aucun moment, on ne s'interroge sur l'échec de ces politiques, c'est parce que ces combats nous donnent l'illusion d'un héroïsme à bon compte, sans trop de risques et avec bonne conscience. L'aviation américaine bombarde des paysans boliviens parce qu'ils cultivent le coca : tout le monde trouve cela très bien! Conséquence de cette guerre contre la drogue : la prolifération du Sida! Sans l'interdiction de la vente libre de seringues, estime Szasz, le Sida n'aurait jamais pu se diffuser aussi rapidement. Il fait le rapprochement avec la grande peste du xive siècle : les chats furent exterminés parce qu'on les croyait possédés par le Diable; les rats, en proliférant, ont répandu la peste dans toute l'Europe. Des causes comparables, à des siècles d'intervalle, ont produit les mêmes effets...

Cette guerre inutile contre la drogue ne pourrait se terminer que par la légalisation de la drogue, de même que la lutte contre l'alcool s'acheva, à la veille de la Seconde Guerre mondiale, par la fin de la Prohibition. Mais nous tenons trop à notre petite guerre pour vouloir la suspendre. Elle présente, au surplus, un grand avantage moral : elle nous permet de croire que le drogué n'est pas responsable de ses actes, qu'il est lui aussi un malade mental. Nous ne voulons pas convenir que le drogué, à un certain moment, a librement choisi de se droguer, c'est-à-dire de se détruire. Or le fait de se droguer, dit Szasz, n'est pas une maladie involontaire, c'est une manière tout à fait délibérée d'affronter le mal de vivre. Mais comme nous ne savons pas guérir le mal de vivre, nous préférons « soigner » le drogué. Ou les candidats au suicide.

Szasz cite Camus : « Le suicide est la seule question philosophique importante. » Mais cela non plus, nous ne pouvons le regarder en face. Donc, les psychiatres nous rendent un grand service en faisant du candidat au suicide un malade mental qu'il faut soigner. Comment un être normal pourrait-il renoncer à la vie qui est si belle? Il faudrait être fou!... Il faut l'être, afin de rassurer la société des gens « normaux »!

Les hôpitaux psychiatriques sont les mêmes à l'Ouest et à l'Est

Doit-on prendre Szasz au sérieux? Son discours est à l'évidence bien systématique. Mille objections viennent immédiatement à l'esprit. Elles permettent de contester Szasz, mais certainement pas de réfuter en bloc son argumentation. Szasz est en fait l'un des très rares penseurs à réfléchir aux implications profondes de la médicalisation des sociétés modernes. Lui-même s'inquiète d'ailleurs d'être aussi seul.

Il est vrai que nous ressentons tous, confusément, le déplacement du pouvoir vers le corps médical – les psychiatres n'étant, selon Szasz, que le détachement avancé de cette dictature. A l'Ouest comme à l'Est.

Regardez l'U.R.S.S.! me dit-il. Nous nous indignons de ce que des intellectuels dissidents aient été placés dans des hôpitaux psychiatriques parce qu'ils n'aimaient pas le régime communiste. Il fallait effectivement être fou pour contester le pouvoir soviétique! A l'Ouest, nous n'en sommes pas encore à ce stade, mais nous soignons de force le drogué ou le schizophrène qui refusent de vivre dans notre société, ou le candidat au suicide qui cherche à s'en échapper. Entre l'U.R.S.S. et nous, selon Szasz, il y a une différence de degré dans l'utilisation de la psychiatrie, pas une différence de nature. A l'Est comme à l'Ouest, les psychiatres sont les agents de l'Etat, et c'est d'ailleurs l'Etat qui les paie. Ce n'est pas un hasard, ajoute Szasz, si les nouveaux Etats du Tiers-Monde s'intéressent autant à la psychiatrie et si les hôpitaux psychiatriques ont surgi partout, y compris dans des civilisations qui ignoraient à la fois notre concept occidental de maladie mentale et ce type d'institutions. Au Japon, ce sont les Américains qui ont introduit la notion de maladie mentale et l'hôpital psychiatrique en 1945 ! « Le XXe siècle est tout à la fois le siècle du totalitarisme politique et celui de la psychiatrie. L'asile plaît aux dictateurs. Coïncidence ? » me demande Szasz.

A suivre Szasz, les médecins deviennent tous à leur tour des agents du pouvoir politique au fur et à mesure que les systèmes d'assurance publique détruisent la relation personnelle entre patient et praticien. Je lui fais observer – Szasz, pour un bref instant, me laisse la parole – que c'est déjà le cas à Cuba : les médecins y surveillent la population autant qu'ils la soignent.

Comment résister à cette « médicalisation » de la société ?

Il faut que les malades s'organisent en syndicat de défense, répond Szasz. Il faut dénoncer l'abus des mots par la psychanalyse et la psychiatrie. Il faut aussi renoncer à réprimer ou à soigner des maladies qui n'en sont pas.

– Mais, docteur Szasz, vous-même, vous exercez bien la psychothérapie ?

– Je ne donne jamais de médicaments à un patient, précise-t-il. S'il m'en demande, je lui explique comment mentir à son médecin habituel pour obtenir exactement le médicament qu'il souhaite. Malheureusement, il est devenu à peu près impossible d'avoir de l'opium et de la morphine. Ce sont pourtant les meilleurs produits, l'un contre la dépression, l'autre contre la douleur. On n'a jamais fait mieux! Mais ces traitements trop simples ne profitaient pas au pouvoir médical... J'ajoute que je ne suis pas contre la psychiatrie ou la psychanalyse entre adultes consentants, mais il faut alors savoir que ces consultations ne présentent aucun caractère scientifique.

Mais l'oppression psychiatrique, Szasz ne propose pas de nous en débarrasser sans contrepartie. Dans une société d'hommes libres, précise-t-il, chacun doit être responsable de ses actes et sanctionné comme tel. Si le drogué commet un crime, il doit être puni pour ce crime, et non pas parce qu'il est drogué. Si le kleptomane vole, si le pyromane incendie, si le régicide assassine, tous doivent tomber sous le coup de la loi et être châtiés.

« Je me demande, dit Szasz, si je ne suis pas le dernier héritier des philosophes libéraux du XVIIIe siècle. Eux aussi considéraient que la sévérité et l'universalité de la loi étaient les conditions de la liberté individuelle : la condition de la liberté, c'est évidemment la responsabilité. Mais les philosophes ont démissionné face aux psychiatres. »

Notre entretien a commencé à neuf heures ce matin; il est quatre heures de l'après-midi. Szasz est inépuisable.

— De quoi parle-t-on maintenant? me demande-t-il.

— On s'arrête, je dois me rendre à Boston.

— Mais nous avons à peine abordé le sujet... Il faut revenir à Syracuse!

Je ne promets rien...

MARVIN MINSKY

L'homme est une machine pensante

Connection est l'ordinateur le plus rapide du monde. Il n'en a pourtant pas l'air. Ce n'est qu'un cube de deux mètres de côté, qui laisse transparaître, sous son armature noire plastifiée, mille points lumineux. Ces clignotants, m'explique Marvin Minsky, ne servent pas à grand-chose; ils ont surtout une fonction décorative, afin que la machine ait l'air moins « abstraite ». En fait, *Connection* pourrait s'en passer. Ses entrailles sont bien plus déconcertantes encore que son aspect extérieur. Minsky ouvre la boîte noire et me fait constater qu'elle est à peu près vide : les 64 000 microprocesseurs qu'elle comporte n'y occupent qu'un faible volume. *Connection* vit à Boston, au Massachusetts Institute of Technology, dans le laboratoire de Minsky. C'est l'œuvre de ses étudiants, des chercheurs à l'air un peu ahuri et dépenaillé qui passent des nuits entières « accrochés » à leur écran blafard. Ces hommes et ces femmes n'ont pas trente ans; c'est, me dit Minsky, l'âge du génie non encore réprimé.

Marvin Minsky est considéré dans le monde entier comme le père de la révolution informatique et le créateur de l'« intelligence artificielle », désignée désormais dans tous les pays par ses initiales américaines : « A.I. ». Une machine est intelligente, explique Minsky, à partir du moment où elle accomplit des tâches qui, si elles étaient accomplies par des hommes, seraient considérées comme intelligentes.

Dans deux générations,
l'ordinateur sera plus intelligent que nous

Connection, m'assure Minsky, a des états d'âme : la machine est sous-utilisée, parce qu'elle est trop puissante. Dans l'attente d'un programme qui lui convienne, elle lit tous les journaux américains et les emmagasine dans sa mémoire. Si Minsky parle ainsi sans ironie de sa machine, c'est qu'il la juge véritablement intelligente – une intelligence artificielle, certes, mais d'un niveau au moins comparable à celle de l'homme. D'ailleurs, ajoute-t-il, si un homme atteignait les performances mentales de *Connection*, on l'estimerait génial. Si nous considérons *a priori* que *Connection* est moins intelligente que nous, c'est parce que nous sous-estimons les machines et ce qu'elles sont capables de faire.

Certes, reconnaît Minsky, leurs capacités physiques restent modestes : elles ne voient pas très bien, elles reconnaissent très difficilement les personnes et entendent mal ce que les enfants leur demandent. Elles parlent, mais médiocrement, et elles comprennent jusqu'à dix mille mots à condition de s'adresser à elles distinctement, sans allitérations. Mais il faut considérer que ces machines intelligentes n'ont pas quinze ans d'existence, alors que l'homme est l'aboutissement de plusieurs millions d'années d'évolution.

Minsky ne doute pas que les machines finiront par comprendre le sens des mots : cela prendra une génération, deux peut-être. Dans un avenir dont il est impossible de fixer le terme, les machines intelligentes deviendront même utilisables par des humains

186

qui le sont moins : tous les analphabètes de l'informatique – dont je suis – pourront se servir d'un ordinateur. Nous lui parlerons en lui expliquant ce que nous attendons de lui. Il saura alors se programmer lui-même à partir de quelques exemples simples fournis par l'utilisateur, sans passer par l'intermédiaire d'un langage spécialisé et sans l'aide d'un ingénieur.

Les machines ont des états d'âme

Les capacités physiques, sensorielles, des machines intelligentes restent encore limitées, mais il n'en va pas de même de leurs capacités mentales. Dans beaucoup de domaines, elles sont bien supérieures à l'homme : si l'on prend pour critère classique celui du jeu d'échecs, les automates, capables de calculer six coups d'avance, sont devenus pratiquement imbattables. En théorie, on pourrait, explique Minsky, construire un automate capable de jouer toutes les parties d'échecs concevables. Mais le nombre de coups possibles est tel qu'une machine fonctionnant à la vitesse de la lumière aurait besoin de cinq milliards d'années pour épuiser toutes les possibilités du jeu. D'où la nécessité pratique de limiter les ambitions des robots.

Les machines ont des passions, m'assure Minsky. Il leur arrive de s'affoler, de produire des textes incompréhensibles pour des raisons ignorées de leurs ingénieurs. Est-ce l'effet d'un désordre technique ou de ce que nous appellerions chez l'homme une grande émotion ? Les savants ne savent pas, à l'heure actuelle, répondre à cette question. Il faut aussi, nous dit Minsky, se défaire de l'idée selon laquelle les machines n'obéiraient qu'au programme qui leur est assigné. Faux ! Les machines intelligentes sont programmées pour écrire leur propre programme –

performance par laquelle elles échappent à l'ingénieur. C'est donc parce que les hommes ne savent
pas ce que sont les machines complexes qu'ils imaginent qu'elles ne peuvent pas éprouver de passions.

Mais peuvent-elles manifester aussi une volonté?
Minsky en doute. C'est pourtant lui qui avait conçu
pour le film de Stanley Kubrick, *2001, Odyssée de
l'espace*, Al, le robot qui s'émancipe de ses maîtres.
C'est Kubrick qui avait assigné à Al des intentions
perverses. En l'état actuel des connaissances, Minsky
estime que les machines ne peuvent avoir ni de
bonnes, ni de mauvaises intentions. Pour l'instant!

Les machines victimes de l'idéologie

Les machines sont-elles intelligentes ou font-elles
semblant de l'être? La réponse, pour Minsky, est
évolutive : elles n'en sont qu'à leur « ère primaire »;
elles ont actuellement atteint une complexité comparable à celle des insectes, mais elles ne cesseront de
progresser. Ces machines qui, pour l'heure, ont
seulement l'air intelligentes finiront donc par le
devenir réellement. Dans une génération ou deux, au
plus, Minsky estime qu'elles parviendront inéluctablement à des performances analogues à celles du
cerveau. Ce qui ne signifie pas, dans son esprit,
qu'une seule machine sera comparable à un cerveau :
aucune ne reproduira le cerveau, mais, plus probablement, de multiples machines, combinées entre
elles, rempliront l'équivalent de ses fonctions. Le
résultat sera donc comparable – sans être identique –
à celui de l'évolution humaine, au terme d'une
histoire différente, non pas sur des millions, mais sur
quelques dizaines d'années. Et qui sait où en seront
les machines dans cent ans?

Une conséquence inévitable de leur évolution sera
la destruction de l'emploi, processus à peine entamé.

Il faudra alors que les hommes se trouvent d'autres occupations. Mais, rappelle Minsky, l'humanité, il y a deux cents ans, passait quatre-vingt-quinze pour cent de son temps en quête de sa nourriture; aujourd'hui, elle n'en consacre plus qu'à peine cinq pour cent. La télévision n'est-elle pas arrivée à temps pour combler le vide déjà créé par les machines? Un Américain moyen passe devant son écran cinq heures par jour; il suffira, note Minsky, de multiplier ce temps par deux pour que le problème du temps libre soit résolu! A moins que la guerre ne redevienne, comme au Moyen Age, une manière de meubler ses loisirs.

Cette évolution vers des machines totalement intelligentes lui paraît irréversible, sauf si la politique s'en mêle. Minsky considère en effet que sa vision futuriste éveille autant de craintes que d'espoirs. Il n'exclut pas que les forces de l'opinion – ou de la religion – ne se liguent un jour contre la recherche informatique, à la manière dont elles le font déjà contre les manipulations génétiques : les machines seraient alors détruites par une montée du mysticisme et de l'idéologie.

Il n'y a plus de savants

Autant que la politique, c'est la disparition des savants qui, selon Minsky, menace l'évolution des machines. Minsky me fait observer que la moitié de ses étudiants du M.I.T. sont d'origine asiatique, immigrés chinois, japonais, coréens. C'est effectivement ce que je constate dans son laboratoire. L'autre moitié est presque en totalité d'origine juive. « Or, s'exclame Minsky, il n'y a plus de Juifs! » Il veut dire par là que le milieu d'Europe centrale et des Etats-Unis qui a généré une certaine forme de réflexion – dont Minsky est lui-même issu – est en voie de disparition. Non pas que les Juifs soient plus intelligents que les autres, mais ils sont issus d'une culture qui privilégie l'étude, la recherche, la solution des problèmes globaux. Ils sont également incités à remettre en cause l'ordre établi, « ce qui, malheureusement, n'est pas le cas des chercheurs japonais ».

J'en profite pour interroger Minsky sur les chercheurs français. Il les estime peu doués pour l'intelligence artificielle, parce que les mathématiciens jouissent chez nous de trop de pouvoir et qu'ils s'opposent à ce que l'on entreprenne ce qui ne pourrait être prouvé au préalable.

Quant à l'Américain « moyen », il est perdu pour la recherche : les étudiants ont cessé d'apprendre depuis que les professeurs d'université leur expliquent que toutes les cultures se valent et que toutes sont acceptables.

Minsky aimerait-il ses machines plus que ses congénères? Les machines, il est vrai, présentent à ses yeux un grand avantage sur les hommes : elles ne prétendent pas être autre chose que des machines. A l'inverse, l'homme ne serait, selon lui, qu'une machine qui s'ignore.

Le cerveau-machine

Après avoir, trente ans durant, construit des machines intelligentes, Minsky estime avoir compris ce qu'est l'intelligence. « Si mes machines produisent ce que l'on appellerait chez l'homme l'intelligence, c'est que le cerveau humain n'est au fond qu'une machine : une machine complexe, issue d'une longue évolution. » Le cerveau ne serait qu'une somme de composants imparfaits, chacun doté d'une fonction déterminée que l'on sait aujourd'hui localiser, détruire ou exciter. Chaque composant – que Minsky appelle *agent* – ne peut faire à lui seul qu'une chose simple, qui n'exige ni esprit ni pensée. Pourtant, lorsqu'ils sont reliés entre eux, tous ces composants du cerveau constituent une sorte de société; ce sont les relations complexes à l'intérieur de cette société qui forment ce qu'on appelle l'esprit.

Ces conclusions ont servi de base à la construction des machines intelligentes. Comment Minsky y est-il parvenu? En analysant, me répond-il, l'activité la plus simple : celle d'un enfant qui joue avec des cubes. De la même manière que Newton et Galilée ont découvert les lois générales en observant des phénomènes singuliers, on peut comprendre les mécanismes de l'intelligence en se concentrant sur une de ses parcelles élémentaires. L'esprit est une somme de choix simples. Au total, le cerveau ne serait qu'une machine à produire le langage et les idées. Mais, à la différence de certains neurobiologistes, Minsky ne réduit pas cet esprit à des principes chimiques ou physiques élémentaires. Pour l'instant, la complexité des relations entre les agents du cerveau nous échappe. Un jour viendra pourtant, estime-t-il, où des instruments nous permettront de « voir » dans le cerveau cette circulation des idées, combinaison de courants électriques et de substances chimiques qui constitue ce que nous nommons par convention l'intelligence.

En réalité, il n'existe pas une chose qui s'appelle l'intelligence et qui serait mesurable : l'intelligence est une somme de fonctions très diverses, plus ou moins valorisées selon la culture dans laquelle nous vivons. Minsky renvoie ainsi dos à dos à peu près toutes les théories sur l'intelligence. Selon lui, pour fonctionner, l'esprit n'a pas besoin de l'étincelle divine : le cerveau-machine suffit. Il n'y aurait pas non plus d'opposition entre la matière et l'esprit, puisque c'est la matière qui produit l'esprit selon des lois qui restent à découvrir.

Je sais bien, dit Minsky, que personne n'accepte

d'être comparé à une machine. Mais c'est parce que nous en avons une vision périmée. Le mot évoque des engrenages archaïques. En réalité, nous ne sommes qu'à l'aube des machines, et nous ne parvenons pas encore à imaginer ce qu'elles seront dans l'avenir. C'est comme si un extraterrestre avait observé, il y a quelques milliards d'années, les premiers batraciens : il n'aurait pu y deviner l'avenir de l'humanité. Si je dis que l'homme est une machine pensante, ajoute Minsky, ce n'est pas par une vision réductionniste de l'homme, mais par anticipation de ce que seront les machines complexes du futur.

Voici le savant devenu philosophe. Peut-être une philosophie d'ingénieur, l'aboutissement d'un certain « rêve américain » – la Nature dominée par la mécanique –, avec un bémol américain lui aussi : l'angoisse. Quand l'aube se lève sur Boston et Technology Square, Minsky et ses élèves éteignent les lampes, se détachent de leurs claviers, enfourchent leurs vieilles bicyclettes et rentrent dormir chez eux jusqu'au prochain crépuscule. La demeure de Minsky, à l'exact opposé de son laboratoire du M.I.T., est un vrai capharnaüm, indescriptible mélange de vieux livres, de bibelots, de souvenirs de voyage, de jouets en plastique, de poupées de chiffon, de vieux papiers et surtout d'instruments de musique de toutes tailles et de toutes sortes. Au centre de cette pagaille trône non pas un ordinateur, mais un piano à queue. Minsky, blue-jeans, vieux tricot et baskets, y joue et compose plusieurs heures par jour. La composition des fugues est la véritable passion de notre savant : cela lui donne un peu d'avance sur ses machines intelligentes, incapables de distinguer entre Bach et Mozart. Pour l'instant...

VI

LA GUERRE INACHEVÉE

L'ombre de la guerre hante la pensée contemporaine. Elle est à la fois présente dans notre mémoire collective et obsédante comme un futur possible. Cette hantise ne viendrait-elle pas de ce que la guerre en Occident n'est, en fait, pas achevée?

Ne croyons pas, nous dit l'historien allemand Ernst Nolte, que le conflit a commencé en 1939 pour se terminer en 1945! La vraie guerre européenne est, selon lui, une guerre civile déclenchée par la révolution soviétique de 1917 et qui a été suspendue – provisoirement – par un ersatz de paix en 1945. On reconnaîtra là la thèse des « révisionnistes » allemands, dont Nolte est le maître à penser. Cette « révision » de l'Histoire concourt évidemment à une déculpabilisation de l'Allemagne comme du Japon : les puissances fascistes ne pourraient être tenues pour particulièrement responsables des hostilités dès lors qu'elles n'auraient fait que réagir à l'agression originelle, celle du communisme.

Le communisme constituerait donc la seule véritable menace contre la paix en Occident, tandis que les fascismes ne seraient que des phénomènes datés et relativement mineurs. Voilà ce qui expliquerait pourquoi, en Allemagne particulièrement, « le passé ne veut pas passer ». Il ne peut pas passer, parce qu'il est en réalité présent et le restera aussi longtemps que le risque d'agression soviétique subsistera. La guerre en Occident restera inachevée tant que ses causes réelles ne seront pas clairement énoncées. Si l'on accepte cette thèse, le « non-dit » serait le seul péril qui guetterait l'Occident.

Edward Teller, que nous allons, après Nolte à Berlin, rejoindre en Californie, n'a pas pour sa part ce genre d'état d'âme. Il a contribué à gagner la bataille d'hier en participant à la création de l'arme nucléaire; et, dans son laboratoire de Livermore, c'est la bataille de demain qu'il prépare.

ERNST NOLTE

La guerre civile européenne a commencé en 1917

Faut-il déculpabiliser l'Allemagne?

Les Allemands, c'est compréhensible, souhaitent redevenir une nation comme les autres. A cette fin, il est important non pas d'oublier Hitler, mais de le reléguer pour le moins dans les manuels d'histoire. D'où l'importance des historiens en Allemagne : selon qu'ils confirmeront ou non la singularité du nazisme, qu'ils « banaliseront » ou non le totalitarisme nazi, leur pays aura eu – ou n'aura pas eu – le monopole de la barbarie en ce siècle. Ce qu'on appelle en Allemagne la « querelle des historiens » est actuellement au cœur des débats intellectuels, et à l'origine de cette querelle, il y a Ernst Nolte.

Son *Histoire du fascisme*, publiée en 1963, avait fait reconnaître Nolte comme un des meilleurs historiens du sujet. Mais, en 1986, un article qu'il publie dans la *Frankfurter Allgemeine Zeitung* déclenche une véritable guerre éditoriale. Conduits par le philosophe Jürgen Habermas, les intellectuels de gauche accusent Nolte de diriger un « complot révisionniste » destiné à atténuer la responsabilité allemande et à banaliser l'Holocauste.

Que disait Nolte dans ce texte? Que le nazisme ne se comprenait pas sans faire référence au bolchevisme, et que le Goulag avait chronologiquement précédé Auschwitz. Dès 1963, il est vrai, Nolte avait défini le fascisme comme un antimarxisme « qui, par des méthodes presque identiques, essaie d'annihiler l'ennemi ».

Mes entretiens avec Nolte se sont tenus chez lui à Berlin, dans un vaste appartement qui a miraculeusement survécu aux bombardements de 1945. Une chose me paraît sûre : Nolte n'est pas un agitateur, mais un chercheur, peut-être dépassé par l'ampleur du débat qu'il provoque.

Les Allemands savaient sans savoir

Nolte se souvient : « En août 1942, je me suis rendu en train du domicile de mes parents à l'usine d'armement où j'étais affecté. Une infirmité à la main droite m'avait évité d'être incorporé dans l'armée. Au cours de ce voyage, un officier S.S. m'a sommé de quitter mon compartiment pour laisser la place à une vieille femme juive portant l'étoile jaune. » Celle-ci était en route pour la déportation et l'extermination, et Nolte n'a pas protesté; ses camarades non plus : « Nous avions peur, nous n'étions pas des héros, avoue-t-il aujourd'hui, et nous ne pouvions rien faire, de toute manière. De plus, nous ne savions pas très bien ce qui allait arriver à ces femmes. » Nolte n'avait alors que dix-huit ans; il n'appartient pas à la « génération du soupçon ». Mais deux questions surgissent immédiatement : celle de la connaissance et celle de la culpabilité.

Les Allemands savaient-ils? Les réponses de Nolte ne sont jamais directes ni simples : il préfère saisir la complexité des phénomènes. Les esprits allergiques à la philosophie allemande estimeront que c'est fendre les cheveux en quatre. D'après Nolte, « le plus grand nombre avait des soupçons, un groupe très limité savait, et un troisième groupe, également restreint, participait directement à l'Holocauste ». Pourquoi aussi peu de gens savaient-ils réellement ? « Parce que le système nazi était une organisation rationnelle où régnait la division du travail typique de l'ère industrielle. » Pouvons-nous considérer les Allemands comme collectivement responsables ? « Sans la collaboration de gendarmes français, italiens, belges ou roumains, l'Holocauste n'aurait pas été possible : les Juifs ont été les victimes de l'antisémitisme européen en général. »

Tout l'Occident est coupable

« Hitler avait conçu la Solution finale dès 1922 ! » Nolte se fonde sur les confidences de Hitler publiées par Dietrich Eckart, son maître à penser. Dès avant la guerre, « les écrits et déclarations de Hitler étaient assez explicites pour que les gouvernements occidentaux réagissent », précise-t-il. Pourtant, ils n'ont rien fait. Qu'il s'agisse de la France, de la Grande-Bretagne ou des Etats-Unis, ils ont même refusé d'accorder des visas d'immigration aux Juifs. En 1943, Roosevelt et Churchill étaient parfaitement informés de l'existence des camps de la mort. Les organisations juives américaines n'ont cessé de faire appel à eux, documents à l'appui. Certains de ces documents irréfutables sur les camps de la mort ont été publiés dans la grande presse aux Etats-Unis dès 1943. Et pourtant, Churchill et Roosevelt n'ont pas bougé ; ils craignaient, en s'occupant spécifiquement du salut des Juifs, que leur effort de guerre ne passe pour une « guerre juive », ce dont les accusait précisément Hitler.

Il ne saurait donc y avoir de responsabilité des seuls Allemands, conclut Nolte. De plus, croire en la notion de responsabilité « collective », c'est, ajoute-t-il, tomber dans le même travers que Hitler vis-à-vis des Juifs. « Dans les années vingt, Hitler constate que de nombreux dirigeants bolcheviques en Russie sont juifs. Ce qui est un fait exact. De même, il est vrai que les révolutions communistes avortées en Hongrie et à Munich sont conduites par des Juifs. Hitler en conclut que les Juifs sont " collectivement responsables " de ces révolutions. Il invente la notion de " judéo-bolchevisme ", qui va devenir le fondement idéologique du nazisme. Lorsque, en 1939, Chaïm Weizmann, président du Congrès sioniste, déclare que les Juifs, dans le monde entier, livreront la guerre au nazisme, Hitler y voit une preuve supplémentaire du complot judéo-bolchevique. »

Il faut savoir que Nolte a été violemment accusé par la gauche d'avoir exhumé ce discours peu connu de Weizmann. N'allait-il pas, de ce fait, accréditer dans l'opinion allemande la thèse du complot? « Je ne l'ai fait, réplique Nolte, que pour montrer comment fonctionnait le cerveau délirant de Hitler. En réalité, ajoute-t-il, la plupart des Juifs allemands étaient des bourgeois conservateurs. L'idéologie nazie était absurde, mais c'est néanmoins selon ce type de raisonnement qu'elle a fonctionné. »

L'âme allemande n'existe pas

Mais le nazisme n'est-il, comme l'explique Nolte dans toute son œuvre d'historien, que l'idéologie d'une époque, un phénomène daté? Ne serait-ce pas plutôt l'émanation de l'âme allemande, d'un « éternel germanique »?

« S'il existe une âme des peuples, elle n'a pas d'effet déterminant sur le cours de l'Histoire, estime Nolte. Les circonstances d'une époque, l'esprit du temps – le *Zeitgeist* – sont des facteurs plus puissants que l'âme des peuples. Au surplus, il existe à l'intérieur de l'âme allemande des variations au moins aussi fortes que celles qu'on peut rencontrer entre les différents peuples européens. Et s'il est vrai qu'il existe une dimension proprement allemande du nazisme, la frontière est difficile à tracer entre ce qui relève du fascisme européen de l'époque et ce qui relève de l'âme allemande. »

Au total, selon Nolte, le nazisme serait la forme allemande d'un phénomène plus général, l'idéologie fasciste de son temps.

Le nazisme, explique Nolte, n'a été que l'expression la plus « radicale » du mouvement de fond que constituèrent les fascismes. La forme « originelle » en a été l'Action française de Charles Maurras, et sa forme « normale », le fascisme mussolinien. Maurras est, selon Nolte, le véritable père fondateur du fascisme en tant qu'idéologie. On ne peut pour autant lui en imputer les conséquences politiques ultimes. Mais que se serait-il passé s'il avait pris le pouvoir en France? Nul ne saurait le dire. Pour Nolte, une petite phrase de Maurras résume toute l'idéologie fasciste : « *Je suis catholique, mais je suis athée.* » Tout y est : le goût de l'ordre, la nostalgie d'un passé mythique, la négation de l'esprit critique, le refus de la transcendance, la métaphysique de substitution.

Mais pourquoi les idéologies fascistes sont-elles apparues en notre siècle et y ont-elles pris une telle ampleur? Nolte rappelle – nous aurions tendance à l'oublier – qu'en 1940, tout le continent européen, sauf la Grande-Bretagne, est gouverné par des fascismes nationaux, tandis que l'U.R.S.S. expérimente avec Staline une autre variante du totalitarisme. C'est que fascisme et communisme ont été, à l'époque, les deux réponses parallèles au chaos et à l'angoisse suscités par la révolution industrielle née au XIXᵉ siècle. Si l'on veut comprendre le fascisme, il faut remonter à cette révolution industrielle; c'est cette grande rupture dans la civilisation européenne qui est la matrice historique des événements qui ont suivi, c'est elle qui a arraché les hommes à des modes de vie et à des façons de penser millénaires. Fascisme et communisme, affirme Nolte, ont été deux tentatives pour reconstruire l'ordre ancien contre le désordre moderne, en s'arc-boutant sur les mythes d'un âge d'or : France des cathédrales, Empire romain, tribu germanique, société sans classes... Mais tous ces fascismes ne pouvaient qu'aboutir à la faillite, en raison d'un même défaut congénital : les fascistes croyaient conserver les acquis de la modernité industrielle tout en supprimant la culture libérale; ils n'avaient pas compris que l'esprit critique est la condition même de l'innovation.

Le fascisme serait donc un phénomène daté : il appartiendrait à une époque précise de l'Histoire européenne. Aujourd'hui encore, reconnaît Nolte, il existe bien des mouvements fascistes, mais nous sommes sortis de l'époque où ces mouvements étaient susceptibles de prendre le pouvoir. Aussi est-il absurde de brandir l'épithète « fascistes » comme un revolver sous le nez de ses adversaires! C'était déjà absurde dans les années trente, lorsque les communistes traitèrent libéraux, conservateurs et sociaux-démocrates de fascistes; c'est ainsi, rappelle Nolte, qu'ils créèrent les conditions de la prise du pouvoir par les véritables fascistes.

Le nazisme inhumain ou trop humain

Voilà, résumée par Nolte lui-même, la démarche analytique qui lui vaut les foudres de Habermas. Ne contribue-t-elle pas à justifier, excuser, déculpabiliser les Nazis?

Nolte proteste : « Je ne cherche pas à justifier le raisonnement de Hitler, j'essaie seulement d'expliquer la structure psychologique d'une idéologie. » La querelle des historiens – *Der Historikerstreit* – qui déchire l'intelligentsia allemande vient, selon lui, de ce que Habermas et ses partisans refusent d'appliquer à « ce passé qui ne veut pas passer » les méthodes de l'investigation scientifique. Dans ce refus d'examiner le nazisme comme phénomène historique, n'y aurait-il pas, demande Nolte, « la crainte de découvrir combien son horreur est reproductible, et combien le Mal appartient à la nature humaine »?

Le nazisme, demande en somme Nolte, était-il inhumain ou, au contraire, n'était-il pas trop humain? L'histoire de l'humanité n'est-elle pas faite à toutes les époques de crimes de masse? L'Holocauste est-il beaucoup plus systématique et inhumain que le Goulag soviétique? Et si les Turcs avaient disposé en 1915 des mêmes moyens techniques que les Nazis en 1940, les Arméniens n'auraient-ils pas été exterminés de manière tout aussi « rationnelle » et « finale »? Et, plus récemment, qu'auraient fait les Khmers rouges au Cambodge?

« Insister sur la complexité du nazisme ne veut absolument pas dire que je le banalise », me dit Nolte. Précisons ici que Nolte n'a rien à voir avec les « révisionnistes » de l'extrême droite française, proches du Front national, du type Faurisson, qui en viennent à nier jusqu'à l'existence de l'Holocauste. Ce révisionnisme-là n'existe pas en Allemagne. Mais Nolte tient à s'expliquer sur ce sujet : « J'ai lu, par conscience professionnelle, presque tout ce que les historiens révisionnistes français ont publié. J'en déduis que leur raisonnement est le suivant : on ne peut pas prouver qu'il y a eu six millions de morts dans les camps, on ne les a pas comptés. Peut-être y en avait-il seulement cinq millions et demi? Si le chiffre de six millions est contestable, tout devient donc contestable. Et peut-être alors n'y a-t-il pas eu de chambre à gaz! » Or, estime Nolte, ce n'est que par un réexamen scientifique de tous les aspects du

203

nazisme que le révisionnisme non scientifique du type Faurisson pourra être éliminé.

Auschwitz est-il la conséquence du Goulag?

Jusqu'à ce point de l'entretien, il n'est pas possible de réfuter en bloc l'argumentation de Nolte. Comment ne pas demander, avec lui, que « le IIIᵉ Reich fasse l'objet de recherches scientifiques », quitte à « réviser » certains tabous? Mais nous n'avons pas encore abordé son hypothèse la plus controversée, celle qui a véritablement déclenché la polémique.

— En 1986, dans la *Frankfurter Allgemeine Zeitung*, vous avez écrit : « Ce que l'on appelle l'extermination des Juifs perpétrée sous le IIIᵉ Reich a été une réaction, une copie du Goulag soviétique, une copie déformée, non une première ou un original. » Un peu plus loin, dans le même texte, vous précisez : « Il ne s'agissait pas d'un simple génocide, mais d'une *réaction* suscitée par les actes d'extermination commis par la révolution russe... »

— Mais, réplique Nolte, ces phrases, sans doute trop concises, ne sont que le résumé d'une thèse que je tente d'expliquer depuis vingt-cinq ans. J'essaie de faire comprendre qu'Auschwitz, s'il est un crime singulier, n'est pas un crime isolé. Il est la conséquence d'un enchaînement idéologique et psychologique lié à la révolution russe. Le fascisme est d'abord une réaction d'angoisse et de combat face au bolchevisme. C'est aussi une réaction de peur, plus ancienne, au chaos de la révolution industrielle. Nous sous-estimons aujourd'hui la peur du bolchevisme qui s'est emparée des Européens dans les années vingt. Sans le bolchevisme, il n'y aurait pas eu de fascisme. L'un et l'autre sont les deux protagonistes d'une véritable « guerre civile européenne ».

La guerre civile européenne : tel est le titre du

dernier ouvrage de Nolte, paru en 1987 en Allemagne, et qui vient compléter le cycle de son œuvre. Une guerre civile qui a commencé en 1917 et qui s'est achevée – provisoirement peut-être – par un ersatz de paix en 1945.

Si l'on ne considère pas, dit Nolte, cette guerre civile – annoncée, rappelle-t-il, par Nietzsche et Marx il y a un siècle – comme une réalité globale, il est tout simplement impossible de comprendre les événements qui la composent.

Nolte insiste : « Mon raisonnement n'est pas un fruit de l'imagination : Mussolini, qui fut marxiste avant de devenir fasciste, s'est clairement exprimé sur ce sujet. » Admettons et suivons même la logique de Nolte jusqu'à ce point. Mais comment accepter sa proposition selon laquelle le Goulag fut l'original, et Auschwitz ne fut qu'une copie ?

Si nous sous-estimons les crimes du Goulag, dit Nolte, c'est parce que nous les connaissons mal. Nous n'en avons qu'une vision littéraire – par l'entremise de Soljenitsyne –, mais nous ne disposons pratiquement d'aucune photo, et nous n'en côtoyons directement aucune victime, aucun témoin. Or, le Goulag fut bel et bien un processus d'extermination systématique d'individus, du seul fait de leur appartenance à une catégorie sociale. A Auschwitz, il s'agissait de l'appartenance à une catégorie raciale. Nolte cite Lénine : « Le sol russe doit être nettoyé des chiens et des cochons de la bourgeoisie agonisante. » Zinoviev envisageait d'exterminer dix millions de personnes. Les matelots d'Odessa fusillèrent tous ceux qui avaient les ongles propres. L'extermination « sociologique » au Goulag – pour appartenance à une classe sociale – a bien historiquement précédé l'extermination « biologique » sur le critère de l'appartenance raciale.

Ces faits incontestables, dit Nolte, sont mal connus et jamais enseignés en Europe. Toutes les influences politiques jouent en faveur de l'ignorance : la défense du socialisme, explique-t-il, exige de minimiser le Goulag. En revanche, la haine du capitalisme conduit les intellectuels de gauche à expliquer qu'Auschwitz est une conséquence logique du nazisme, qui ne serait lui-même qu'un sous-produit du capitalisme. « Cette prétendue liaison entre capitalisme et nazisme est si controversée qu'elle est indémontrable. En revanche, la relation marxisme-nazisme domine cette période : elle est complexe, mais peut être démontrée. »

L'Histoire n'est pas neutre; l'historien peut-il l'être?

A chaque question, Nolte m'a répondu par une dissection de la question, par une évaluation de la complexité du problème, par la multiplicité des hypothèses. Mais en se voulant exclusivement scientifique, ne méconnaît-il pas les responsabilités politiques d'un historien dans l'Allemagne d'aujourd'hui? Ne risque-t-il pas de favoriser la résurgence d'un nationalisme allemand, d'une propension à la neutralité au nom d'une grande Allemagne réunifiée? C'est ce que Habermas reproche à Nolte comme à ses deux collègues historiens, Michael Stürmer et Andreas Hillgruber, embarqués dans le même combat « révisionniste ».

L'historien peut-il se comporter comme s'il travaillait sur une table rase, dans un monde désincarné, alors que l'Histoire n'est jamais neutre? Froid et rigide, Nolte ne veut pas entrer dans ces considérations : « L'intellectuel responsable est celui qui conduit scientifiquement ses recherches. »

Raison ou obstination? Le débat divise l'Allemagne. A grand renfort de « lettres ouvertes » publiées dans la presse, les écrivains condamnent ou acquittent Nolte. Mais celui-ci sait que le temps travaille pour lui. Dans dix ans, il n'y aura plus de témoins du IIIe Reich, et l'« historicisation » que redoute Habermas sera un fait accompli. Les historiens russes, de leur côté, ont amorcé avec retard une analyse du Goulag qui risque également de donner raison à Nolte.

Cependant – mais cette réflexion n'engage que moi – il me semble bien que Nolte minimise une dimension particulière de l'Holocauste : ce crime contre l'humanité ne fut peut-être pas le seul de son espèce, mais ce fut un crime métaphysique, un attentat délibéré contre l'idée de Dieu. Que Dieu existe ou non, cette singularité-là reste sans équivalent...

*

Ernst Nolte, chacun s'en sera rendu compte, longe une voie étroite qu'il dit scientifique mais qui ne manque pas d'ambiguïté. Je devais en avoir confirmation après que le texte de notre entretien fut publié dans Le Figaro magazine. *Je reçus une inévitable protestation de Faurisson qui, s'estimant mis en cause, exigea un droit de réponse. Sa lettre était si fantasque que le journal se fit un devoir de la publier. Elle faisait état d'une expérience de reconstitution de chambre à gaz dans un « laboratoire canadien » : il en ressortait selon Faurisson, que l'extermination des Juifs à Auschwitz n'avait pu s'opérer selon les cadences ordinairement annoncées par les historiens. Il ajoutait, sans aucune trace d'ironie, qu'il en tenait à ma disposition « les preuves chimiques, biologiques et architecturales »!*

Je n'aurais pas prêté plus d'attention à cette lettre de Faurisson si elle n'avait été suivie d'une demande de rectificatif émanant de Nolte lui-même. « Je n'ai pas lu, m'écrivait-il, tous les textes des révisionnistes français, mais presque *tous,* car certains ne sont pas disponibles dans les bibliothèques allemandes. » La nuance apportée par Nolte paraîtra insignifiante; elle ne l'est pas. Elle laisserait supposer que les Faurisson disposeraient de quelques « preuves » historiques supplémentaires à l'appui de leurs fantasmes. On aimerait bien savoir lesquelles. Affronté à ce type d'insinuations, la seule réponse me paraît devoir être celle d'Elie Wiesel : « Où sont donc passés mes parents, mes frères et mes sœurs? »

EDWARD TELLER

La prochaine guerre
se passera dans les étoiles

Le génie scientifique, s'il existe, se manifeste par une certaine lumière dans le regard, un éclat à peine perceptible. Il me semble l'avoir décelé chez Claude Lévi-Strauss. Je suis certain de l'avoir perçu chez Edward Teller.

J'entends par avance les protestations de tous ceux pour qui Teller évoque immédiatement « la bombe ». Oui, il est bien le père de la bombe H! Celle qui, mille fois plus puissante que la bombe de Hiroshima, explosa expérimentalement pour la première fois en 1955. Auparavant, Teller avait travaillé à Los Alamos avec Oppenheimer, Einstein et Fermi, à la fabrication de la bombe A. Teller est l'un des grands physiciens du XXᵉ siècle; il est le seul survivant de cette équipe hors du commun dont les découvertes, en 1945, firent basculer l'histoire du monde.

Mais Edward Teller n'a pas que des souvenirs à raconter. A quatre-vingts ans passés, ce géant noueux aux sourcils en broussaille continue à travailler chaque jour au laboratoire Livermore, en Californie, haut lieu de la recherche militaire américaine. C'est au Livermore que se prépare ce qu'on appelle communément la « guerre des étoiles ». Après avoir forgé l'arme la plus puissante du monde, Teller essaie aujourd'hui d'inventer le bouclier qu'aucune fusée ne pourrait pénétrer : un système de lasers et de satellites capable de détruire en vol n'importe quel missile dirigé contre les Etats-Unis.

– Professeur Teller, n'avez-vous jamais eu d'états d'âme? Des regrets comme Einstein, des remords comme Oppenheimer?

– La question, en fait, ne s'est jamais posée ainsi, de manière abstraite. Aucun physicien de l'équipe de Los Alamos n'avait choisi volontairement de travailler sur l'arme nucléaire, mais nous n'avions pas le choix. Nous savions que, dès 1938, les Allemands s'y étaient mis, à l'initiative de Heisenberg. Même Einstein et Fermi, qui, eux, avaient souvent des états d'âme, finirent par nous aider. Il nous a quand même fallu pousser un peu Einstein... Nous savions aussi que les Soviétiques travaillaient sur un projet comparable. La vraie question n'était donc pas de construire ou ne pas construire l'arme nucléaire, mais de savoir qui y parviendrait le premier. De plus, l'ennemi était clairement désigné : le nazisme. Pour bien des savants de Los Alamos, émigrés comme nous d'Italie, d'Allemagne ou de Hongrie – c'était mon cas –, cet ennemi-là était bien connu...

La bombe d'Hiroshima nous a apporté quarante-cinq ans de paix

La communauté scientifique de Los Alamos, se souvient Teller, ne commença à se diviser que sur le mode d'utilisation des deux bombes qui avaient été mises au point. Fallait-il les lâcher directement sur les Japonais ou faire une démonstration en mer pour les forcer à capituler? Le président Truman choisit la première solution. Il avait, me dit Teller, le soutien de la plupart des savants, en particulier de Robert Oppenheimer. « Les physiciens ne sont pas forcément moins belliqueux que les hommes politiques. » Le pari était risqué, car Truman menaçait les

Japonais d'une troisième bombe, après celles de Hiroshima et Nagasaki, alors que celle-ci n'existait pas encore. Mais « le bluff a marché ». Teller constate que les savants comme Oppenheimer et Fermi, favorables en 1945 à l'utilisation réelle de la bombe, devinrent par la suite des pacifistes. De leur côté, les partisans d'une démonstration préalable ont poursuivi les recherches ultérieures sur la bombe H...

– Et vous-même, qu'avez-vous fait?

– A l'époque, j'étais resté neutre; j'étais un immigré tout récent et je considérais qu'il appartenait aux politiques de prendre la décision finale. Avec le recul, ajoute Teller, il me semble que Hiroshima a été une erreur. Il fallait se contenter d'une « démonstration ».

« On dit souvent, ajoute Teller, que Hiroshima a changé le cours de l'Histoire. Ce qui l'a bouleversé, ce n'est pas l'arme nucléaire en elle-même, c'est le fait que les Etats-Unis furent le premier pays à en posséder une. Les Etats-Unis ne s'en sont pas servis pour dominer le monde, mais pour arrêter la guerre. Imaginez que notre équipe de Los Alamos ait été doublée par les Russes ou par les Allemands : la démocratie aurait aujourd'hui disparu de la surface de la terre! »

Pour Teller, Hiroshima a donc permis non seulement de terminer la guerre, mais de sauver la démocratie et de maintenir la paix entre les grandes puissances. Il observe qu'il ne sert à rien de se demander si l'équilibre nucléaire permet ou non de sauvegarder la paix, puisque l'histoire des quarante dernières années prouve que cette paix a bel et bien été préservée. Tel n'aurait peut-être pas été le cas sans la bombe, surtout si l'on se souvient des guerres antérieures, à l'époque où elle n'existait pas.

Mais la bombe A, mille fois plus puissante que tout explosif connu jusqu'alors, ne suffisait-elle pas? Fallait-il poursuivre les recherches et créer la bombe à hydrogène, à son tour mille fois plus puissante qu'elle? La question a déchiré la communauté scientifique américaine; les plus célèbres « cerveaux » de Los Alamos, à commencer par Robert Oppenheimer, décidèrent qu'il fallait en rester là. Pas Teller.

« Je ne voyais pas, m'explique-t-il, en quoi l'ignorance ou l'absence de recherches pouvaient contribuer au maintien de la paix. J'ajoute que, comme en 1940 avec la bombe A, le débat sur la bombe H était tout à fait théorique : les Russes y travaillaient déjà. » Le choix n'était donc pas entre faire ou ne pas faire la bombe H, mais entre laisser ou ne pas laisser les Russes seuls détenteurs de cette arme. « Lorsque, en 1949, le président Truman donna son feu vert à la recherche sur la bombe H et m'en confia la responsabilité, les Soviétiques, conduits par Andreï Sakharov, avaient déjà dix-huit mois d'avance sur nous. Les savants russes bénéficiaient en outre d'un avantage supplémentaire : il leur était interdit d'avoir des états d'âme... »

Le vrai déséquilibre Est-Ouest est moral

« A l'Est, il est difficile, pour un esprit brillant, de ne pas travailler pour l'armée; à l'Ouest, c'est le contraire. » Teller estime que le déséquilibre militaire entre les deux blocs est réel, mais qu'il est avant tout d'ordre politique et moral. L'avance technique des Etats-Unis, là où elle existe, est annulée par les divisions qui prévalent au sein de sa communauté scientifique. Un jeune chercheur ou ingénieur qui, en U.R.S.S., travaille pour la Défense, est soutenu par ses pairs. Pas aux Etats-Unis! « Dans mon pays, précise Teller, nous n'avons pratiquement plus guère que des ingénieurs dans les laboratoires de la Défense; les jeunes théoriciens fondamentaux nous ont lâchés pour plaire à leurs aînés, aux médias, aux intellectuels de gauche et à des politiciens défaitistes.

Heureusement, nous avons de nombreux Chinois et Vietnamiens qui ont vu fonctionner le communisme de près; ceux-ci ne montrent aucune espèce d'hésitation morale à participer à la défense américaine. Ils jouent, observe Teller, un rôle équivalant à celui des émigrés antifascistes des années trente et quarante... »

Teller partage donc toutes les batailles des « conservateurs » américains contre l'*establishment* « radical chic » (traduire en français par « gauche-caviar »). L'*establishment* en question, lui, considère Teller comme le « faucon » type, par opposition à Oppenheimer, « sauvé » par le remords.

Malheureusement, observe Teller, ces jugements moraux et ces noms d'oiseaux – « faucons » ou « colombes » – ont peu de rapport avec la situation internationale. « Il y a toujours des Chamberlain et des Daladier, des responsables politiques capables de ne rien comprendre à la nature de leur adversaire, prêts à pactiser avec les Soviétiques comme ils le firent avec les Nazis. » Chamberlain estimait après Munich que « Hitler était un gentleman ». Aujourd'hui, la gauche américaine croit que Gorbatchev est un *nice guy*. « En vérité, la Russie est devenue plus imprévisible que jamais, donc plus dangereuse! Et pendant que nous dissertons, les Soviétiques ont pris sur le monde libre plusieurs années d'avance. » Pas en matière d'explosifs nucléaires, mais sur le plan de la défense anti-nucléaire.

Dix ans d'avance pour les Soviétiques

La stratégie de l'Occident repose sur la dissuasion nucléaire. En américain, cette stratégie s'appelle *Mutual Assured Destruction* – M.A.D.[1] : on ne

1. *Mad* : fou.

pourrait mieux la nommer, observe Teller. Elle est supposée décourager l'adversaire par la crainte de représailles massives. Mais cette stratégie devient absurde si les Russes ont les moyens de détruire nos missiles *avant* qu'ils n'arrivent à destination. « Nous avons, dit Teller, tendance à considérer que des missiles équipés d'engins nucléaires ne peuvent pas être interceptés, que ce serait aussi difficile que d'atteindre une balle de revolver avec une autre balle de revolver. Mais c'est une fausse comparaison! Il suffit de faire exploser une charge nucléaire dans les environs d'un missile pour le détruire ou le faire dévier de sa trajectoire. »

Les Soviétiques ont commencé à travailler sur le système antimissile dès le début des années soixante. A cela, il y a des raisons historiques : « Les Russes sont hantés par le souvenir de l'invasion de la Seconde Guerre mondiale. Pour eux, la défense du territoire est la priorité absolue. A l'inverse, les Américains imaginent que les guerres se déroulent toujours loin de chez eux. »

On peut estimer que le système de défense antimissile actuellement installé autour de Moscou arrêterait quatre-vingt-dix pour cent des fusées dirigées sur cette ville. Ce système pourrait, selon Teller, être rapidement dupliqué et protéger bien d'autres agglomérations. Actuellement, le traité A.B.M. signé avec les Etats-Unis interdit cette duplication, mais pour combien de temps encore?

Le plus important, dit Teller, est de comprendre la révolution des lasers, qui est en passe de transformer toutes les perspectives militaires. Grâce à ces rayons d'énergie concentrée, il est désormais possible de détruire une fusée en vol bien avant qu'elle n'approche de son objectif. Dix mille savants et ingénieurs travaillent en U.R.S.S. sur l'utilisation des lasers. Dans cette « guerre des étoiles », « les Russes ont pris dix ans d'avance et il n'est pas du tout sûr que nous puissions jamais les rattraper ».

« L'U.R.S.S. est une nation du Tiers-Monde, sauf dans le domaine de la technique militaire. Il en va ainsi depuis Pierre le Grand. » D'après Teller, nous sous-estimons systématiquement l'avance soviétique. L'Occident ne veut pas savoir. De la même manière que, dans les années trente, nous refusions de voir à quelle vitesse Hitler développait ses propres moyens offensifs.

Teller raconte : « En 1976, un pilote soviétique dissident atterrit au Japon avec un Mig 25. Toute la presse américaine plaisante sur cet appareil archaïque qui n'utilise même pas de microprocesseurs. Mais aucun journal ne dit que les microprocesseurs auraient été inutilisables en cas de conflit nucléaire ; ce Mig 25 était précisément équipé pour intervenir dans ce type de conflit. »

Teller ajoute que nous sommes plus ignorants que jamais sur les recherches militaires menées en U.R.S.S. « Nous savons seulement que les Russes travaillent dans de très nombreuses directions que nous ne comprenons pas, dont nous ignorons les perspectives et où nous sommes totalement absents. Souvenez-vous comment le monde s'est laissé surprendre par le lancement du Spoutnik en 1957 ! »

La guerre des étoiles n'est plus de la science-fiction

Depuis 1945, la stratégie militaire occidentale a renoncé à toute forme de défense. Contre le glaive nucléaire, il paraissait évident que l'on ne pourrait jamais opposer de bouclier. Le résultat est que l'Occident ne dispose aujourd'hui d'absolument aucun moyen d'intercepter une fusée qui serait lancée, même par erreur, par les Soviétiques – ou demain par les Libyens. Que devons-nous faire si une telle éventualité vient à se produire ? demande Teller.

L'opinion publique répondra qu'il faut détruire cette fusée, mais c'est actuellement impossible!

Cette vulnérabilité peut disparaître si nous construisons un bouclier antimissile. C'est ce que Reagan a proposé en 1983 avec l'Initiative de défense stratégique (I.D.S.), projet que la presse a surnommé par dérision la « guerre des étoiles ». L'opinion ne comprend pas encore la percée que représente cette « guerre des étoiles »; elle est dans l'état d'esprit des dirigeants français des années trente, incapables de saisir le rôle des chars, dit Teller. Les Soviétiques, de leur côté, protestent contre ce qu'ils qualifient de militarisation de l'espace, alors qu'il s'agit seulement, selon Teller, de moyens de défense : l'I.D.S. ne peut en rien servir à l'attaque. La presse « bien-pensante » relaie la propagande soviétique, mais elle ne dit pas à ses lecteurs que le programme soviétique a commencé dix ans avant le programme américain. L'I.D.S. n'est pas une initiative de Reagan, c'est une riposte tardive à l'avance considérable prise par les Russes. Les adversaires américains de l'I.D.S., observe Teller, expliquent que tout effort est inutile, car aucun système ne pourra jamais protéger les Etats-Unis à cent pour cent, aucun bouclier n'est parfait. « Voilà un curieux argument que de refuser *toute* défense sous prétexte que ce mode de défense ne serait pas parfait! »

Il est également paradoxal d'entendre les pacifistes des Etats-Unis et d'Europe occidentale préférer la menace de destruction mutuelle à un système entièrement défensif. Teller appelle donc les intellectuels et les hommes politiques à saisir les implications du nouveau rapport de forces qui au chantage nucléaire va substituer l'invincibilité de l'adversaire. « Les Russes, eux, ont compris! » estime Teller.

Mais est-ce que l'I.D.S. ne relève pas de la science-fiction? « Non, les expériences conduites en U.R.S.S. comme aux Etats-Unis démontrent que l'on sait détruire une fusée en vol avec un rayon laser. Ce bouclier laser coûtera beaucoup moins cher à réaliser que ne le prétend la presse. Il pourra être complété par un réseau de petits satellites – appelés les « cailloux brillants[1] » – placés en orbite autour de la Terre, capables de « voir » décoller une fusée soviétique. Les Japonais travaillent sur l'optique de ce dispositif. A partir du moment où la fusée sera repérée, le satellite se laissera tomber sur elle et le simple choc des deux objets suffira à volatiliser le missile de l'adversaire. « Bon marché et efficace! précise Teller. Si nous parvenons à déployer l'I.D.S. et si nous le combinons avec la diminution du nombre des missiles offensifs grâce à des traités de désarmement, la perspective d'un bouclier quasi impénétrable cesse d'être irréaliste. »

Bien entendu, il n'existera jamais ni glaive, ni bouclier parfaits; aucune arme ne sera jamais absolue ni pour l'attaque, ni pour la défense. « La paix, en définitive, observe Teller, ne dépend que des accords ou désaccords entre les nations. Mais si l'effort militaire porte sur la défense plutôt que sur l'attaque, les conditions psychologiques de la négociation devraient s'en trouver améliorées. »

Les savants ne sont pas plus responsables que les autres

Teller est de ceux qui ont fait surgir de sa boîte le génie atomique. Le regrette-t-il? « Non, la recherche et la connaissance sont la pâte même de la civilisation occidentale. Il n'appartient pas aux savants d'interrompre les progrès de la connaissance. D'ailleurs, le savant n'est pas plus responsable que n'importe quel autre citoyen du bon ou du mauvais usage qui est fait de ses découvertes. »

1. *Brillant pebbles.*

Mais, ajoute Teller, les savants ne sont pas *moins* responsables non plus. C'est pourquoi, malgré son âge, le physicien sillonne les États-Unis pour rallier l'opinion au bouclier antimissile et aux « cailloux brillants ». Le temps qui lui reste, il le consacre à rechercher des utilisations positives de la bombe H. Par exemple, pour détourner une météorite qui viendrait s'écraser sur notre planète...

« C'est une probabilité que nous devons envisager », m'explique Teller. Il y a des précédents. « Kimura vous a dit que les dinosaures ont probablement été victimes d'une météorite qui a indirectement entraîné une destruction de la végétation. Il a aussi attiré votre attention sur le caractère statistiquement inévitable de ces chutes de météorites. Il a raison, cela peut se produire, confirme Teller : les risques sont de 1 sur 100 000 au cours de notre existence, ce qui n'est pas négligeable. Les conséquences seraient plus graves que celles d'un conflit nucléaire. Mais nous pourrions l'éviter : il est possible de détourner une météorite. Nous la verrions foncer vers nous avec plusieurs années d'avance, et il suffirait de la dévier avec une bombe H bien ajustée. Coût du projet, d'après mes calculs : un milliard de dollars. Un investissement tout ce qu'il y a de raisonnable pour l'humanité... »

Avec Teller, le pire n'est jamais certain!

VII

L'ESPRIT DE RÉSISTANCE

Notre siècle est celui du totalitarisme et, en même temps, celui de son effondrement. Jamais, dans l'Histoire connue, l'homme n'a été aussi asservi que par le fascisme, le stalinisme et le maoïsme. Mais jamais non plus il n'a manifesté une telle capacité de résister à ces tentatives de dépersonnalisation physique et morale.

Le dissident, à cet égard, est l'une des figures emblématiques de notre siècle. Intellectuel inflexible, il réussit miraculeusement à survivre dans les interstices du communisme.. Tour à tour torturé, emprisonné, exilé, toléré, il témoigne de ce qu'aucun régime totalitaire ne parvient à se débarrasser définitivement de la liberté de pensée. La résistance du dissident est d'autant plus étonnante que le régime soviétique avait pratiquement réussi à créer l'Homo sovieticus, être passif et dépendant; notons qu'en l'espace de soixante-dix ans, cet Homo sovieticus ne s'est en effet pour ainsi dire jamais révolté!

Nous allons rencontrer deux de ces résistants parmi les plus célèbres, Milovan Djilas à Belgrade et Youri Afanassiev à Moscou. Ils sont exemplaires de l'intelligentsia de l'Est, antitotalitaire, mais profondément attachée à la mère patrie, et paradoxalement fidèle à l'utopie socialiste.

Peut-être ces deux entretiens seront-ils bientôt périmés par les développements aléatoires du camp soviétique. Certains bons spécialiste, comme Alain Besançon, considèrent qu'il ne se passe rien à l'Est, parce que, par définition, le communisme est immuable et irréversible; la Perestroïka ne serait rien d'autre qu'une tactique de l'Empire soviétique pour berner l'Occident et ses propres peuples. Pour ma part, je partagerais plutôt l'analyse de l'historien polonais Leszek Kolakowski, selon qui les conséquences les plus importantes de la Perestroïka seront celles, involontaires, que le pouvoir soviétique n'aura pas prévues. Autrement dit, à la question : « Gorbatchev est-il sincère? », je serais tenté de répondre oui, et à la seconde question : « Peut-il réussir? », mes observations sur place m'inclineraient à dire non!

Au-delà du cas soviétique se pose la question plus générale de l'individu face au pouvoir autoritaire. La société démocratique et libérale à laquelle nous sommes habitués est-elle consubstantielle à l'homme au point de devoir nécessairement déborder de son berceau européen et s'imposer au reste du monde? Ou bien le mouvement actuel de démocratisation n'est-il pas purement formel, un théâtre destiné à nous abuser? Que valent, par exemple, les démocraties du Tiers-Monde? Le Japon, qui fut fasciste et se réclame aujourd'hui de la liberté politique et économique, est-il réellement une démocratie? Question provocante, mais essentielle, compte tenu de ce qu'est devenu le Japon. De même que la réponse tout aussi explosive d'un jeune romancier à la figure tragique, qui dénonce la persistance du « fascisme impérial » : Kenji Nakagami.

A Moscou, comme à Belgrade ou Tokyo, voici des hommes seuls dressés contre la tentation universelle de tout pouvoir : devenir totalitaire.

MILOVAN DJILAS

Les régimes communistes seront renversés par une révolution

La rue Palmaticevo, au centre de Belgrade, a conservé sous son délabrement quelques traces du charme d'avant-guerre. Milovan Djilas mène ici la vie apparemment paisible d'un écrivain; si nous n'étions dans un pays communiste, on pourrait même qualifier son appartement de bourgeois. Mais une foule fait la queue à la porte des magasins d'alimentation, et des arrivages de chaussures créent des attroupements devant les vitrines : aucun doute possible, nous sommes bien dans un pays d'Europe de l'Est, avec sa dictature molle et son économie chancelante. De sa fenêtre, Djilas me montre le Parlement tout proche : il en fut le président dans les années cinquante; c'était avant que son ami Tito ne l'envoie en prison.

Ce vieux monsieur souriant, d'une politesse exquise, qui m'offre du café turc, est l'un des personnages clés du XXᵉ siècle. Il n'a pas seulement traversé les événements les plus tragiques de son temps, il les a influencés de manière déterminante. Mieux que personne, il peut dire pourquoi la moitié de l'Europe, entre 1945 et 1947, est devenue communiste. Dirigeant du Parti communiste yougoslave dès 1930, Djilas fut arrêté par la police royale et emprisonné pendant trois ans. Pendant la guerre, il devint auprès de Tito l'un des chefs de la résistance; à eux deux, ils menèrent contre les Nazis la guérilla la plus dure d'Europe. En 1944, c'est Djilas qui rencontre Staline à Moscou et lie le destin de l'insurrection yougoslave à l'Union soviétique. Et c'est le même Djilas qui va rompre avec l'U.R.S.S. en 1948 pour devenir le premier théoricien du communisme national : la « voie yougoslave ». Il aurait dû logiquement succéder à Tito, mais, à la stupéfaction générale, il dénonce publiquement, dès 1950, la dérive bureaucratique de son régime. Djilas est un idéaliste!

En 1956, il condamne l'intervention soviétique en Hongrie et se retrouve à nouveau en prison, pour cinq ans, dans la même geôle que sous la monarchie. Sa peine purgée, il remet à un éditeur américain le manuscrit de ses *Entretiens avec Staline*, rédigé pendant sa captivité. Tito le renferme immédiatement pour cinq années supplémentaires, car les relations entre la Yougoslavie et l'Union soviétique se sont améliorées entre-temps. « Depuis 1966, me dit Djilas, je mène la vie " normale " d'un dissident, publiant régulièrement livres et articles, mais à l'étranger. » Malgré l'ouverture relative du régime yougoslave, Djilas reste interdit dans son pays et n'est pas édité dans sa propre langue. « Si on publiait mes œuvres en Yougoslavie, précise-t-il, il faudrait expliquer pourquoi Tito m'a incarcéré. Or, c'est impossible, car le culte de sa personnalité n'a pas été remis en cause. » Djilas est, dans le monde communiste, le seul homme à avoir conquis, exercé puis rejeté le pouvoir, le seul à avoir été successivement un dirigeant et un dissident, et à avoir vécu assez longtemps pour en parler...

« L'Europe de l'Est, m'explique Djilas, n'est pas devenue communiste par hasard, ni totalement contre son gré, ni seulement parce qu'elle a été envahie par l'Armée rouge, comme on veut le croire à l'Ouest. En Yougoslavie, en particulier, les conditions historiques n'avaient pas rendu le communisme nécessaire, mais elles l'avaient rendu possible. Les intellectuels, chez nous, étaient communistes bien avant la guerre. Nous n'avions pas le choix : un jeune Yougoslave, s'il était idéaliste, ne pouvait, dans les années trente, que rallier le Parti communiste. » La Yougoslavie était opprimée par une monarchie autoritaire; elle était déchirée par la guerre civile entre Serbes, Croates, Monténégrins, Albanais et Macédoniens; le fascisme menaçait à l'extérieur et, à l'intérieur même du pays, il était représenté par le mouvement des Oustachis en Croatie.

Fallait-il se tourner vers l'Ouest? Pour ma génération, c'était impensable, dit Djilas. Les démocraties occidentales nous offraient un lamentable spectacle de décomposition morale et politique, et nos propres démocrates étaient dégénérés. Le modèle ne pouvait être que l'Union soviétique.

« Dans les années trente, l'U.R.S.S. nous paraissait forte et unie. Elle nous proposait un modèle d'industrialisation adapté en apparence à un pays arriéré comme la Yougoslavie. Nous étions également persuadés que les Soviétiques avaient réussi à organiser une coexistence harmonieuse entre leurs différentes nationalités. De surcroît, le Parti apportait à la jeunesse la camaraderie et la solidarité. Enfin, le marxisme comme idéologie était fascinant, car il liait de manière indissoluble les convictions à l'action. Le ralliement des intellectuels au marxisme est toujours, estime Djilas, une condition nécessaire à la Révolution. Sans intellectuels marxistes, il est impossible de mener à bien une révolution communiste. »

L'invasion allemande, la brutalité inouïe des Nazis contre les partisans achevèrent de faire du communisme le seul mouvement politique légitime. C'est ainsi que la Yougoslavie est passée volontairement dans le camp soviétique. Ce fut le seul cas en Europe de l'Est d'une révolution communiste authentiquement nationale, sans intervention de l'Armée rouge. S'il y avait eu des élections libres en 1945, ajoute-t-il, le Parti communiste les aurait remportées. « La jeunesse universitaire, les intellectuels, les paysans sans terre étaient massivement derrière le Parti. Les ouvriers étaient les plus réservés, et ils ne se sont ralliés à la Révolution que tardivement – comme en U.R.S.S., précise Djilas. Le reste de la population était passif. »

Seul autre pays où une révolution communiste aurait pu pareillement réussir, sans l'intervention militaire anglaise destinée à l'empêcher : la Grèce!

Les dirigeants communistes
vivent dans un état d'exaltation permanente

L'euphorie en Yougoslavie fut brève, se souvient Djilas. « A ma grande surprise, je découvris en 1945 que l'Armée rouge pillait et violait. Pour nous, militants communistes, c'était incompréhensible. Il ne pouvait s'agir que d'une erreur! Je me suis donc rendu à Moscou, pour " prévenir " Staline. Je lui ai fait observer que ce comportement inattendu, de la part de nos libérateurs, nourrissait la propagande réactionnaire; d'autant plus que l'armée anglaise en Dalmatie ne se livrait à aucune exaction. » Mais, à la stupéfaction de Djilas l'idéaliste, Staline lui rétorqua que « les soldats russes avaient droit à quelques distractions au terme d'une longue campagne ».

On dit souvent, dans les démocraties, que le pouvoir corrompt, observe Djilas; mais, dans les régimes communistes, c'est bien pire. Les membres du Bureau politique vivent totalement coupés de la réalité. Ils ne sont entourés que de courtisans terrorisés. Cela les conduit à un état d'« exaltation permanente ». L'exercice du pouvoir conduit toujours à un dérèglement des passions, mais aucune forme de pouvoir ne peut susciter une extase comparable à celle du communisme, ajoute-t-il. C'est dû au fait que, dans un régime communiste, les dirigeants possèdent simultanément l'autorité et la certitude idéologique d'avoir raison : chaque fois qu'ils consolident leurs privilèges personnels et renforcent la répression, ils se persuadent qu'ils servent des intérêts supérieurs. Tous leurs actes s'identifient nécessairement à l'Histoire. Les seuls marxistes authentiques, me dit Djilas, sont en réalité les dictateurs. « Eux appliquent le marxisme, alors que les intellectuels se contentent de le populariser. »

La nouvelle classe bureaucratique

« J'étais, dit Djilas, le seul dans l'entourage de Tito à croire au communisme. J'ai donc appliqué en toute bonne foi la méthode critique du marxisme au pouvoir que je partageais. » Dès 1950, Djilas constate que la « propriété socialiste » n'est en réalité que l'appropriation collective des moyens de production par les dirigeants du Parti, un peu à la manière des biens du clergé dans l'Europe féodale : elle sert à l'usage personnel des dirigeants et pour distribuer les faveurs qui consolideront leur autorité. Les nationalisations n'avaient pour but que d'assurer une base matérielle au pouvoir des bureaucrates. Le monde communiste est donc un régime féodal dans lequel les dirigeants du Parti sont les nouveaux seigneurs. Quant aux membres du Parti, ce ne sont que des opportunistes. Ils n'ont pas le pouvoir, qui appartient en totalité à l'oligarchie ou, pour reprendre l'expression de Djilas, à la « Nouvelle Classe ».

Cette expression va faire le tour du monde. Djilas devient alors le précurseur de toute l'analyse critique du communisme telle qu'elle va se développer après lui. Mais, à l'époque, rappelle-t-il, « c'est au nom même de notre idéal marxiste que je critiquais mes camarades ». Les camarades en question le jettent en prison. Et c'est en prison que Djilas va découvrir la liberté.

La prison comme école de la liberté

Comment peut-on survivre à la torture et à l'emprisonnement? « Rien de plus facile, me répond Djilas. A condition d'être emprisonné pour ses idées et de ne pas avoir, au départ, l'âme d'un traître. Tout d'abord, je savais que les bourreaux n'ont pas d'imagination; les techniques de torture sont prévisibles – c'est toujours la violence ou l'isolement – et, généralement, les ordres sont de ne pas tuer le prisonnier. Donc, je savais que je n'en mourrais pas. Pendant les séances de torture – ajoute-t-il – je recommande de se concentrer sur un objet, par exemple une tache sur un mur, ou bien sur ses idées. Enfin, il faut bien comprendre que la prison, pour un militant, n'est pas un accident, mais la vraie vie. »

Tout cela, Djilas l'a expliqué en détail dans un livre intitulé *Prisons et Idées*; c'est un véritable manuel de survie à l'usage des prisonniers politiques, valable sous tous les régimes, à toutes les époques.

Le plus important, ajoute Djilas, c'est que la prison est le lieu idéal où l'on peut penser par soi-même. « Jusqu'en 1956, je n'avais jamais pensé qu'à l'intérieur des catégories fixées par le marxisme, en fonction de mes devoirs envers le Parti et mes camarades, pour l'édification de la société idéale. » C'est entre quatre murs, en comparant sa geôle communiste avec sa geôle monarchiste d'avant-guerre, que Djilas découvrit que le communisme n'était en réalité qu'une forme politique parmi d'autres, et que toute société, par définition, est imparfaite. *La Société imparfaite* est le titre d'un nouvel ouvrage qu'il rédige en prison.

« La nourriture, se souvient-il, s'était améliorée depuis le roi Alexandre, mais l'isolement total auquel m'avait soumis Tito était plus dur que le régime d'avant-guère. J'avais droit à des crayons, mais étais privé de papier; c'est donc sur du papier hygiénique, dans la grande tradition de tous les régimes péniten-tiaires, que j'ai rédigé mon livre. » Ses compagnons de cellule – tous des criminels de droit commun – contribuèrent à la fourniture dudit papier. « La bureaucratie n'avait pas songé à le rationner. De toute manière, je ne pouvais plus être brisé, me dit Djilas; je devais survivre pour incarner l'idée de liberté dans une dictature communiste. En fait, je me sentais tellement libre que, s'il n'y avait eu à l'exté-rieur ma femme Stefica et mon fils Aleksa, j'aurais pu finir sans peine mes jours en prison. »

Je scrute attentivement le regard de Djilas : son propos paraît étrangement sincère et dénué d'amer-tume.

Le système communiste ne peut pas se réformer de l'intérieur

Chaque pays d'Europe de l'Est, estime Djilas, est désormais différent de son voisin et évoluera de plus en plus de manière autonome. « Le camp socialiste n'existe plus que dans l'imagination des Occidentaux. L'unique point commun à tous ces pays est qu'ils restent gouvernés par des bureaucraties féodales. » Cela fait longtemps que leurs dirigeants ne sont plus marxistes. Staline, selon Djilas, fut le dernier à croire qu'il incarnait la nécessité historique d'édifier le socialisme.

Mais n'y a-t-il pas eu un modèle yougoslave ? Dans les années soixante, la gauche en Europe – les syndicats français, tout particulièrement – se réclamait de l'autogestion « à la yougoslave ». La Yougoslavie n'avait-elle pas inventé un socialisme à visage humain, fondé sur la participation des travailleurs et l'élection des patrons ?

Tout cela, me dit Djilas, ne fut jamais qu'une vaste mystification. Le modèle yougoslave n'a jamais existé ! L'économie était un peu plus décentralisée qu'en U.R.S.S., mais il s'agissait en fait d'un féodalisme industriel. Les ouvriers ne faisaient que ratifier, à l'unanimité, des choix qui avaient été arrêtés au préalable par le Parti communiste. L'autogestion n'a jamais été autre chose qu'une technique de mobilisation des travailleurs. « En vérité, pas un emploi dans la Yougoslavie de Tito, y compris celui de femme de ménage, ne pouvait être obtenu sans la protection d'un membre du Parti, et c'est – ajoute Djilas – encore vrai aujourd'hui. »

Voilà pourquoi, me dit-il, *Glasnost* et *Perestroïka* sont vouées à l'échec : « J'estime impossible que la Nouvelle Classe renonce à la propriété socialiste. » Or, c'est précisément l'appropriation collective des moyens de production qui rend le socialisme inefficace. Là se situe l'insurmontable contradiction des pays de l'Est. C'est pourquoi les régimes communistes ne parviendront pas à résoudre, par des réformes intérieures, la crise politique et économique profonde dans laquelle tous sont plongés. Une fois que Gorbatchev aura investi des milliards dans l'économie et que celle-ci ne marchera toujours pas, c'est alors, dit Djilas, que commencera la vraie crise.

L'U.R.S.S. perdra la guerre

Quels sont les scénarios envisagés par Djilas?

Le premier est une agression soviétique contre l'Europe occidentale, destinée à convertir celle-ci en atelier de production. Tel était déjà, se souvient Djilas, le rêve de Staline : « Seul le Plan Marshall l'en a empêché. » Mais, ajoute-t-il, les Russes ne pourront pas gagner la guerre contre l'Ouest. L'U.R.S.S. ne se lancera jamais dans une attaque nucléaire qui serait suicidaire. Et si elle déclenche une guerre conventionnelle, elle la perdra à terme, car elle n'a ni les ressources économiques, ni les alliés qui lui permettraient de soutenir un effort militaire prolongé.

Face à la *Perestroïka* et à son échec certain, Djilas recommande donc à l'Ouest de maintenir neutralité et vigilance armée. « Vous ne devez pas craindre les Russes tant que vous êtes forts, mais craignez-les si vous devenez faibles! »

D'après son second scénario, qu'il estime le plus probable, les régimes communistes finiront par disparaître. Ils seront tôt ou tard affaiblis par des hérésies, puis renversés par des forces révolutionnaires insurgées contre la Nouvelle Classe. Marx avait raison, ajoute Djilas, lorsqu'il écrivait que le destin des peuples obéit à des lois que nous ne percevons pas dans l'immédiat. Tout cela prendra donc du temps. Moins longtemps, cependant, que la chute de l'Empire ottoman : les Turcs ont dominé les Balkans pendant cinq siècles! Mais les dictatures communistes en Europe de l'Est ne s'effondreront que le jour où elles se verront opposer un autre idéal. La dictature communiste doit être contrée de l'intérieur par les idées plus que par la force, car la faiblesse du monde soviétique aujourd'hui, estime Djilas, c'est paradoxalement l'absence d'utopie.

Quelle peut être cette nouvelle idée révolutionnaire qui triompherait du communisme? « Le socialisme! répond Djilas. Je sais bien que le socialisme est impossible, mais aucune société ne peut survivre sans un idéal, et en tant qu'idéal, le socialisme reste valable. »

Pourquoi pas le capitalisme? Réponse de Djilas : « Je juge comme Marx que le capitalisme est trop impitoyable. »

« Ce sont les idées qui dirigent le monde, conclut Djilas, même si elles sont fausses. Et les idées les plus puissantes ne sont pas nécessairement les plus exactes. »

YOURI AFANASSIEV

La Perestroïka, *c'est faire marcher le socialisme, pas y renoncer*

Perestroïka et *Glasnost :* le monde a dû apprendre deux nouveaux mots russes pour suivre l'un des événements historiques les plus étonnants de notre temps. L'U.R.S.S., que l'on croyait immuable par définition, serait – j'emploie le conditionnel – en voie de mutation vers un peu de démocratie et un peu d'économie de marché. Contrairement à toutes les règles du marxisme, mais en accord avec la tradition russe, la *Perestroïka* s'opère par le haut : une initiative du despote, avec l'appui de l'intelligentsia.

Nous ne saurons pas avant plusieurs années si la *Perestroïka* transformera réellement la société soviétique. Pour l'instant, il s'agit surtout d'un discours : en Russie, la formulation des idées précède les faits. Ce discours est tenu par un nombre très restreint de porte-parole : politiques et intellectuels. Il suffit de se rendre à plusieurs reprises en U.R.S.S. pour constater que les interlocuteurs sont toujours les mêmes. D'où la difficulté de trouver un intellectuel qui soit capable à la fois de tenir le discours de la *Perestroïka* et de la critiquer de l'intérieur. Ce n'est pas évident dans un régime où la liberté de parole et de pensée reste encore enfermée dans des frontières restrictives. J'ai donc choisi Youri Afanassiev parce qu'il est *dans* le système, mais *à son bord* extrême, tout proche de la dissidence, sans être pour autant un dissident.

Il faut enterrer Lénine

L'Institut des archives historiques que dirige Youri Afanassiev se trouve à quelques pas de la place Rouge; le lieu est idéal pour converser, m'assure-t-il. Allez savoir pourquoi Afanassiev se sent plus libre de parler dans la rue que dans son bureau!

En cette fin de matinée de septembre 1988, la foule est dense. Les peuples issus de tous les horizons de l'U.R.S.S. viennent éprouver ici quelques frissons face aux hautes murailles du Kremlin et au tombeau de Lénine. Devant ce monument de granit, Afanassiev me dit : « Quand celui-là sera enterré pour de bon, le peuple soviétique pourra enfin penser librement par lui-même! »

J'ai longtemps hésité à reproduire ce propos, mais, après tout, Afanassiev l'a formulé avec le sourire. Peut-être un certain humour est-il permis au pays des Soviets?

Depuis le début de la *Glasnost* et de la *Perestroïka*, c'est quand même la première fois que j'entends critiquer Lénine : il m'avait paru jusqu'ici hors d'atteinte et hors débat. Afanassiev serait-il en avance sur Gorbatchev?

« Personne, me répond-il, ne peut être en avance sur Gorbatchev, puisqu'il est le chef et que c'est lui qui dit jusqu'où on peut aller. » Mais s'en prendre à Lénine, n'est-ce pas remettre en cause la légitimité même du régime soviétique? Pas du tout, d'après Afanassiev : « Le fondement du régime n'est pas le léninisme, mais la Révolution en tant que telle, le soulèvement du peuple qui s'est effectué, à l'origine, sans Lénine et sans mot d'ordre. »

La position d'Afanassiev n'en est pas moins originale. Car à s'en tenir au discours officiel de la *Perestroïka*, Lénine aurait été trahi par Staline, et le but des réformes est d'en revenir au léninisme qui fut – dit-on aujourd'hui – « démocratique ». Lénine n'est donc pas « critiquable », comme l'est Staline, même si l'on commence à s'interroger sur ses responsabilités dans les origines de la répression.

Le Goulag, une tradition historique

Jusqu'où faut-il remonter dans l'Histoire pour comprendre comment l'U.R.S.S. est devenue une prison? Est-ce la faute de Marx, de Lénine ou de Staline?

De tous à la fois, répond Afanassiev, et des tsars aussi. Les Soviétiques ont hérité d'une succession de modèles répressifs qui se sont ajoutés les uns aux autres. Au tsarisme l'U.R.S.S. doit le mépris de la démocratie, la répression des intellectuels, la coutume de la déportation. Le marxisme est à son tour responsable pour avoir imposé une vision mécaniste de la société où les individus ne pèsent rien face à la marche inéluctable de l'Histoire. En suggérant l'abolition de la propriété privée, Marx laissait les individus nus face au pouvoir d'Etat. Puis vint Lénine, qui a légué au pays la dictature du Parti unique et le refus du pluralisme; dans le léninisme, tout dissident est automatiquement un traître. C'est Lénine, me dit Afanassiev, qui a définitivement orienté le marxisme dans la voie totalitaire. « C'était, dès l'origine, une des éventualités du marxisme, mais il serait faux de croire que c'était la seule possible. »

Enfin vint Staline, qui a opéré la synthèse de toutes ces traditions répressives. Mais, ajoute Afanassiev, les précédents historiques ne permettent pas à eux seuls d'expliquer le stalinisme; Staline a ajouté à la répression une dimension nouvelle, profondément originale : le transfert complet de la propriété individuelle à la propriété d'Etat. Cette aliénation de la propriété est l'essence véritable du stalinisme – et encore celle du régime actuel.

Le stalinisme, c'est le vol

La critique du stalinisme en U.R.S.S. est restée superficielle, me dit Youri Afanassiev; elle n'est pas scientifique. La plupart des textes sur ce sujet ne sont que de simples descriptions des exactions staliniennes : voir l'œuvre d'historiens comme Roy Medvedev, de romanciers comme Rybakov ou Soljenitsyne. Mais ce ne sont pas des analyses. Pour Afanassiev, seule la critique marxiste permet d'approcher au plus près la nature profonde du stalinisme. Le stalinisme a été une forme de la lutte des classes : un combat classe contre classe pour la maîtrise des moyens de production. D'un côté, le petit peuple; de l'autre, la bureaucratie du Parti. Celle-ci s'est emparée par la violence de toutes les propriétés du peuple. Le Goulag, l'assassinat des koulaks, la répression de masse n'ont pas eu d'autre objet que de réaliser cette aliénation générale de la propriété. Le pouvoir actuel de la bureaucratie du Parti est donc fondé sur son monopole de la propriété.

Je fais observer à Afanassiev qu'il aboutit exactement aux mêmes conclusions que le Yougoslave Milovan Djilas. Mais Afanassiev n'a pas lu Djilas. Ses livres restent interdits en U.R.S.S. Je propose de les lui envoyer par la poste, de Paris. Impossible : ils seraient confisqués à la douane...

Afanassiev a donc reconstitué par lui-même, avec trente ans de décalage, l'itinéraire de Djilas. Voilà qui illustre bien le retard permanent des sciences humaines en U.R.S.S. La répression directe contre les intellectuels a à peu près cessé, mais l'isolement subsiste et freine le cheminement d'une pensée libre.

Afanassiev me confirme combien l'analyse scientifique de la société soviétique reste difficile, à cause de cette censure et du monopole persistant du Parti communiste. Le Parti reste le détenteur officiel de la vérité et de l'interprétation de l'Histoire. Des commissions d'historiens ont bien été appelées à réviser l'Histoire, mais seulement sur la base des archives qui leur sont allouées avec parcimonie. Ces commissions proposent au Parti des rapports, mais c'est le Parti qui les approuve. L'histoire de l'U.R.S.S. reste ce que le Parti en dit. « Nous ne parvenons pas à résoudre nos problèmes, ajoute Afanassiev, parce que nous n'avons pas le droit de les nommer. Il est interdit de déclarer que le pouvoir du P.C. repose sur l'aliénation de la propriété. »

L'U.R.S.S. est-elle socialiste?

Le débat qui occupe le plus activement les intellectuels soviétiques, m'apprend Afanassiev, consiste à s'interroger sur la nature du régime. Comment s'appelle donc cet enfant monstrueux engendré en 1917? Est-ce cela, le socialisme?

Le courant dominant dans l'intelligentsia – du moins celle qui a le droit de s'exprimer – estime qu'il s'agit bel et bien de socialisme, mais d'un socialisme « rouillé ». C'est l'expression officielle. Il suffirait donc de le nettoyer un peu pour qu'il redémarre.

Afanassiev ne partage pas ce point de vue, et d'abord parce que la question lui paraît absurde. Tout dépend en effet de la définition du socialisme que l'on adopte. Si l'U.R.S.S. est le « socialisme réel », alors l'U.R.S.S. ne peut à l'évidence qu'être qualifiée de socialiste. Autrement, l'U.R.S.S. doit être présentée comme un néo-féodalisme. Comme dans le régime féodal, les relations du pouvoir avec le peuple sont personnelles et arbitraires : elles ne sont jamais médiatisées par la loi. Les tribunaux soviétiques n'existent, précise mon interlocuteur, que pour renforcer l'autorité du Parti, et non pas pour rendre la justice.

La réforme sans le peuple

Qui soutient la *Perestroïka*? Une poignée d'intellectuels et de journalistes, quelques cadres et ceux que l'on appelle en U.R.S.S. les « professionnels ». Gorbatchev s'inscrit dans une longue tradition de réformes par le haut, rappelle Youri Afanassiev : occidentalisation brutale de la Russie par Pierre le Grand, abolition du servage par Alexandre III. Dans l'histoire russe – contrairement à ce qu'il en a été pour l'Europe de l'Ouest –, modernisation et démocratisation ont toujours été des processus distincts.

La *Perestroïka* est donc un instrument au service de cette quête historique de la modernisation. Quel est le rôle des intellectuels dans cette modernisation? Les dirigeants politiques sont totalement désemparés face à l'échec économique du régime; ils remettent à l'intelligentsia le soin de trouver des solutions. Là encore, nous sommes dans la tradition russe : la vocation de l'intelligentsia est de construire des systèmes. Elle a inventé le socialisme au XIXᵉ siècle; à elle de le faire marcher désormais! Donc les intellectuels respirent un peu mieux, précise Afanassiev, mais pas tous : la liberté n'est rendue qu'à ceux qui servent la cause qui leur est assignée – moderniser le socialisme, et non pas en sortir. Toute la réflexion économique et sociale de la *Perestroïka* se situe entièrement *dans* le socialisme. « On ne critique jamais le socialisme dans un débat public; on cherche seulement comment l'améliorer. » Aucun intellectuel soviétique « autorisé » par la *Perestroïka* ne se permettrait de préconiser la démocratie pluraliste et le libéralisme bourgeois. La tradition libérale qui a existé en Russie au début du siècle reste totalement oblitérée. La Révolution de 1917 est un acquis irréversible. Le paradoxe fondamental de la *Perestroïka*, me dit Afanassiev, est qu'elle doit se réaliser à l'intérieur d'institutions qui sont restées totalitaires. « Les structures du pouvoir, de l'économie, du Parti, de la justice, de la propriété sont, sous Gorbatchev, exactement les mêmes que sous Staline. »

Cependant, observe Afanassiev, en dehors des modernisateurs du socialisme, un autre courant peut se faire entendre, un seul : *Pamiat* – « la mémoire ». C'est un groupe réactionnaire, nationaliste et antisémite. Ainsi le débat est-il verrouillé : si vous n'êtes pas pour la *Perestroïka*, vous ne pouvez être que pour *Pamiat*, donc réactionnaire!

Ne croyons pas pour autant que tous les intellectuels soient favorables au changement. Ils restent, d'après Afanassiev, en majorité staliniens. Parce que c'est plus confortable : les professeurs, en U.R.S.S., ne sont pas habitués à la contestation, ils préfèrent l'autorité. Un signe qui ne trompe pas : les manuels scolaires sont inchangés trois ans après le lancement de la *Perestroïka*! Au total, les intellectuels qui soutiennent la *Perestroïka* sont assez peu nombreux : ce sont toujours les mêmes qui s'expriment dans la presse soviétique ou étrangère, et tous disent à peu près la même chose.

Mais existe-t-il au moins une opinion publique qui soutienne les réformes? L'opinion est difficile à mesurer : il n'y a pas de sondages. Mais, d'après ce que l'on peut deviner, le peuple est passif. Non pas, dit Afanassiev, que le peuple russe soit passif en soi et par nature. Après tout, l'histoire russe a été marquée par suffisamment de soulèvements pour constater que ce peuple n'est pas plus passif, par exemple, que les Français. Seul le régime soviétique l'a rendu tel. La *Perestroïka* suscite donc indifférence ou méfiance. Après trois ans de discours, chacun constate que la vie quotidienne ne s'est guère améliorée; l'approvisionnement a même été rendu plus difficile, dans la mesure où le gouvernement réprime plus sévèrement le marché noir. « Nous sommes à peu près nourris, logés, soignés, se disent les Russes; pourquoi nous aventurer dans un système plus risqué? » Cette attitude, explique Afanassiev, est d'autant plus ancrée dans la mentalité collective que des années de propagande ont persuadé l'opinion soviétique que le capitalisme était synonyme de chômage et de misère noire. Si la *Perestroïka* doit conduire à des licenciements, mieux vaut, estime le peuple, conserver ce que l'on a actuellement.

Le mythe de la social-démocratie

Comme tous les intellectuels russes que j'ai rencontrés, y compris les plus réformateurs, Afanassiev n'est pas favorable au capitalisme. Il ne l'estime ni possible, ni souhaitable. Certes, il admet qu'il connaît mal ce qu'il condamne. Les Soviétiques restent prisonniers de stéréotypes.

– Nous savons que le capitalisme a considérablement évolué depuis Marx, mais notre isolement est tel que nous ne savons pas grand-chose de plus.

– Pourquoi alors être contre le capitalisme?

– Parce qu'il est immoral.

D'autres qu'Afanassiev m'avaient déjà fait la même réponse : Abel Aganbegyan, l'économiste de la *Perestroïka*, et Roy Medvedev, l'historien du stalinisme. C'est actuellement le modèle suédois qui fascine l'intelligentsia soviétique – laquelle paraît ignorer que l'économie suédoise est entièrement capitaliste. Ce qu'Afanassiev et, d'une manière générale, les intellectuels de la *Perestroïka* imaginent pour l'U.R.S.S. est une sorte de social-démocratie, une économie de marché sans le capitalisme et au service du socialisme, voisine ce que Lénine avait tenté en 1923 avec la « Nouvelle Économie Politique ». Le gorbatchévisme ne cesse d'ailleurs d'idéaliser cette N.E.P.; la propagande actuelle en fait une sorte d'âge d'or qui aurait réconcilié les Soviets, la démocratie et l'efficacité économique.

Pour retrouver l'esprit de la N.E.P., il faut, estime Youri Afanassiev, arracher progressivement à la bureaucratie des lambeaux de propriété. Par exemple, avec la création de coopératives. Depuis trois ans, elles ont proliféré en U.R.S.S., mais elles restent pour l'essentiel limitées au commerce et à l'artisanat. En quoi ces coopératives sont-elles différentes des entreprises privées du monde capitaliste? Le capital et le profit sont, en principe, répartis entre les travailleurs.

Autre technique de privatisation : le bail agricole. Depuis l'été 1988, les kolkhozes proposent à leurs salariés de louer pour une longue période des exploitations agricoles, la terre et le matériel. J'aurais imaginé que la paysannerie russe, privée de terre depuis cinquante ans, allait se précipiter sur cette « ouverture ». Il n'en a rien été, m'apprend Afanassiev. Car il n'y a plus de paysans en U.R.S.S.! Ils ont été exterminés dans les années trente. Il ne reste que des ouvriers agricoles : ceux-ci sont payés à l'heure de tracteur, quelle que soit la récolte. Ils n'éprouvent nul désir de devenir des chefs d'exploitation responsables. A cela s'ajoute le souvenir de l'extermination des koulaks par Staline : la mémoire russe est longue.

Dans les entreprises d'Etat, la *Perestroïka* ne se porte pas mieux pour l'instant. En théorie, les chefs d'entreprise sont devenus indépendants des ministères de tutelle. Mais ceux-ci n'ont pas été supprimés, ils continuent à donner des ordres et à exiger des privilèges. Le pouvoir qui a été accordé aux uns n'a donc pas été retiré aux autres. Qui tranche en cas de conflit? En principe, les tribunaux. Mais, me dit Afanassiev, ceux-ci donnent automatiquement raison aux fonctionnaires de tutelle et au Parti contre le chef d'entreprise, si celui-ci devient trop entreprenant. Il arrive même que le patron qui exerce à la lettre ses nouveaux pouvoirs se retrouve en prison. Bien entendu, m'avertit Afanassiev, on vous montrera des usines et des fermes pilotes, des vitrines dans la grande tradition des « villages Potemkine ». Potemkine, me dit Afanassiev, fut le grand penseur de la Russie : il conçut le « village modèle » qui deviendra, au XIXe siècle, « la réalisation exemplaire du socialisme ». Mais il n'y a toujours rien derrière ces façades.

L'économie soviétique, ajoute Afanassiev, est dans l'ensemble restée une économie de guerre. « Nous savons atteindre des objectifs simples par la concentration de nos moyens. Nous réussissons à envoyer des hommes dans l'espace, mais nous sommes incapables de ravitailler le peuple russe en saucissons. »

— Youri, pourquoi prenez-vous le risque de vous exprimer aussi librement? Après tout, si la situation politique devait se retourner à nouveau, vous vous retrouveriez probablement au Goulag...

— Je parle par désespoir! m'a répondu Afanassiev avec un sourire éclatant.

Je me suis séparé d'Afanassiev, sur la place Rouge en direction de la place Karl-Marx. Comme il n'y avait pratiquement pas de circulation, j'ai tenté de traverser la chaussée. Mais un milicien agressif m'a rattrapé et obligé à emprunter un long détour par un passage souterrain : un repaire de miséreux, de loubards et de trafiquants. De là, j'ai remonté l'avenue Gorki. Sur les trottoirs, de longues queues s'étaient formées depuis l'aube devant les charcuteries et les débits de vodka. Il n'y en aura pas pour tout le monde – ni aujourd'hui, ni demain. Au-delà, l'avenir est imprévisible.

KENJI NAKAGAMI

Le fascisme impérial domine toujours le Japon

Les Japonais se couchent de bonne heure. Vers dix heures, à Shinjuku, le quartier chaud de Tokyo, les clients se font rares. Kenji Nakagami est toujours le dernier à se faire expulser des bars où il passe ses soirées.

Nakagami est reconnu, à quarante-deux ans, comme l'un des plus grands romanciers du Japon de l'après-guerre. D'après la « défaite », précise-t-il. Il a tenu à ce que notre entretien ait lieu dans l'un de ces bars, parce que c'est là qu'il vit, et surtout qu'il travaille, tout en buvant du *shochū*, un alcool blanc et raide, servi sur de la glace pilée. Le mélange du génie littéraire, du *shochū* et du tabac le pousse à écrire parfois vingt-quatre heures d'affilée – d'un seul jet – les récits qui ont fait sa renommée, d'un style agressif et lyrique, en apparence désordonné.

Mais ce n'est pas son œuvre romanesque que nous évoquerons : nous allons parler avec lui du Japon. D'une manière nouvelle, inattendue. Car ce que va nous dire Nakagami s'inscrit à contre-courant de tout ce qui est généralement publié sur ce pays. Les lecteurs occidentaux vont certainement être surpris et même choqués de découvrir dans cet entretien un Japon qu'ils ne soupçonnent pas, à l'opposé de tous les clichés. Car c'est aussi un Japon humain et charnel, pas seulement une armée de robots à la conquête du marché mondial.

« Vous autres Européens, me dit Nakagami, vous ne savez pas ce qu'est le Japon réel! Vous ne connaissez que l'idéologie impériale! » Mais qu'est-ce que cette idéologie impériale? C'est une certaine idée du Japon, aseptisé, efficace, organisé, productif. Un produit qui, selon Nakagami, se vend bien à l'exportation : il est offert, tout emballé, aux étrangers pour qu'ils n'aillent pas y regarder de plus près. Cette idéologie est également imposée aux Japonais eux-mêmes, pour qu'ils se tiennent tranquilles.

En apparence, dit Nakagami, le Japon fonctionne à la perfection. Le revenu par habitant est le plus élevé des sociétés industrielles, le chômage rarissime, la misère absente, la vieillesse respectée, la société stable et homogène, la politique modérée; le fanatisme a pratiquement disparu. Tokyo est la seule grande ville du monde où il soit possible de déambuler sans risque à toute heure du jour et de la nuit : pas d'agression, peu de drogue, pas de bousculade. Le respect de l'autre paraît extrême, le raffinement généralisé. Pourquoi alors se révolter, comme le fait Nakagami, contre cette civilisation exquise et cette société efficace? C'est qu'elles dissimulent, m'assure l'écrivain, une répression extrême et secrète. Pour Nakagami, le régime japonais est un « fascisme impérial ».

L'empereur, symbole de l'asservissement

On croit à tort, au Japon et hors du Japon, me dit Nakagami, que l'économie japonaise est un modèle de capitalisme qui marche et sur lequel les entreprises occidentales devraient calquer leur organisation. Lourde erreur! Le système japonais n'est pas capitaliste, il est impérial. En dépit du rôle apparemment

mineur du souverain depuis 1945, l'idée que représente l'empereur continue de régner sur le Japon.
Non pas en pratique, mais par les comportements
psychologiques qu'elle enduit. Tout ce que les étrangers ne comprennent pas du Japon relève, selon
Nakagami, du système impérial : le respect des
formes, de l'autorité, de la hirarchie, l'absence de
contestation, l'ardeur au travail, le refus de l'individualisme ne sont que les conséquences de ce « modèle de servitude mentale ». Tout cela, bien entendu,
est non dit, puisque, par définition, l'autorité de
l'empereur est symbolique et dissimulée.

Cette répression de l'individualisme et de toute
velléité de révolte est appliquée dans la vie quotidienne des Japonais par le respect d'une étiquette
rigoureuse. Nakagami l'appelle la « barrière invisible ». Cette barrière, forgée par des siècles d'apprentissage national, est au départ de caractère esthétique. Contrairement à ce qu'il en est en Occident,
explique Nakagami, « elle sépare, à partir de différence infimes, non pas le bien du mal, mais le beau
du laid ». Seul le détail compte, seule la différence
minime est importante.

Ecoutant Nakagami, je me remémorais ma première visite, déjà ancienne, des temples et jardins de
Kyoto; un ami japonais, Kazuo Miyakawa, essayait
de m'y faire percevoir les imperceptibles nuances de
vert d'un minuscule jardin de mousse. Je ne voyais
rien, puisque l'esprit français cherche *a priori* les
grands contrastes. Mais, explique fort bien Nakagami, c'est cette idéalisation de la différence infime
par l'aristocratie dirigeante, depuis des siècles, qui a
enfermé chaque Japonais dans un code répressif. Car
du beau et du laid dérivent naturellement ce qui se
fait et ce qui ne se fait pas, le vrai et le faux, le bien
et le mal. Celui qui ne respecte pas ce code, qu'il soit
individualiste ou qu'il dénonce l'existence de la

« barrière invisible », est tout simplement exclu : il n'est pas japonais.

Nakagami ajoute que l'idée même de « tradition », dont la civilisation japonaise semble si pénétrée, est en fait une invention récente : elle date de l'ère Meiji, à la fin du XIXe siècle. C'est à cette époque seulement que la classe dirigeante a fait croire que les règles à respecter l'avaient toujours été; c'était en réalité une manière de dénier à la population toute possibilité d'innover par elle-même.

Ainsi le Japon est-il fondé à la fois sur le respect tacite de l'invisible barrière intérieure et sur une distinction infranchissable entre Nous et les Autres; l'Occidental est évidemment l'Autre par excellence, celui que l'on désigne en japonais par le terme *Gaijin* – les hommes du Dehors.

L'exclusion, précise Nakagami, ne concerne pas que les étrangers. Elle frappe aussi, à l'intérieur même de la société japonaise, les immigrés, Coréens, chinois ou Philippins qui travaillent au Japon. Les Japonais ne les « voient » pas et ne les mentionnent jamais.

La société japonaise est fondée sur l'exclusion des boucs émissaires

Les Coréens, installés parfois depuis plusieurs générations, sont les victimes toutes particulières de cette exclusion de l'Autre, beaucoup plus forte que le racisme tel qu'il peut s'exercer en Occident. De manière plus radicale encore, la société japonaise exerce une discrimination impitoyable, depuis des siècles, à l'encontre de plusieurs millions d'authentiques Japonais qui ne se distinguent ni par la race ni par la langue : les *Burakumin*, une véritable caste d'« intouchables ».

Les *Burakumin* – littéralement : « ceux qui habitent les villages » – sont, à l'origine, des Japonais chargés de tuer les animaux, transporter les cadavres, travailler le cuir; ils transgressent, pour le compte de la société, les interdits du bouddhisme. Les *Burakumin* n'habitent plus aujourd'hui les quartiers et villages qui leur étaient autrefois réservés, et ils sont présents dans tous les secteurs d'activité. Mais leurs descendants n'en restent pas moins marqués et exclus : ils ne peuvent, dans la pratique, se marier qu'entre eux. Certains déménagent sans cesse pour tenter de se noyer dans la société japonaise : en vain. D'autres choisissent la révolte : c'est le cas de Nakagami. Nakagami est le seul créateur japonais à se revendiquer comme *Burakumin*. Peut-être certains dans le passé le furent-ils, mais cela ne s'est jamais su, car l'intellectuel japonais se doit d'être un « lettré », pas un « intouchable ».

Nakagami nous dresse ainsi un tableau de la société japonaise à l'opposé des apparences : loin d'être homogène et civilisée, elle est en réalité hiérarchique, contraignante, profondément inégalitaire, fondée sur l'exclusion de l'Autre et le marquage de boucs émissaires, comme les *Burakumin* et les immigrés. Avec interdiction d'en parler, ni entre soi, ni *a fortiori* avec les étrangers : le seul fait d'évoquer tous ces interdits conduit à l'éviction sociale.

Une capacité infinie de digérer les révoltes

Cette idéologie japonaise, observe Nakagami, est douée d'une formidable capacité de digérer et de fondre en elle toutes les tentatives de révolte.

Les révoltes ont été innombrables dans le passé, et elles le restent. Au temps de la société agraire, elles prenaient la forme de soulèvements paysans. A notre époque, elles s'extériorisent dans les vastes protestations étudiantes des années 60 – Mai 68 fut précédé au Japon d'une année d'émeutes extrêmement violentes. Aujourd'hui, ce sont les écologistes qui manifestent brutalement contre les pollutions industrielles ou contre l'extension des aéroports. Mais tous ces mouvements, que soutiennent Nakagami et quelques rares intellectuels radicaux, sont toujours absorbés par la société : les jeunes gens en révolte finissent en cadres d'entreprise respectables et respectueux de l'ordre établi.

La forme la plus récente de la révolte, m'explique Nakagami, est l'anticonformisme. C'est un comportement nouveau de la jeunesse japonaise, chez les 15-25 ans, ceux que l'on appelle ici « la Nouvelle Race ». Caractéristiques de cette « nouvelle race » : une extrême sensiblerie, par contraste avec la retenue traditionnelle des aînés, et un vague non-conformisme moral destiné à mettre les adultes mal à l'aise.

La manifestation la plus voyante de cet anticonformisme est la passion de la mode : *fashion*, disent les Japonais. Alors que dans la société traditionnelle – et chez les adultes –, l'uniformité est de rigueur, les jeunes Japonais dépensent un argent considérable pour modifier à l'infini leur tenue; ils font la fortune de tous les couturiers « branchés ». En cet automne 1988, il est difficile de rencontrer dans le quartier de Roppongi, où s'exhibe la « Nouvelle Race », une jeune Japonaise vêtue autrement que d'une robe courte de cuir noir, et un jeune homme qui ne porterait pas une veste en cuir beige ou noire « destructurée ».

A la mode vestimentaire s'ajoutent des modes intellectuelles que Nakagami juge tout aussi superficielles. Il dénonce la pensée « jetable », en vogue parmi la jeunesse japonaise, l'engouement subit pour des œuvres intellectuelles archi-nulles de jeunes écrivains « médiatisés », des pastiches souvent inspirés par les « nouveaux philosophes » français. Mais *fashion* et « nouvelle philosophie » conduisent paradoxalement à une nouvelle uniformité. La jeunesse, observe Nakagami, ne fait à son tour que cultiver la différence insignifiante, l'homogénéité dans l'originalité, la forme plutôt que le contenu. Au total, la « Nouvelle Race » perpétue l'idéologie japonaise, elle a vocation à être digérée à son tour. Cette génération, conclut sans modestie Nakagami, n'a produit ni le Mishima ni le Nakagami qui remettraient véritablement en cause le « fascisme impérial ».

Les intellectuels japonais sont sous perfusion étrangère

Les élites, me dit Nakagami, se méfient de tout ce qui vient du petit peuple japonais. Castes dirigeantes et lettrées préfèrent – par prudence – s'inspirer de l'étranger. Voilà pourquoi, de tout temps, le Japon a importé : le bouddhisme de Chine et de Corée, le Code civil de France, l'ordre militaire d'Allemagne, la technique des Etats-Unis. Avant la guerre, m'apprend Nakagami, les étudiants japonais avaient inventé une chanson, restée célèbre, intitulée *Dekansho*, d'après les noms de Descartes, Kant et Schopenhauer, les trois philosophes auxquels les étudiants devaient consacrer l'essentiel de leur temps. L'intelligentsia japonaise reste sous l'emprise d'un *Dekansho* mis au goût du jour; il suffit, observe Nakagami, de remplacer la trilogie des années trente par Marx, Foucault et Sartre. Cette élite japonaise qui paraît si souvent arrogante est en vérité, accuse Nakagami, totalement dépendante de l'Occident. Cette révérence excessive pour la culture occidentale et le dénigrement de la culture populaire sont en réalité complémentaires. Il s'agit dans les deux cas de préserver le pouvoir absolu des élites sur le peuple.

Contrairement à ce qui se passe en Occident, les

intellectuels japonais, ajoute Nakagami, n'exercent aucune fonction critique. Bien plus, presque toujours issus des classes supérieures, loin d'être contestataires, ils renforcent généralement l'idéologie japonaise. On ne dit jamais, observe Nakagami, que les intellectuels japonais n'ont pas dénoncé le fascisme de l'avant-guerre, hormis quelques isolés; et ils ne l'ont pas même dénoncé après la guerre, alors qu'ils ne couraient plus aucun risque.

Nakagami est donc une exception, un dissident autodidacte, intouchable, plébéien. Sans formation universitaire, il fut pendant dix ans porteur de valises à l'aéroport de Tokyo, avant qu'un prix littéraire ne le rende célèbre et lui permette de vivre – médiocrement – de ses droits d'auteur. Il a donc choisi de rompre avec l'idéologie japonaise. C'est pourquoi ses romans sont violents et recherchent délibérément le scandale; ses héros, sans raffinement, sont issus du petit peuple, souvent des *Burakumin*; ils sont exagérément beaux et virils et bousculent les tabous avec allégresse et crudité. Sous l'effet de l'alcool et d'un savant calcul littéraire, le style même de Nakagami est d'un relâchement affecté. « Comme celles de Mishima, dont je revendique l'héritage spirituel, mes œuvres, me dit-il, sont des bombes que je lance contre l'invisible barrière entre ce qui se fait et ce qui ne se fait pas. »

Le petit peuple résiste en souplesse

Parvenu à ce stade de l'entretien, ne nous méprenons pas sur la critique de Nakagami. Celle-ci n'est pas « anti-japonaise », mais contestataire de l'idéologie dominante imposée par la caste dirigeante. Ce que Nakagami regrette, c'est le conformisme pesant du fascisme impérial, alors que le Japon aurait tant à apprendre de son propre peuple. « Les formes les

250

plus créatrices de la culture japonaise sont toujours venues d'en bas, et non pas d'en haut », me dit-il. Exemple : le *Kabuki*. Cette représentation dramatique haute en couleurs, théâtre codifié du Japon le plus traditionnel, fut à l'origine une forme populaire de contestation de l'ordre social. Ce n'est que tardivement qu'elle a été transformée en « théâtre classique ».

Si Nakagami proteste contre la manie de copier l'étranger, c'est qu'il estime que le Japon aurait beaucoup à enseigner au reste du monde. Pas dans l'ordre économique, mais dans l'ordre culturel. Quoi, par exemple ?

Il est vrai, me répond-il, que le Japon a jusqu'à présent pris davantage au reste du monde qu'il ne lui a apporté. A la Chine et à la Corée il a emprunté le bouddhisme et ne leur a apporté que la guerre et la colonisation. Vers l'Occident il n'exporte que des objets, mais pas de contenu. Pourtant, me dit-il, le petit peuple japonais pourrait donner au monde deux grandes leçons de vie et de civilisation : le sens de l'éphémère et la vertu de l'assimilation.

« L'éphémère, c'est l'essence même du Japon, car chacun ici sait qu'à tout instant un tremblement de terre peut nous engloutir. » Les secousses, fortes ou faibles, quasi quotidiennes, le rappellent sans cesse. Rien au Japon n'est ancien, peu d'habitations ont plus de trente ans d'âge. Les seuls bâtiments qui ont résisté au temps sont des temples et des palais sans vie, entretenus à grands frais et que l'on appelle les « Trésors nationaux ». Le comportement du petit peuple japonais, insiste Nakagami, est entièrement dicté par cette fragilité.

L'autre leçon de civilisation populaire, ajoute-t-il, tient à notre capacité peu commune d'assimiler les apports extérieurs les plus divers. « Les Japonais seraient capables de digérer un morceau de fer sans effort, sans en laisser la moindre trace. » Par contraste avec les attitudes occidentales de résistance directe à l'autoritarisme, la force du petit peuple japonais, conclut Nakagami, est en définitive contenue dans son sens de l'éphémère, de la fragilité de toute chose, ainsi que dans sa capacité d'assimilation et de tolérance.

La tentation du suicide

Sans doute Nakagami, pas plus que Mishima, ne réussira-t-il à bousculer l'ordre établi : lui aussi sera absorbé par l'idéologie japonaise. Ne lui restera-t-il alors que le suicide, comme à Mishima ou à tant d'autres écrivains japonais ?

La question du suicide n'embarrasse guère Nakagami. Il m'avoue au contraire qu'elle est au centre de sa réflexion, et même une tentation. Mais il lui paraît impossible de me dire les vraies raisons pour lesquelles tant d'écrivains japonais se sont donné la mort. Ils sont les seuls à le savoir ! Peut-être leurs motifs furent-ils d'ordre esthétique, plus que personnels ou politiques ? « Notre langue nous pose, à nous écrivains japonais, des défis insurmontables. Nous ne la dominons jamais, elle est insaisissable. »

Je me demande soudain si Nakagami n'est pas en train de se suicider sous mes yeux, lentement, à l'alcool de *shochū*. Je ne me souviens même plus du nombre de bars que nous avons déjà visités au cours de cette longue soirée à Shinjuku. L'enchaînement des idées de l'écrivain se fait moins clair, et notre interprète Kan Miyabayashi commence à perdre pied. Il est vrai que, par politesse – et non par goût du suicide, me précise-t-il –, Miyabayashi s'est senti lui aussi obligé de boire. En qualité d'étranger, je suis dispensé de ce code d'honneur.

*

Dans les semaines qui ont suivi cet entretien, je me suis souvent interrogé sur sa pertinence. Nakagami est à l'évidence un marginal, et son analyse spectrale de la société japonaise, aussi brillante fût-elle, m'avait peut-être abusé. Mais il se trouve qu'un événement mineur devait, quelque temps plus tard, légitimer ses propos. Comme je trouvais ce texte original et intéressant pour le public japonais, j'en proposai la publication au journal de Tokyo auquel il m'arrive de collaborer, l'Asahi Journal. Curieusement, il refusa de le publier. Je m'adressai alors à l'une des rares revues culturelles qui existent encore au Japon, Chuo Kuron : *nouveau refus.* L'explication me fut en définitive apportée par Yasuo Akiyama, éminent journaliste de l'Asahi. Ce dont traite Nakagami, me dit-il, il vaut mieux ne pas en faire état dans des journaux à grande diffusion, afin de ne pas troubler l'harmonie de la société japonaise... C'était exactement la conspiration du silence que dénonçait Nakagami. Akiyama ajouta que, l'empereur venant de mourir, le climat était à l'unité nationale et que ce n'était pas le moment de ressortir ces histoires de Burakumin. Ce n'est et ce ne sera jamais le moment !

VIII

LA SOLUTION LIBÉRALE

L'énergie désormais consacrée par les adversaires du libéralisme à le réfuter me paraît le signe le plus évident de son influence récente. La crise du social-étatisme et le regain du libéralisme distinguent l'histoire intellectuelle des années quatre-vingt. Plus personne, à l'Est comme à l'Ouest, dans le monde industriel comme dans le Tiers-Monde, n'estime nécessaire de renforcer les interventions de l'Etat, de planifier davantage et de nationaliser. De Pékin à Paris, en passant par Moscou, Buenos Aires ou Delhi, tous les gouvernements, tous les économistes, à droite comme à gauche, s'interrogent sur la manière de libérer les forces du marché et de privatiser ce qui peut l'être. Les grandes querelles du moment portent partout sur l'ampleur que l'on doit restituer à ces forces du marché, et non pas sur leur suppression. C'est une révolution intellectuelle survenue en un laps de temps très bref, qui, si elle réussit, pourrait conduire à une nouvelle vague de prospérité économique et à une nouvelle répartition des fonctions entre l'Etat et la société civile.

Qui eût cru que la vieille pensée libérale, conçue en Ecosse et en France il y a deux siècles, renaîtrait aussi vigoureusement de ses cendres? Certainement pas les intellectuels libéraux à la manière de Raymond Aron

*chez qui, dans la tradition de Tocqueville, le pessi-
misme était devenu une sorte de nécessité historique.
La nouvelle génération libérale est plus optimiste et
cultive même un certain goût pour l'utopie à la
manière de ses maîtres, von Hayek, que nous allons
retrouver à Fribourg, en Allemagne, et Murray Rothbard, à Las Vegas, aux Etats-Unis.*

*Ces penseurs se caractérisent par une intransigeance
absolue; elle choquera certainement ceux pour qui le
libéralisme est synonyme de modération. Mais c'est
grâce à cette rigueur quelque peu doctrinaire que les
libéraux ont réussi à marquer des points décisifs dans
le débat comme dans la pratique face à leurs adversaires de toujours, les adorateurs de l'Etat, du Plan et de
l'égalitarisme à tout prix.*

FRIEDRICH VON HAYEK

Les libéraux doivent être des agitateurs

Dans ma bibliothèque vivante, Hayek occupe une place centrale. Economiste et philosophe, célèbre dans le monde entier mais longtemps méconnu en France, il ne fit vraiment irruption sur notre scène intellectuelle qu'en 1983, à l'heure où la droite se cherchait un programme et une cohérence intellectuelle face au socialisme. Dans le monde anglo-saxon, c'est dès 1975 que Hayek avait été découvert – ou plutôt redécouvert – après que le chômage et l'inflation eurent sonné le glas de son éternel rival, Keynes, et des politiques d'intervention qu'il avait préconisées. La plupart des thèmes dont on trouve trace chez les libéraux français, comme dans le reaganisme ou le thatchérisme, ont leur source dans l'œuvre de Hayek : la supériorité de l'économie de marché, la privatisation, la liberté de choix dans l'école et le mode de protection sociale.

Hayek est toujours parmi nous et son génie est intact, bien qu'il ait l'âge du siècle, et même un an de plus. « D'ordinaire, m'a-t-il déclaré, les idées des économistes s'imposent après leur mort. Mais, dans mon cas, j'ai eu le privilège de vivre assez longtemps pour assister au succès de quelques-unes de mes propositions. »

Hayek est bien modeste, car il est, en vérité, le

maître à penser de tous les libéraux modernes. « Quand j'étais jeune, me dit-il, le libéralisme était vieux. Maintenant que je suis vieux, c'est le libéralisme qui a rajeuni. »

Etrange destinée, en effet, que la sienne! D'origine autrichienne, il fait ses études à Vienne, où il appartient au groupe des intellectuels autrichiens qui va bouleverser les connaissances du xxᵉ siècle. A trente-deux ans, il part pour Londres, bien avant la prise du pouvoir par les Nazis qui va disperser ultérieurement toute la communauté intellectuelle viennoise; la plupart rejoindront également Londres.

Pourquoi la capitale britannique? Parce que seul l'anglais est une langue universelle. « Si j'avais continué à écrire en allemand, me dit Hayek, je serais resté un inconnu! » C'est de Londres, en 1944, qu'il publie un pamphlet d'une incroyable audace, *La Route de la servitude*. Dans ce texte qui devient instantanément un best-seller, il accuse les gouvernements britannique et américain de verser dans le socialisme : sous prétexte de gagner la guerre, ils concentrent tous les moyens économiques dans les mains de l'Etat. Cette étatisation n'est pas nécessaire, écrit Hayek, et elle est perverse, car elle rapproche le régime politique des Alliés du modèle nazi qu'ils combattent.

Hayek devient ainsi le plus célèbre et le plus intransigeant des économistes libéraux; il le restera. Il est si controversé qu'il devra patienter jusqu'à l'âge de soixante-quinze ans pour recevoir le Prix Nobel : tous ses disciples l'avaient obtenu avant lui!

Après la guerre, la Grande-Bretagne perd sa prééminence universitaire. Hayek part pour l'Université de Chicago, qui va devenir le phare de la réflexion libérale. Elle l'est encore. Enfin, à soixante-cinq ans, Hayek quitte les Etats-Unis pour l'Université de Fribourg, en Allemagne. Il lui reste alors à écrire l'essentiel de son œuvre. C'est à Fribourg qu'il vit toujours, dans une atmosphère très *gemütlich*, confortable, sans plus.

De quelle nationalité êtes-vous donc, monsieur le professeur? « Citoyen britannique, bien entendu, comme mes enfants. » Hayek n'a pas hésité un seul instant, bien que la fine moustache, la canne, la chaîne de montre et l'accent évoquent irrésistiblement la Vienne du début du siècle.

La supériorité de l'ordre spontané

Le libéralisme, me dit Hayek, est la seule philosophie politique véritablement moderne, et c'est la seule compatible avec les sciences exactes. Elle converge avec les théories physiques, chimiques et biologiques les plus récentes, en particulier la science du chaos formalisée par Ilya Prigogine. Dans l'économie de marché comme dans la Nature, l'ordre naît du chaos : l'agencement spontané de millions de décisions et d'informations conduit non au désordre, mais à un ordre supérieur. Le premier, Adam Smith avait su pressentir cela dans *La Richesse des nations*, il y a deux siècles.

Nul ne peut savoir, précise Hayek, comment planifier la croissance économique, parce que nous n'en connaissons pas véritablement les mécanismes; le marché met en jeu des décisions si nombreuses qu'aucun ordinateur, aussi puissant soit-il, ne pourrait les enregistrer. Par conséquent, croire que le pouvoir politique est capable de se substituer au marché est une absurdité. Dans ce que Hayek appelle la « grande société » – c'est-à-dire la société moderne et complexe –, il faut donc s'en remettre au marché, à l'initiative individuelle. A l'inverse, le dirigisme ne peut fonctionner que dans une société minuscule où toutes les informations sont directement contrôlables. Le socialisme, me dit Hayek, est avant tout une nostalgie de la société archaïque, de la solidarité tribale.

La supériorité du libéralisme sur le socialisme n'est pas, selon Hayek, une affaire de sensibilité ou de préférence personnelle, c'est un constat objectif vérifié par toute l'histoire de l'humanité. Là où l'initiative est libre, le progrès économique, social, culturel, politique est toujours supérieur aux résultats obtenus par les sociétés planifiées et centralisées. Dans la société libérale, les individus sont plus libres, plus égaux, plus prospères que dans la société planifiée.

Mais n'existe-t-il pas une solution moyenne, de type social-démocrate? « Entre la vérité et l'erreur, réplique Hayek, il n'y a pas de voie moyenne! » Hayek ne peut jamais être pris en défaut d'indulgence...

Le libéralisme est donc scientifiquement supérieur au socialisme, et surtout au marxisme que Hayek qualifie de superstition. « J'appelle superstition, me dit-il, tout système où les individus imaginent qu'ils en savent plus qu'ils n'en connaissent en réalité. » C'est pourquoi la plupart des intellectuels sont socialistes, ou plutôt « constructivistes ».

Etre constructiviste, dans le vocabulaire de Hayek, c'est croire que l'on peut refaire le monde à partir d'un projet de société théorique. Telle est la grande erreur des socialistes. Ou plutôt, le socialisme est une erreur des intellectuels. Une erreur qui remonte à Descartes! La France porte, selon Hayek, une responsabilité particulière dans cet esprit de géométrie plaqué sur la réalité.

Ce que Hayek met en cause, ce ne sont donc pas les intentions ou la moralité des socialistes, mais leurs erreurs scientifiques et leur « vanité fatale »...

The Fatal Conceit : tel est le titre du dernier ouvrage que publiera Hayek en 1989. La supériorité historique et scientifique du libéralisme, cela s'appelle, dans une formule typiquement « hayekienne », « la supériorité de l'ordre spontanée sur l'ordre décrété ». Exemples concrets de cette supériorité : les grandes institutions qui marchent bien, explique-t-il, n'ont été inventées par personne. La famille ou l'économie de marché sont des produits de l'ordre spontané. Aucun intellectuel, insiste-t-il, n'a décidé un jour de créer une organisation qui devrait s'appeler le capitalisme ou l'économie de marché.

Hayek ajoute que ces grandes institutions de la société moderne sont fondées sur une morale. Une morale qui n'est pas « naturelle », mais qui est le produit de l'évolution, une évolution quasi biologique, mais affectant les organisations sociales plutôt que les organismes vivants. Cette morale, me dit Hayek, n'est pas naturelle, parce que spontanément – par exemple – l'homme n'est pas tenté de respecter la propriété privée ou les contrats. C'est la sélection qui, en agissant sur le comportement moral, a fait apparaître, au cours des âges, que les peuples qui respectent la propriété et les contrats devenaient plus prospères! Voilà pourquoi, selon Hayek, la société occidentale est devenue morale, et sans cette moralité fondamentale, le capitalisme ne pourrait exister.

La démocratie est devenue la propriété des intérêts particuliers

Mais, aujourd'hui, Hayek n'a pas tellement envie de parler de l'économie de marché; ses thèses, m'assure-t-il, sont désormais bien connues et elles influencent tous les gouvernements, à commencer par celui de Grande-Bretagne. Hayek n'apprécie parmi les chefs d'Etat que Margaret Thatcher – la seule libérale cohérente, selon lui.

Il souhaite évoquer plutôt la partie cachée de son œuvre : « On ne m'a jamais lu qu'aux deux tiers, le dernier tiers est trop embarrassant. » Il s'agit d'un livre intitulé *L'Ordre politique d'un peuple libre,* qu'il a publié à quatre-vingts ans. De quoi est-il question ? D'une critique sévère de la démocratie !

« Etes-vous sûr, monsieur le professeur, que vous n'abordez pas là un sujet délicat et qui risque d'être mal compris ? »

Le professeur est aussi tenace que souriant. C'est qu'à quatre-vingt-neuf ans Hayek n'a pas tellement le temps de finasser. Il faut aller à l'essentiel : « Depuis un an, confie-t-il, je me sens vieillir ! »

La démocratie, dit-il, est devenue un fétiche : le dernier tabou sur lequel il est interdit de s'interroger. Or, c'est à cause du mauvais fonctionnement de la démocratie que les Etats modernes sont envahissants. Les libéraux sont trop souvent incohérents, car ils se plaignent de l'étatisation sans s'interroger sur les mécanismes qui y conduisent. Le malaise des sociétés démocratiques vient de ce que les mots ont perdu leur sens. A l'origine, en démocratie, les pouvoirs de l'Etat, contrairement à ce qui se passe en monarchie, étaient limités par la Constitution et par la coutume. Mais nous avons glissé progressivement dans la démocratie illimitée : un gouvernement peut désormais tout faire sous prétexte qu'il est majoritaire. La majorité a remplacé la Loi. La Loi elle-même a perdu son sens : principe universel au départ, elle n'est plus aujourd'hui qu'une règle changeante destinée à servir des intérêts particuliers... au nom de la justice sociale !

Or, la justice sociale, poursuit Hayek, est une fiction, une baguette magique : personne ne sait en quoi elle consiste ! Grâce à ce terme flou, chaque groupe se croit en droit d'exiger du gouvernement des avantages particuliers. En réalité, derrière la « justice sociale », il y a simplement l'attente semée dans l'esprit des électeurs par la générosité des législateurs envers certains groupes. Les gouvernements sont devenus des institutions de bienfaisance exposées au chantage des intérêts organisés. Les hommes politiques cèdent d'autant plus volontiers que la distribution d'avantages permet d'« acheter » des partisans. Cette distribution profite à des groupes isolés, tandis que les coûts en sont répartis sur l'ensemble des contribuables; ainsi, chacun a l'impression qu'il s'agit de dépenser l'argent des autres. Cette asymétrie entre des bénéfices visibles et des coûts invisibles crée l'engrenage qui pousse les gouvernements à dépenser toujours plus pour préserver leur majorité politique.

Dans ce système que l'on persiste à appeler « démocratique », l'homme politique n'est plus le représentant de l'intérêt général. Il est devenu, dit Hayek, le gestionnaire d'un fonds de commerce : l'opinion publique est un marché sur lequel les partis cherchent à « maximiser » leurs voix par la distribution de faveurs. D'ailleurs, note Hayek, les partis modernes se définissent désormais par les avantages particuliers qu'ils promettent, et non par les principes qu'ils défendent. La preuve en est que sur les questions essentielles – comme la peine de mort, l'avortement ou l'euthanasie –, les membres des partis ne sont généralement pas soumis à une discipline de vote.

Si nous suivons Hayek, cela veut dire que la démocratie est devenue immorale, qu'elle est injuste et qu'elle tend à devenir « totalitaire ». Les citoyens, dans les sociétés occidentales, ont cessé d'être autonomes : ils sont comme drogués, dépendants des bienveillances de l'Etat. Hayek ajoute que cette perversion de la démocratie conduit à terme à l'appauvrissement général et au chômage, car les ressources disponibles pour la production de richesse se tarissent inéluctablement.

Faut-il donc abandonner la démocratie, et par quoi la remplacer?

La démocratie s'est pervertie, me répond Hayek, parce que nous avons confondu, comme le craignait déjà Tocqueville, idéal démocratique et tyrannie de la majorité. Parce que nous croyons dans les idéaux de base de la démocratie – le suffrage universel, la suprématie du droit –, nous nous sentons obligés de défendre des institutions particulières qui passent, à tort, pour leur seule traduction concrète. C'est pour retrouver l'idéal démocratique qu'il faut désormais imaginer – selon Hayek – une organisation nouvelle qui limitera le pouvoir du gouvernement. C'est ce que Hayek appelle la Démarchie : du grec *demos*, le peuple, et *archein*, l'autorité. Ce nouveau nom permettra de préserver l'idéal sans employer un terme souillé par un abus prolongé.

La Démarchie, me dit Hayek, sera fondée sur deux types de normes : la Loi, qui exprime la conduite permanente de la société, et les directives de gouvernement, qui règlent les affaires courantes. Ces deux normes devront être élaborées par deux assemblées totalement différentes.

La première, l'Assemblée législative, garantirait les droits fondamentaux : elle serait composée d'hommes et de femmes élus pour quinze ans, à l'âge de quarante-cinq ans, par les électeurs du même âge qui ne voteraient ainsi qu'une fois dans leur vie : à la sélection partisane serait ainsi substituée une solidarité par génération. Cette assemblée serait donc composée de parlementaires âgés de quarante-cinq à soixante ans, renouvelable chaque année par quinzième et totalement à l'abri des passions politiques comme des pressions électorales.

La seconde assemblée, que Hayek appelle « gouvernementale », pourrait fonctionner sur le modèle des parlements actuels. Mais il faudrait, estime-t-il, en exclure les employés du gouvernement et tous ceux qui en reçoivent des aides, car il n'est guère raisonnable que des parlementaires soient à la fois juge et partie.

« Je ne prétends pas, ajoute-t-il, que mon système soit le seul applicable, mais c'est en formulant des utopies de rechange que l'on peut le mieux se faire comprendre. Ces utopies donnent une cohérence intellectuelle et une force de conviction à des analyses qui, sans cela, paraîtraient trop théoriques. » D'une manière plus générale, Hayek estime indispensable que les « libéraux cohérents » préparent des utopies de rechange : « En cas de catastrophe, celles-ci apparaîtront comme les seules solutions réalistes et raisonnables. »

Au terme de trois heures d'entretien, Hayek m'avoue être fatigué. Son regard se promène sur les reliures innombrables de sa bibliothèque et, par la fenêtre, vers les toits de Fribourg et les contreforts de la Forêt-Noire : vision calme et apaisante d'une petite ville allemande restée fidèle, au-delà des catastrophes historiques, à son mode de vie bourgeois et à ses traditions universitaires. Je referme mon carnet de notes pour annoncer mon départ, non sans quelque regret.

Reverrai-je Hayek, le penseur à qui plusieurs générations de libéraux doivent d'avoir recouvré leur agressivité intellectuelle?

Mais il me retient quelques instants encore. Debout, appuyé sur sa canne, il me fixe avec intensité :

« Ce que j'ai à vous dire est très important. Les intellectuels libéraux doivent être des agitateurs, pour renverser les courants d'opinion hostiles à l'économie capitaliste. La population mondiale est si nombreuse que seule l'économie capitaliste parviendra à la nourrir. Si le capitalisme s'effondre, le Tiers-Monde mourra de faim; c'est ce qui se passe déjà en Ethiopie... »

Au revoir, monsieur le professeur. Nous n'oublierons pas votre dernière leçon.

MURRAY ROTHBARD

L'État, c'est le vol!

Si vous jugez que Friedrich von Hayek est excessif, c'est que vous ne connaissez pas la doctrine libertarienne et son maître à penser, Murray Rothbard. Par comparaison avec Rothbard, Hayek est un modéré. Pour Rothbard, l'Etat n'existe pas en tant que tel : les mots comme « Etat » ou « Société » sont des illusions verbales, des métaphores; ce ne sont pas des objets réels. L'Etat n'est rien d'autre qu'une association d'individus qui sont d'accord entre eux pour se faire appeler l'Etat. Ces hommes et ces femmes se sont fixé pour objectif d'exercer le monopole légal de la violence et de l'extorsion de fonds. Murray Rothbard assène tout cela avec un grand sourire, comme s'il s'agissait d'évidences bien connues, enchaînées logiquement.

Rothbard enseigne l'économie à l'Université de Las Vegas. Ce n'est pas vraiment pour son université que Las Vegas est célèbre, mais celle-ci existe bel et bien, noyée entre les casinos...

Qu'est-ce qu'un libertarien? Pas une secte religieuse américaine, encore que l'on trouve chez Rothbard un dogmatisme à toute épreuve, et qu'il ait des disciples. Les libertariens ont un père fondateur : l'économiste autrichien von Mises, partisan intransigeant du laisser-faire. Comme Hayek, Rothbard a été son élève. En Europe, Rothbard serait considéré comme un ultra-libéral – vraiment très « ultra »! Car pour les libertariens, l'Etat est le mal absolu; tout peut être privatisé, y compris la Justice et la Défense! Chaque homme, d'après Rothbard, naît avec un droit naturel à la propriété, et toute atteinte à la propriété viole ce droit. Les libertariens sont donc anarchistes (pas d'Etat!) et capitalistes. Voilà pourquoi Rothbard a choisi de vivre dans le Nevada : c'est l'Etat le plus libre d'Amérique – mais « pas encore assez à mon gré », corrige-t-il. L'esprit d'entreprise s'y donne en tout cas libre cours...

Si nous acceptons d'entrer dans le système de Rothbard, il est cohérent. Prenez l'impôt, me dit-il : c'est purement et simplement un vol, puisqu'il n'est pas volontaire. Les propriétaires de l'Etat sont les seuls individus dans notre société à obtenir leurs revenus sous la contrainte. Mais les théoriciens de la démocratie expliquent que l'impôt est volontaire : un contrat passé entre l'Etat et le peuple. Faux! s'exclame Rothbard. Il suffirait de supprimer la menace pour que les contribuables cessent instantanément de payer.

De même que l'impôt c'est le vol, la guerre c'est le crime, et le service militaire c'est l'esclavage. Le vol c'est le vol, le crime c'est le crime : « Que l'un et l'autre soient perpétrés par un homme seul ou par un groupe d'hommes ne change rien à leur nature criminelle. » Là encore, ajoute Rothbard, la démocratie n'excuse rien. Ce n'est pas parce qu'une majorité soutient ou condamne un acte criminel qu'il cesse d'être criminel!

Au total, pour Rothbard, « l'Etat est la plus vaste et la plus formidable organisation criminelle de tous les temps, plus efficace que n'importe quelle mafia dans l'Histoire ».

Les intellectuels sont des idéologues payés par l'Etat

Mais pourquoi l'Etat est-il généralement considéré comme légitime et non pas comme criminel?

« Là intervient le rôle de l'idéologie et des idéologues », répond Rothbard. De tout temps, l'Etat a entretenu des courtisans dont la fonction est de le légitimer. Ces idéologues sont chargés d'expliquer qu'un crime individuel est condamnable, mais que, commis en masse par l'Etat, il est juste. Sans idéologie, il n'y a pas d'Etat! Les hommes politiques le savent depuis les temps les plus anciens. Le contenu des idéologies a pu varier, mais leur but est toujours identique : convaincre l'opinion que l'existence et les méfaits de l'Etat sont nécessaires et doivent être absous. Aucun Etat, insiste Rothbard, ni monarchie, ni démocratie, ni dictature, ne peut survivre long-temps si l'opinion ne le soutient pas; ce soutien n'a pas besoin d'être actif : la résignation suffit. La Boétie, il y a quatre siècles, dans son *Discours de la servitude volontaire*, avait déjà défini l'Etat comme le pouvoir tyrannique d'une minorité accepté par une masse consentante. D'où l'importance, pour l'Etat, d'enrôler les fabricants d'idéologie que sont les intellectuels.

Pendant longtemps, ces idéologues furent les prê-tres. A l'époque moderne, ils ont été remplacés par le discours d'apparence plus scientifique des économis-tes, savants et autres universitaires. Ce n'est pas un hasard si ces propagandistes sont tous plus ou moins employés par l'Etat, et si l'Etat contrôle plus ou moins directement tous les moyens d'expression et de communication. C'est pour empêcher une révolution libertaire!

Mais si l'on comprend que l'Etat veuille contrôler les intellectuels, pourquoi les intellectuels ont-ils besoin de l'Etat? « C'est qu'au fond de lui-même, estime Rothbard, tout intellectuel partage l'idéal platonicien du philosophe-roi. De plus, sur le marché de la consommation, les services fournis par les intellectuels ne sont pas tellement demandés; l'Etat leur garantit un minimum de débouchés! »

L'Etat peut être totalement privatisé

Tous les philosophes sont à peu près d'accord pour estimer que le fondement de la nature humaine est la liberté, affirme Rothbard, mais seuls les libertariens en tirent des conclusions cohérentes.

Qu'est-ce que la liberté, concrètement? « C'est le droit naturel, pour chaque individu, de disposer de lui-même et de ce qu'il a acquis par l'échange ou par le don : la propriété et la liberté sont donc indissociables. Toute atteinte à la propriété est une atteinte à la liberté. Les sociétés qui séparent la liberté et le droit de propriété privent l'homme des conditions d'exercice réel de ses droits. En vérité, ajoute Rothbard, il n'existe aucun droit réel qui puisse être distingué de la propriété.

– Et le droit à la parole?

– Le droit à la parole ne peut pas s'exercer si vous ne disposez pas d'une salle; il faut donc en être propriétaire ou souvent la louer au propriétaire.

Une société peut-elle *réellement* fonctionner sans Etat? Toute l'œuvre de Murray Rothbard est une réponse affirmative et concrète à cette question. Prenons des exemples parmi les plus extrêmes :

– Faut-il privatiser les rues?

– Oui! Des sociétés privées propriétaires des rues en feraient payer l'accès et auraient intérêt à en garantir la bonne tenue. Si toutes les voies publiques des grandes villes étaient privatisées, la sécurité serait mieux assurée.

– Comment l'économie de marché pourrait-elle se substituer à l'Etat pour assurer la police et rendre la justice?

Murray Rothbard s'oppose à la manière dont la question est posée :

– Police et justice ne sont pas des notions abstraites, mais se décomposent en une série de services précis que l'Etat rend plus ou moins bien. Les différents aspects d'un service de police pourraient fort bien être confiés à des entreprises privées qui auraient intérêt à satisfaire et respecter les clients. Dans une société libertaire, les services de police seraient très probablement rendus par les compagnies d'assurances; celles-ci auraient avantage à limiter le crime et le vol – plus que n'en a la police actuelle – et elles incluraient le coût de ce service dans la prime d'assurance. La concurrence entre sociétés d'assurances et de police contribuerait à l'amélioration générale de la sécurité!

– N'y aurait-il pas des conflits entre polices privées?

– Oui, mais moins violents que les conflits entre Etats. La société libertaire serait un peu désordonnée, mais moins dangereuse que le monde actuel, régulé par les gouvernements. De plus, dans une société libertaire, les compagnies privées auraient intérêt à limiter les conflits – mauvais pour les affaires –, alors que les Etats ont intérêt à prolonger les guerres, qui renforcent leur pouvoir et leur prestige.

– La justice peut-elle être aussi privatisée?

– Là encore, je rappelle que le système actuel de monopole étatique marche mal et ne satisfait personne. Le développement spontané de l'arbitrage privé démontre que les forces du marché ont commencé à réduire le champ de la justice d'Etat.

– Admettons! Mais comment une société libertarienne se défendra-t-elle contre une invasion étrangère?

– Tout d'abord, une société libertarienne ne menacera personne, ce qui réduit les risques de conflit. Si un conflit éclatait malgré tout, il appartiendrait aux consommateurs de financer leur protection. Là encore, la concurrence entre systèmes de défense privés améliorera la qualité. Et en cas d'invasion, une nation de propriétaires livrerait à l'ennemi une guérilla sans merci!

Au total, conclut Murray Rothbard, ce qui marche mal dans la société actuelle, c'est ce qui est public et qui n'appartient à personne.

Exemple : la pollution. C'est parce que l'air ou l'eau n'appartiennent à personne que chacun peut polluer sans conséquence. Si l'atmosphère était privatisée, ses propriétaires en préserveraient la propreté!

– Soit! Mais que deviennent les pauvres dans une société où toute liberté repose sur la propriété, une société où tout a un prix?

– Dans une société libertarienne, la croissance économique serait rapide, car l'Etat ne la freinerait plus par ses prélèvements et ses réglementations : il y aurait donc beaucoup moins de pauvres. Et la charité serait réhabilitée. Dans le système actuel, face à la misère, notre réaction est de dire : « Que l'Etat s'en occupe! » Dans la société libertaire, les sentiments de solidarité et d'entraide communautaire renaîtraient.

L'utopie de Rothbard paraît quelque peu délirante. Mais ne sous-estimons pas son influence : dans les sociétés libérales et socialistes où l'Etat est incontestablement en crise, cette doctrine du laisser-faire a fait récemment d'énormes progrès. Que l'on pense à la notion de prisons privées, en France et aux Etats-Unis! Une proposition impensable il y a peu, venue tout droit de von Mises et Rothbard.

Toutes les révolutions sont au départ libertaires

L'intransigeance et la cohérence de Rothbard lui ont valu le surnom de « Karl Marx de l'anarcho-capitalisme ». Le rapprochement ne lui déplaît pas, bien que Marx ait été « trop amateur de violence » à son gré, et « sans doute un peu fou »! Mais Rothbard est-il révolutionnaire?

« Je ne préconise pas la révolution en soi, mais les révolutions n'ont pas forcément de mauvais résultats : par exemple, la révolution américaine de 1776 ou la révolution française de 1848 ont fait progresser la liberté. »

Rothbard « constate » aussi que toutes les révolutions du XXᵉ siècle ont été au départ d'inspiration libertaire : contre l'Etat et pour la propriété privée. Les Russes en 1917 et les Chinois en 1949 étaient des paysans révoltés qui revendiquaient la propriété privée; ils ne demandaient ni l'égalité, ni le socialisme. Le résultat final de ces révolutions ne doit pas faire oublier quelle fut leur revendication initiale, et ce qu'elles révèlent de la nature de l'homme. Plus récemment, les « révoltes fiscales » aux Etats-Unis vont, selon Rothbard, dans le bon sens. Elles affaiblissent l'Etat, le privent de ressources. « Excellent symptôme » aussi que le scandale du Watergate : il a discrédité le pouvoir!

Mais, plus que sur la révolution – « impossible dans les démocraties occidentales » –, Rothbard mise sur les « contradictions internes » du système étatique : c'est Marx inversé...

L'Etat va disparaître sous l'effet
de ses contradictions

L'humanité, dit Rothbard, a rompu définitivement, à la fin du XIXᵉ siècle, avec l'« ordre ancien » de la pénurie et de l'esclavage. Depuis cette époque, nous sommes engagés dans une aspiration sans limites vers plus de liberté individuelle et plus de bien-être matériel. Or, seul l'Etat fait désormais obstacle à cette progression. C'est évident dans le monde socialiste, où l'on assiste à une « quasi-démission » des gouvernements face à l'économie et aux forces du marché. Cela devient clair aussi dans le monde capitaliste, où le dirigisme est en déroute. Partout les forces du marché l'emportent et font apparaître en pleine lumière le conflit entre l'Etat et l'aspiration au bien-être.

Les yeux de Rothbard pétillent de joie à l'évocation de ce Grand Soir inéluctable. Mais le processus, ne nous y trompons pas, sera long et difficile. L'Etat est habile à défendre ses intérêts; la « mafia » sait changer de stratégie et de discours quand il le faut. Dans les années cinquante, « les bureaucrates essayaient de voler le plus possible au nom de la planification centrale de l'économie ». Comme plus personne n'y croit, ils ont trouvé un argument de rechange : « la redistribution et la justice sociale ».

Autre changement de stratégie de l'Etat : « L'impôt sur le revenu est contesté? Qu'à cela ne tienne, l'Etat le diminue et le remplace par un autre impôt, plus discret et beaucoup plus productif, la T.V.A. »

Selon Rothbard, l'effondrement du système étatique ne fera place à une société libertaire que « dans la mesure où les libertariens se seront organisés pour dénoncer cette stratégie flexible de l'Etat et prendre le relais après sa chute ».

Pour Rothbard, tout compromis sur l'existence même de l'Etat est une incohérence. Il faut, me dit-il, refuser la notion même d'un « Etat minimum » qui pourrait être bienveillant. L'intérêt public, cela n'existe pas; tout, par nature, est privé, et rien n'est public. Il est inutile et contradictoire de réclamer une baisse des impôts alors qu'il faut les supprimer totalement. Au mieux, la stratégie libertaire consistera à s'accommoder d'une baisse provisoire, mais en continuant d'exiger leur suppression totale.

Dans ce combat, la droite conservatrice est, selon Rothbard, particulièrement incohérente : elle compte sur l'« Etat-voleur » pour s'arrêter spontanément de voler. Quant aux libéraux classiques, en Europe ou aux Etats-Unis, « ce sont des traîtres ». Le résultat de cette trahison, c'est le reaganisme : un discours antiétatique qui a abouti en fait à une augmentation des dépenses de l'Etat. La vraie pensée libertarienne doit donc s'incarner dans un parti pur et dur qui n'hésitera pas à pratiquer des purges et l'exclusion des « mous ». Ce parti existe aux Etats-Unis, Rothbard en est le théoricien. Ses résultats électoraux sont modestes : un député en Alaska, et un autre au Texas. Mais l'important est d'être présent aux élections et de se faire entendre.

Ces candidats libertariens bénéficient du soutien de certains milieux d'affaires, souvent des « *self-made millionaires* ». Le parti se présente en effet comme le seul véritable défenseur du capitalisme absolu. Les libertariens idéalisent les chefs d'entreprise. Leur auteur favori, vénéré même, est Ayn Rand : une romancière dont les héros sont des entrepreneurs « nietzschéens » affrontés aux forces bureaucratiques du Mal. Mais le parti libertarien n'est pas que capitaliste, il est aussi anarchiste. Murray Rothbard rallie autour de lui tous les amateurs de liberté absolue : partisans de la drogue en vente libre, objecteurs de conscience et marginaux de toute espèce. Dans la société libertarienne, chacun, rappelle-t-il, est propriétaire de lui-même et vit comme il l'entend : la drogue, le jeu, la prostitution sont donc des affaires purement personnelles. Naturellement, ajoute-t-il, rien ne peut s'opposer à l'immigration : la liberté de circuler doit être absolue et l'immigration régulée par le marché, pas par la police. « Je suis, me dit Murray Rothbard, l'allié objectif de certains gauchistes, pacifistes et écologistes contre la répression policière et contre le *big business* subordonné aux commandes de l'Etat. »

Las Vegas est-il une anticipation de la société libertarienne? Les machines à sous omniprésentes rappellent que chaque chose est réglée par l'argent. Dans les chapelles à mariage où la cérémonie est expédiée en cinq minutes, tout est à louer : le pasteur, la robe de la mariée, les fleurs en plastique, le sermon et la musique enregistrée. « Las Vegas n'est pas le symbole du bon goût, me concède Rothbard, mais c'est beaucoup mieux que Hiroshima. La philosophie du laisser-faire n'a jamais tué personne, et personne ne tue en son nom. »

*

Le lecteur aura compris de lui-même, après ces deux entretiens avec des économistes libéraux, qu'un abîme sépare les principes qu'ils défendent de la pratique politique qui se réclame parfois du libéralisme. Cet écart est dans l'ordre des choses, dans les démocraties, lorsque les intellectuels y sont libres de leur pensée et les élus prisonniers de leurs électeurs. Et il est tout à fait souhaitable qu'il en soit ainsi : la non-compromission des penseurs libéraux avec la politique active est une garantie de l'authenticité de leurs propositions et de leur influence.

Car celle-ci est considérable. Comme l'avait écrit Keynes, « tous les hommes politiques appliquent généralement sans le savoir les recommandations d'économistes souvent morts depuis longtemps et dont ils ignorent le nom ». Tel est le cas des théoriciens du libéralisme, dont l'influence n'est pas forcément plus forte sur les partis qui se réclament d'eux que sur les partis qui ne s'en réclament pas. Enfin, il me semble utile de préciser que, pour ma part et contrairement à Rothbard, je ne pense pas que la solution libérale doive conduire à la disparition de l'Etat et de la politique ; je souhaiterais seulement qu'elle contribue à rendre les Etats un peu plus respectables, prévisibles et honnêtes.

IX

UNE NOUVELLE RICHESSE
DES NATIONS

Trente ans après la décolonisation, les peuples du Tiers-Monde découvrent que l'indépendance politique ne conduit pas tout droit à la prospérité économique. Les Occidentaux constatent que l'aide n'est pas non plus la solution au sous-développement, surtout lorsqu'elle finance des régimes corrompus.

De quoi est victime le Tiers-Monde? De son histoire, de ses civilisations traditionnelles, d'une nature peu clémente, de l'impérialisme? Telles ont été les réponses constantes et les impasses de ces trente dernières années. Mais débattre du Tiers-Monde dans les mêmes termes que dans les années soixante, c'est ignorer que, depuis lors, toutes les expériences ont été tentées, tous les modèles économiques ont été mis en œuvre. Il est aujourd'hui possible d'en évaluer les résultats concrets.

Tous les peuples pauvres ne se sont pas appauvris. Certains même sont passés en une seule génération de la misère absolue au rang de nouveaux pays industriels : Taiwan, Corée du Sud, Thaïlande. Bien mieux, la famine a reculé en Asie et ne s'attarde en Afrique que dans les pays en guerre : il y a donc des solutions à la pauvreté de masse.

Le Tiers-Monde n'est pas la foule amorphe et désespérée que l'on nous donne trop souvent en spectacle. Après la libération politique des années soixante, s'ouvre enfin dans ces pays une ère de libération idéologique. Le discours socialisant recule pour céder le terrain à des solutions moins conformistes et plus productives. Celles-ci ne sont plus importées d'Occident, mais proposées désormais par des intellectuels du Tiers-Monde, enracinés dans leur culture nationale.

Octavio Paz à Mexico, Ashis Nandy à Delhi figurent au premier rang de ces penseurs de haute stature.

Pour Paz, le Tiers-Monde est malade d'avoir trop cultivé les idées fausses, en particulier d'avoir cru qu'il appartenait aux Etats de créer le développement, alors qu'il fallait s'en remettre à l'initiative individuelle des plus humbles.

Ashis Nandy estime que le Tiers-Monde devrait se débarrasser du mythe colonialiste du progrès pour y substituer un autre développement, autochtone, fondé sur la frugalité et le respect des traditions.

Sachons enfin que ce Tiers-Monde est quelquefois le lieu d'innovations spectaculaires, parmi les plus positives de notre temps. Ainsi, à Manille, le Dr Swaminathan va nous parler de la « révolution verte » qui, en quelques années, a fait échapper des millions d'Asiatiques à la famine.

OCTAVIO PAZ

La solution au sous-développement est la démocratie

Octavio Paz vit au milieu de livres innombrables, d'une profusion d'objets d'art africains ou indiens, de peintures abstraites, de plantes tropicales et de quelques petits chats. Nous sommes au cœur de Mexico, là où le Paseo de la Reforma croise l'Avenida de Los Insurgentes.

Paz fut longtemps un poète sans attaches, puis l'ambassadeur du Mexique en Inde, un exilé enfin, pour avoir rompu avec le gouvernement après que celui-ci – en 1968 – eut fait tirer sur une manifestation d'étudiants. Pour Paz, cet événement marqua un point de rupture définitif avec l'Etat, avec toutes les formes du despotisme et avec l'idée même de révolution.

Penseur le plus célèbre de l'Amérique latine, Octavio Paz, soixante-quatorze ans, est au Mexique une sorte de monument national, un intellectuel dissident, en résistance contre un régime autoritaire; seule sa notoriété le place au-dessus de toute atteinte. Il est le guide de tous ceux qui, du Rio Grande à la Patagonie, se réclament de la démocratie et de la liberté. Ces termes, galvaudés chez nous, désignent là-bas des aspirations politiques et économiques tout à fait concrètes.

Avant de le connaître, je croyais devoir rencontrer en Octavio Paz une sorte d'intellectuel révolutionnaire. Dans l'imagination des Européens, me dit-il, tous les intellectuels latino-américains se rangent par définition à gauche, du côté de Castro, contre les yankees, avec les sandinistes du Nicaragua et les paysans sans terre contre les gros propriétaires. « C'est sans doute à cause de l'influence de Gabriel Garcia Marquez. » Prix Nobel et ami de Fidel Castro, le romancier colombien, observe Paz, entretient cette imagerie d'une alliance totale des intellectuels sud-américains avec la Révolution.

Mais, depuis fort longtemps, tout cela ne correspond plus à la réalité. Paz lui-même fut pourtant bien révolutionnaire? « Oui, jusque dans les années soixante! » Mais il est désormais contre toutes les révolutions; il est hostile aux guérillas et il se réclame du libéralisme. « Mon retournement idéologique, dit-il, n'est pas un acte isolé. Voyez-y au contraire le signe d'un changement profond dans l'intelligentsia du continent. »

Paz a été suivi dans cette conversion par de très nombreux écrivains latino-américains, en particulier Mario Vargas Llosa au Pérou. Octavio Paz insiste : « Le libéralisme est la solution aux difficultés économiques et politiques du Mexique, de l'Amérique latine et du Tiers-Monde en général. » Mais que signifie le libéralisme pour des peuples dominés et misérables? « C'est, comme partout, me répond Paz, l'association de la démocratie politique avec la liberté économique. Il n'existe pas deux systèmes, l'un qui serait bon pour les riches et l'autre pour les pauvres; le socialisme a fait faillite dans le Tiers-Monde comme ailleurs. Le drame de l'Amérique latine, c'est que la plupart des intellectuels ne s'en sont pas encore rendu compte. »

Les grandes faiblesses du continent ne doivent être imputées ni aux dictateurs (les *caudillos*), ni à l'impérialisme des Etats-Unis, ni aux effets lointains des origines coloniales. Prenons garde, précise Paz, à ne pas réécrire l'histoire de la conquête et de la colonisation de manière anachronique, en projetant sur le passé nos critères d'analyse contemporains. Il faut se garder d'idéaliser le Mexique d'avant la conquête espagnole : « Dans cette histoire ancienne, qui était la victime et qui était le bourreau? Les Aztèques étaient eux-mêmes des envahisseurs venus du Nord; par leurs guerres et leurs sacrifices, ils ont versé en abondance le sang des peuples soumis. Cortés et ses cavaliers n'étaient pas des anges, mais le souverain aztèque Montezuma, qu'ils renversèrent, n'en était pas un non plus. Au total, être mexicain, me dit Paz, c'est assumer tous les passés de cette terre, se sentir l'héritier à la fois des victimes et des bourreaux! » La vraie maladie de l'Amérique latine, ce n'est donc pas l'héritage colonial, mais le retard de la réflexion politique, économique et sociale.

« Nos intellectuels sont le grand échec de l'Amérique latine. » Contrairement aux curés, qui ont su mexicaniser le christianisme, les intellectuels, me dit Paz, ont été incapables de mexicaniser la démocratie. Ils n'ont jamais réfléchi aux vrais problèmes de leur peuple, ils ont été « inférieurs à leur mission historique ».

Le gauchisme, maladie infantile
des intellectuels sud-américains

Mais pourquoi fallait-il qu'Octavio Paz lui-même, avant son ralliement au libéralisme, fût favorable à la Révolution? Y avait-il, dans son passage par l'extrême gauche, une sorte de nécessité historique?

« Dans les années trente, quand j'avais vingt ans, me répond Octavio Paz, personne n'était démocrate, ni en Europe, ni au Mexique. Les maîtres à penser de ma jeunesse s'appelaient Marx, Nietzsche, Ortega y Gasset. A l'image des intellectuels russes du XIXe siècle, ceux d'Amérique latine ne rêvaient que d'aller vers le peuple, de s'unir aux paysans et aux ouvriers. » Certains, comme Octavio Paz lui-même, s'engagèrent dans la guerre d'Espagne; d'autres devinrent membres des Jeunesses communistes; d'autres encore rejoignirent les fascistes. « L'apprentissage de la tolérance et de la démocratie fut d'autant plus difficile pour moi, ajoute Paz, que les poètes que j'admirais s'appelaient Ezra Pound, un sympathisant de Mussolini, et T.S. Eliot, qui était catholique et maurrassien. » Paz lisait bien Paul Valéry, mais celui-ci n'exhortait pas à l'engagement politique, bien au contraire. Après la Seconde Guerre mondiale, le magistère et l'influence passèrent à Jean-Paul Sartre, ce qui, me confie Paz, ne rendit pas plus claires les idées des Latino-Américains.

Mais le gauchisme des intellectuels latino-américains ne s'explique pas seulement par des influences littéraires. Selon Paz, il est dû bien davantage aux origines bourgeoises de ces élites et à leur éducation par les jésuites. Car ce ne sont pas les paysans et les ouvriers, précise-t-il, qui sont révolutionnaires sur ce continent. Ce sont les intellectuels qui ont trouvé dans la Révolution un succédané au catholicisme. De la Révolution ils attendent qu'elle leur apporte la fraternité, la finalité historique et la transcendance. Comme les prêtres, les intellectuels veulent devenir les porte-parole d'une pensée totale, parce qu'ils estiment que le Christ a été confisqué par des évêques réactionnaires. Une partie de l'Eglise, observe Octavio Paz, a tenté de se rattraper : « Alors qu'elle était alliée avec Franco pendant la guerre d'Espagne, la voici aujourd'hui avec les sandinistes au Nicaragua et les marxistes au Brésil. » Toujours du mauvais côté, en somme!

Une dernière cause, propre à la région, explique ce gauchisme : le voisinage des Etats-Unis. « Les Etats-Unis fascinent et rebutent les Sud-Américains : dans leur discours, ils vomissent les yankees, mais, dans leur vie quotidienne, ils les singent. » Comme, de surcroît, « les Etats-Unis sont masochistes », les intellectuels sud-américains sont en permanence invités par les universités du Nord pour y dénoncer l'impérialisme yankee. C'est, constate Paz, une « profession bien rémunérée ».

« Mais si je peux expliquer le gauchisme des intellectuels, ajoute Paz, je ne les acquitte pas pour autant. » Tout au long de l'histoire du XXe siècle, et pas seulement en Amérique latine, des écrivains, des philosophes, des poètes et des peintres se sont faits les complices des pires iniquités historiques. Certains se sont trompés avec « innocence » – comme Julio Cortazar –, d'autres avec cynisme, comme Gabriel Garcia Marquez. Mais « en aucun cas le génie ne doit excuser l'erreur ni autoriser l'alliance avec les bourreaux ».

L'indignation des Européens est sélective

Malheureusement, regrette Octavio Paz, parce qu'ils sont mal informés, les Européens tombent souvent dans les mêmes erreurs que les intellectuels révolutionnaires d'Amérique latine. Toujours prêts, depuis Paris ou Londres, à dénoncer les dictatures militaires, les soi-disant défenseurs des droits de l'homme ne comprennent pas que le vrai danger vient en réalité de Castro. Les caudillos traditionnels, observe Paz, qu'ils soient en civil ou en uniforme, font au moins semblant de respecter les apparences de la démocratie. Ils admettent le principe de la souveraineté populaire : même Pinochet s'est finalement cru obligé d'organiser des élections. Les dictateurs n'ont pas l'ambition de contrôler les pensées du peuple : « Ils sont autoritaires, mais ils ne sont pas totalitaires. » « D'ailleurs, ces dictateurs finissent par s'en aller; voyez le Brésil, l'Argentine et le Chili! » Mais le castrisme est d'une nature différente, plus diabolique. Castro prétend refaire l'homme, changer la nature humaine : « Le castrisme est totalitaire, les caudillos ne le sont pas. »

Aux beaux esprits défenseurs des droits de l'homme qui s'inquiètent pour les peuples de l'Amérique latine Paz demande donc de hiérarchiser leur indignation. Qu'ils manifestent d'abord contre Castro! Et qu'ils s'intéressent aussi au sort des Mexicains.

Depuis soixante ans, ceux-ci sont dominés par une gigantesque bureaucratie, l'une des plus répressives du continent : le Parti révolutionnaire institutionnel. Le P.R.I., dit Paz, est une sorte de « parti bolchevique héréditaire ». Il remporte depuis soixante ans toutes les élections dans une mascarade de démocratie, alors que les postes sont, en fait, transmis de père en fils. « J'attends depuis vingt ans, ajoute Paz, que des intellectuels européens signent des pétitions pour la démocratie au Mexique. » Paz reconnaît que le P.R.I. maintient la paix civile, mais le petit peuple mexicain ne cesse de s'appauvrir et les inégalités sociales de s'aggraver. « La pauvreté du Tiers-Monde n'a qu'une seule cause : les initiatives individuelles sont réprimées par l'Etat. »

Le suffrage universel a-t-il un sens pour de vastes peuples sans tradition électorale, sans éducation, sans classe moyenne? « Le démocratie, répond Paz, est une invention permanente; c'est elle qui éduquera le peuple. » Mais la libre entreprise ne sera-t-elle pas, comme au Brésil par exemple, ou comme souvent au Mexique, l'alibi de quelques monopoles puissants liés à des politiciens corrompus? Réponse de Paz : « Le rôle d'un gouvernement démocratique sera de lutter contre la corruption, contre les monopoles et de favoriser l'émergence d'une classe moyenne indépendante du pouvoir politique. »

Il faut savoir que des propositions de ce type, dans cette région du monde, auraient été impensables ou plutôt inexprimables il n'y a pas dix ans. Mais Octavio Paz n'est plus isolé. « Savez-vous, me dit-il, que Mario Varga Llosa a organisé l'an dernier, à Lima, une manifestation de cent mille personnes contre la nationalisation des banques? Le gouvernement socialiste a prétendu que c'était un rassemblement de bourgeois, mais il n'y a pas cent mille bourgeois dans tout le Pérou! » Vargas Llosa a démontré sur le terrain des faits que le petit peuple était favorable à la liberté d'entreprise, et que seuls les bureaucrates et les intellectuels étaient étatistes.

Mais peut-on vraiment se dire « libéral » sur ce continent où le terme a été si galvaudé, et souvent revendiqué par des despotes? Pinochet lui-même ne se réclamait-il pas du libéralisme? « Le destin de toute grande idée, me répond Paz, est d'être trahie! Marx a été trahi par les communistes, le Christ l'a souvent été par l'Eglise, et les libéraux sont parfois trahis par la bourgeoisie. » Mais « la croix et la grandeur » de l'intellectuel libéral, c'est, selon Paz, d'assumer ces contradictions et d'« édifier la société libérale tout en la critiquant ».

Tout mon effort aujourd'hui, me dit Octavio Paz, consiste à persuader les peuples d'Amérique latine qu'il n'y a pas « une solution latino-américaine » à leurs difficultés particulières, mais que les solutions à la pauvreté sont universelles; elles sont les mêmes dans toutes les civilisations.

Voilà encore une réflexion qui n'aurait pas été entendue, il y a dix ans, dans le Tiers-Monde : l'idéologie dominante exigeait alors des politiques « nationales » fondées sur le rôle exclusif de l'Etat.

« Vous voyez bien, me dit Paz, que le Mexique est désormais en Occident. Mais, en contrepartie, sachez que l'Occident n'est plus seulement en Europe. »

Le métissage, avenir de l'Occident?

Le Mexique fut indien, raconte Paz, puis les Indiens en disparurent presque totalement sous l'effet des maladies importées d'Europe. Arriva alors l'heure des métis. Rejetés à la fois par la société indienne traditionnelle et par les élites espagnoles, les métis n'eurent d'autre recours que de devenir soldats. Jusqu'au jour où l'armée s'empara du pouvoir. Les métis en vinrent alors à dominer la politique. Mais, en cette fin du XXe siècle, la situation se retourne à nouveau. Par le jeu de la démographie – la population du Mexique a doublé en trente ans, Mexico est la plus grande ville du monde –, le peuple mexicain est en cours de réindianisation. Purs descendants d'Espagnols, les créoles, comme Octavio Paz, sont en train de disparaître, et la peau des métis s'assombrit. « Ma race, me dit le poète, est en voie d'extinction. »

Ultime paradoxe de l'Histoire : ce peuple mexicain qui « recouvre son sang des origines » est totalement conquis par la culture occidentale. Le Mexique est en Occident, me dit Paz : il n'y a plus de civilisation indienne. « Les Blancs ont été absorbés par les Indiens, mais ceux-ci, à leur tour, ont été absorbés par la culture des Blancs. » Qui a gagné, quelle sorte de victoire et faut-il s'en inquiéter ?

« Toute culture naît du mélange, de la rencontre, des chocs. A l'inverse, c'est de l'isolement que meurent les civilisations, de l'obsession de leur pureté. Le drame des Aztèques, comme celui des Incas, est né de leur isolement total : impréparées à confronter d'autres normes que les leurs, les civilisations précolombiennes se sont volatilisées dès leur première rencontre avec l'étranger. »

Je me demande si le Mexique ne préfigurerait pas le destin de l'Occident tout entier. Octavio Paz se le demande aussi...

ASHIS NANDY

Les peuples du Tiers-Monde
ne croient plus
au développement

Ce qui vaut pour l'Amérique latine n'est pas vrai en Inde.

Aux antipodes d'Octavio Paz, Ashis Nandy ne croit pas un instant que son continent soit destiné à ce qu'il appelle une « banalisation » des modes de vie et de pensée. Certes, Ashis Nandy fait quelques concessions d'usage à l'Occident, à commencer par le thé qu'il sert, à cinq heures, dans son jardin quelque peu à l'abandon de New Delhi. Et la langue : comme tout intellectuel indien, il s'exprime et écrit en anglais. Son œuvre de psycho-sociologue a été publiée par Oxford, en particulier l'ouvrage qui l'a rendu célèbre en Inde et en Europe : *The Intimate Enemy*, une analyse des rapports entre colonisateur et colonisé en termes psychanalytiques. Mais l'anglais de Nandy est bien particulier, tel qu'il a été réinventé par les Indiens. Et il m'assure qu'il pense en bengali; là est sa véritable culture.

Ashis Nandy appartient à un véritable réseau d'intellectuels que je serais tenté de qualifier de tiers-mondistes ou de gauchistes. J'en ai retrouvé des membres aussi bien au Mexique, au Brésil qu'en Inde. Tous font partie d'une intelligentsia en marge des institutions, mais ils jouent un rôle d'autant plus déterminant dans la formation des idées de notre temps qu'ils dénoncent l'échec des politiques de développement. Et que cet échec est incontestable.

Ashis Nandy préfère se définir lui-même comme un « activiste social », à l'écoute des plus pauvres de l'Inde. Il est aussi l'organisateur de mouvements souterrains de résistance contre les forces de la modernisation : l'Etat, les bureaucrates, les entrepreneurs. Les critiques virulentes d'Ashis Nandy, écoutons-les, sont loin d'être sans fondement !

« La première vague de colonisation du Tiers-Monde, explique Nandy, a pris fin dans les années soixante avec l'accession à l'indépendance. Cette colonisation avait été menée par des commerçants rapaces et des missionnaires bien-pensants qui se targuaient de civiliser la planète. » Une première vague qui a disparu ! « Mais le colonialisme, enchaîne Nandy, est loin d'être vaincu ! En apparence, nos nations sont indépendantes, mais nos esprits, eux, restent asservis. » Car une seconde colonisation a commencé ; plus pernicieuse, elle s'est infiltrée dans les esprits des colonisés. « Avec la complicité de nos propres élites, elle tente de nous persuader qu'il n'existe qu'une seule voie vers le progrès : la voie occidentale. Ceux-là mêmes qui ont lutté contre la première colonisation ne mesurent pas à quel point ils ont intériorisé les normes de leurs ennemis : les politiques dites de développement, de modernisation, telles qu'elles sont engagées par les dirigeants du Tiers-Monde, ne font que détruire notre culture sans même y substituer la prospérité. »

« N'écrivez pas *ennemis* ! se reprend Nandy. Je ne suis pas l'ennemi de l'Occident, car je crois qu'il y a plusieurs Occidents, comme il y a plusieurs Orients et une multitude d'Indes... Le principal dommage causé par les colonisations – la première et la deuxième – est justement d'appauvrir à la fois les notions d'Occident et d'Orient, de les réduire à une relation colonisateur/colonisé. »

Les colonisateurs aussi sont victimes de la colonisation

« Pourquoi, demande Ashis Nandy, devrions-nous adopter les priorités et les hiérarchies de l'Occident? Vos succès au XXᵉ siècle sont-ils si éclatants? La Seconde Guerre mondiale, les génocides, la destruction de l'environnement, et, pour suivre, quoi encore? » Voilà, pour Nandy, les effets d'une civilisation « moderne » qui a privilégié l'individu sur la métaphysique, l'Histoire sur l'éternité, le progrès sur la tradition, les valeurs viriles sur la sensibilité.

« Avant l'aventure coloniale, les Occidentaux, explique-t-il, n'éprouvaient aucun sentiment de supériorité sur les civilisations orientales. » Les intellectuels français ou anglais du XVIIIᵉ siècle étaient plutôt fascinés par l'Inde ou la Chine. Si l'on remonte plus loin dans le temps, le Proche-Orient était considéré en Europe comme un conservatoire de la philosophie et de la sagesse antiques. Jusqu'au début du XIXᵉ siècle, les premiers colonisateurs de l'Asie étaient dans l'ensemble subjugués par les civilisations d'Orient; ils en adoptaient souvent les mœurs, plutôt qu'ils n'imposaient les leurs. Cette relation d'échange, selon Nandy, a basculé sous l'influence du positivisme et de la révolution industrielle. C'est alors que les Européens se sont crus investis d'une mission civilisatrice et qu'ils ont transformé leurs colonies en un laboratoire d'expérimentation de l'idée de progrès. Il a fallu, en conséquence, que les colonisateurs réorganisent chez eux la société occidentale pour légitimer leur mission.

Là est la thèse centrale de Nandy : « Puisque

l'Europe avait pour vocation de conquérir le monde, il était indispensable de valoriser dans la métropole – en France comme en Grande-Bretagne – la force militaire, l'esprit de conquête, la violence. Puisque les peuples colonisés étaient comme des enfants qu'il fallait éduquer, les Européens devaient absolument idéaliser chez eux l'autorité, la supériorité du maître. »

Le colonialisme a ainsi engendré une nouvelle race de héros : l'officier de retour des Indes, en fait une brute épaisse. Ce « machisme colonial », ajoute Nandy, allait certes s'exprimer dans les colonies, mais au moins autant dans le monde occidental. Les premières victimes en furent bien les colonisés, mais les secondes victimes en ont été, chez le colonisateur, les femmes, les enfants, les vieillards, bref, tous les faibles. Dès l'instant où le colonialisme exaltait le productivisme, tous les faibles. Dès l'instant où le colonialisme exaltait le productivisme, tous les improductifs de métropole devenaient haïssables.

Ashis Nandy ajoute que les guerres coloniales, exigeant une approbation patriotique sans faille, conduisirent à la militarisation et à un nationalisme agressif chez les colonisateurs. En privilégiant systématiquement les valeurs masculines chez les Européens, la colonisation, estime Nandy, a détruit toute la subtilité et toute la féminité occidentales au profit de la force nue. Les dégâts dans l'esprit européen ont donc été considérables. Beaucoup plus qu'en Inde, dit Nandy, car le petit peuple indien a, dans l'ensemble, traversé la première colonisation sans entrer en contact direct avec les colonisateurs. En revanche, les élites indiennes, et d'une manière générale celles du Tiers-Monde, en ont été directement affectées et le demeurent encore. Elles sont même, selon Nandy, les victimes les plus gravement atteintes par la deuxième colonisation.

Les dirigeants du Tiers-Monde
sont aliénés à l'Occident

Les élites du Tiers-Monde qui tiennent les plus violents discours anti-occidentaux se révèlent souvent les plus colonisées en esprit. Elles ont adopté le langage et l'éthique de leurs adversaires. La scolarisation, selon Ashis Nandy, est l'instrument privilégié de cette aliénation. Les enfants les plus brillants sont arrachés à leur milieu d'origine pour être endoctrinés dans des écoles organisées sur le modèle occidental. Quand ils en sortent, ils parlent la langue du colonisateur et ne peuvent plus communiquer avec leur propre peuple. C'est dans ces écoles qu'ils apprennent que leurs traditions sont autant d'obstacles à leur réussite individuelle.

Cette aliénation des élites conduit souvent à une véritable réécriture de leur propre civilisation. La plupart des dirigeants du Tiers-Monde, explique Nandy, en sont réduits à exalter le passé militaire de leur nation, à vanter les mérites de leur propre impérialisme régional, à expliquer que, chez eux aussi, existaient de puissantes dynasties ou des Etats totalitaires.

Les combats de la décolonisation ont encore renforcé ce processus en identifiant violence et militarisation à des vertus nationales. Dans le cas de l'Inde, toute une tradition intellectuelle s'est employée à réinventer un hindouisme dominé par les vertus guerrières, viriles des kshatriya, et a minoré l'ascétisme des brahmanes. De la même manière, les deux maîtres à penser du XIXe siècle indien, Swami Saraswati et Swami Vivekananda, ont voulu présenter l'hindouisme comme une religion organisée, à l'image des Églises chrétiennes, avec leurs prêtres, leurs missionnaires et leur livre saint. La célébration des Vedas, les textes sacrés de l'hindouisme, date de cette époque, mais elle n'est, selon Nandy, qu'une tentative absurde pour placer la religion populaire au même niveau que le christianisme.

Le développement, stade supérieur du colonialisme

L'indépendance a accéléré l'aliénation depuis que les gouvernements du Tiers-Monde ont voulu, à l'instar de leurs colonisateurs – et généralement avec leur aide –, créer des Etats puissants, des armées, des réflexes nationaux. Le culte de l'Etat-nation importé d'Occident, constate Ashis Nandy, a fait plus de victimes depuis l'indépendance que n'en ont jamais massacré les colonisateurs. Et les dégâts s'amplifient désormais au nom du développement.

« Si tous les Indiens savaient lire, me dit-il, il n'y aurait bientôt plus un arbre en Inde pour fournir de la pâte à papier. Mon exemple est modeste, mais illustre à lui seul l'impossibilité pratique, pour mon pays, d'entrer dans le modèle de développement occidental et de transformer chaque Indien en *Homo economicus*. » Pour Ashis Nandy, les politiques de développement du Tiers-Monde sont donc en quête d'une chimère. D'ailleurs, les résultats sont dans l'ensemble désastreux : déracinement des paysans, urbanisation sauvage, destruction de l'environnement, déculturation, violences sociales, injustice, misère.

Le seul succès de la « modernisation » aura été de créer des bureaucraties autoritaires, comme en Occident. Pour financer leurs nouveaux Etats, les élites du Tiers-Monde sont conduites à détruire toute volonté de résistance individuelle. Elles utilisent, selon Nandy, deux méthodes pour y parvenir : l'anéantissement de la démocratie et le mépris de la civilisation traditionnelle.

« Le développement à l'occidentale exige nécessairement un régime politique autoritaire : appelez cela " la loi de Nandy " ! » suggère-t-il. L'Inde avait une longue tradition de tolérance et de démocratie à la base, au niveau du village organisé en *panchayat*. Ces communautés villageoises ont été politiquement anéanties depuis l'indépendance. Elles ont été remplacées par l'exaltation nationaliste, avec son inévitable cortège de violences perpétrées contre les minorités; or, « chaque Indien est en soi une minorité ! ». Et comme les élites occidentalisées s'inquiètent des résistances populaires, elles en dénigrent les fondements culturels.

La presse indienne, explique Ashis Nandy, comme la plupart des journaux du Tiers-Monde, valorise ce qui est « moderne » et taxe de dégénéré tout ce qui est traditionnel. Exemple : les *satī*, ces suicides rituels des veuves indiennes sur le bûcher de leur mari. Vingt *satī* ont été recensés dans toute l'Inde sur ces dix dernières années, mais l'événement occupe toujours la « une » des journaux et suscite d'innombrables colloques et publications. En revanche, les meurtres quotidiens dus à la promiscuité dans les immeubles collectifs de Bombay ou Calcutta ne sont jamais relatés. Il faut faire croire à l'inhumanité de la civilisation ancienne pour mieux légitimer la modernisation ! Les journalistes ne sont pas même conscients de participer ainsi à la colonisation psychologique des Indiens.

Le Mahatma Gandhi montre la voie

Le réquisitoire d'Ashis Nandy ne débouche pas pour autant sur le discours révolutionnaire si répandu chez les intellectuels du Tiers-Monde. La Révolution, estime-t-il, est aussi une idée occidentale : Marx était en accord total avec les impérialistes de son temps lorsqu'il écrivait que les masses asiatiques devaient être arrachées à leur existence végétative et à leurs superstitions pour découvrir le progrès – « grâce à l'Angleterre, instrument inconscient de l'Histoire », selon l'expression de Marx...

Pour Ashis Nandy, le seul véritable décolonisateur fut le Mahatma Gandhi. Gandhi, précise-t-il, n'est pas spécifiquement indien, il est universel. La non-violence lui fut inspirée par le Sermon sur la montagne, comme il s'en est lui-même expliqué, et non par les textes sacrés de l'Inde. Autant qu'au colonisé, Gandhi s'adressait donc au colonisateur. C'est à ce dernier qu'il désirait révéler l'appauvrissement spirituel créé en lui par la colonisation. Selon le Mahatma, le colonisateur était devenu son propre prisonnier en se condamnant à exalter les fausses valeurs de la virilité et de la domination. A l'inverse, Gandhi célèbre la féminité, la maternité et les mythes. Avec lui, les faibles, les victimes, les enfants deviennent les héros de l'Histoire et les guerriers virils sont tournés en ridicule. Gandhi a délibérément choisi d'être l'anti-héros par excellence. Il refuse de se conformer à un modèle de résistant qui se devrait d'adopter les normes d'agressivité imposées par l'Occident.

Ashis Nandy illustre son propos en comparant deux attitudes historiques de refus du colonialisme : celle des Aztèques, qui moururent les armes à la main, et celle des brahmanes qui se soumirent, voire se convertirent. Les véritables héros, estime Nandy, ne sont pas les Aztèques qui emportèrent leur civilisation avec eux. Ce sont les Indiens passifs : « Ils n'en sont pas devenus moins indiens, et ils ont sauvé leur civilisation par leur apparente servilité. » Voilà pourquoi, au total, estime Ashis Nandy, le petit peuple « servile » du Tiers-Monde a mieux résisté à la deuxième colonisation que les élites qui s'évertuent à conquérir l'estime du colonisateur.

Ashis Nandy a attiré notre attention sur les impasses de la modernisation. Mais propose-t-il autre chose? L'erreur centrale des gouvernements du Tiers-Monde, me répond-il, est de confondre la puissance nationale avec le développement. Dans tous ces pays, le centre se renforce, tandis que la périphérie dépérit. Des peuples entiers entrent dans la misère, un état qu'ils n'avaient jamais connu auparavant, même du temps de la colonisation. Cette misère est la conséquence directe des politiques à l'occidentale qui détruisent l'agriculture et l'artisanat traditionnels, prolétarisent les paysans, suscitent fausses valeurs et faux espoirs. La modernisation est supposée profiter progressivement à tout le peuple par une sorte d'irrigation des richesses du centre vers la périphérie. « Mais dans combien de siècles? » demande Ashis Nandy. Combien de générations faudra-t-il sacrifier au nom d'un prétendu développement et au bénéfice de qui?

Un autre modèle est possible. Il consisterait à renoncer à la puissance nationale et à accepter la frugalité. Il exigerait de concentrer tous les moyens économiques non sur la création d'une industrie ou d'une armée, mais sur l'élimination de la pauvreté à la base. A la différence de la misère, la frugalité, estime Ashis Nandy, est parfaitement tolérable : elle est l'essence même de la civilisation indienne. Cette autre économie a été décrite par le Mahatma Gandhi sous le nom de *Swadeshi*.

Le *Swadeshi*, explique Nandy, n'est pas un système comme le capitalisme ou le socialisme, c'est un état d'esprit, une force intérieure. Celle-ci nous incite à contrôler nos désirs et à les restreindre à ce qui est accessible dans notre environnement immédiat. Les hommes ont ainsi vécu pendant des milliers d'années sans être nécessairement plus malheureux qu'ils ne le sont aujourd'hui. L'adepte du *Swadeshi* s'adresse donc en priorité à celui qui vit dans sa propre communauté, et non à un producteur lointain, même si le produit local est de moins bonne qualité ou plus cher. Mais l'adepte du *Swadeshi* ne doit pas, selon Gandhi, rejeter un produit étranger seulement parce qu'il est étranger : la préférence communautaire, l'économie conviviale n'ont rien d'une forme de xénophobie.

« Les colonisateurs de l'extérieur et de l'intérieur veulent nous faire sortir de cette société conviviale qu'ils qualifient d'infantilisme économique, technique ou social. » Mais le peuple en Inde, selon Nandy, ne croit plus au développement : « Nous autres, victimes du mythe du développement, nous n'acceptons pas la nécessité de l'Histoire, conclut-il; nous n'aspirons qu'à rester dans l'enfance. »

*

Sur cette conclusion, je me suis séparé de Nandy. L'Inde est un pays tout à fait étonnant. Nandy peut expliquer que la démocratie y est bafouée, mais ses propos n'en sont pas moins reproduits dans la presse. Le Center for developing societies *qui l'héberge est financé par le gouvernement. Comme il le déclare lui-même : « Le coût de la dissidence en Inde n'est pas très élevé. » Mais cela ne doit pas nous conduire pour autant à nous débarrasser à la légère de ses propos.*

Je serais en particulier tenté de partager sa critique du comportement des élites du Tiers-Monde, des effets pervers de l'aide d'Etat à Etat, des torts considérables infligés aux peuples au nom du progrès. Le spectacle de la rue à Delhi suffirait à lui seul à légitimer l'agressivité de Nandy. Le mélange extrême de la détresse humaine et de la prospérité voyante des nouveaux riches est la conséquence évidente d'une modernisation qui profite avant tout à la clientèle du pouvoir politique.

Mais la critique du modèle de développement centralisé tel qu'il a été jusqu'ici suivi par des nations comme l'Inde ne signifie pas obligatoirement – me semble-t-il – que tout développement est haïssable et impossible, ni que les peuples pauvres, au fond d'eux-mêmes, refuseraient le changement.

Swaminathan, que nous allons rencontrer à Manille, lui aussi d'origine indienne, rejoint l'essentiel des réticences de Nandy. Mais il propose une autre réponse, fondée sur un certain optimisme technique et sur les vertus de l'initiative individuelle. A condition que les Etats les laissent se manifester. Contre le mal-développement, et plutôt que le non-développement, Swaminathan estime, sur la base de son expérience, qu'il existe un bon développement capable, en particulier, d'éliminer les risques de famine.

M. S. SWAMINATHAN

La carte de la famine coïncide avec celle des idéologies fausses

De grands succès économiques ont été remportés dans le Tiers-Monde au cours de ces vingt dernières années avec des techniques « occidentales ». Des succès mal connus, mais qui démontrent pourtant que le sous-développement n'est pas fatal et que la famine, en particulier, n'est pas inévitable. Elle a d'ailleurs été pratiquement vaincue en Inde même, pays qui en fut longtemps le symbole. Cette victoire a été acquise grâce à la rencontre exceptionnelle d'une bonne politique, celle d'Indira Gandhi, et de quelques savants, notamment le Dr Swaminathan. Cet agronome discret a contribué à sauver plus de vies humaines que n'importe qui d'autre sur la planète. Si le grand public ignore son nom, c'est bien que la renommée n'a pas grand-chose à voir avec les services rendus à l'humanité.

Qui se souvient qu'un autre agronome – américain, celui-là –, Norman Borlaug, reçut le Prix Nobel de la paix en 1970? Pratiquement personne. Et pourtant, Borlaug fut celui qui mit au point au Mexique les semences « miraculeuses » et les techniques agricoles dont Swaminathan s'est servi en Inde. C'est la collaboration entre ces deux hommes, entre Mexico et Delhi, qui a donné naissance à ce que l'on a appelé la « révolution verte » dans l'Asie des moussons.

C'est l'histoire de cette révolution heureuse que va nous raconter Swaminathan. Je l'ai retrouvé à Los Banos, aux Philippines, où il dirige l'Institut international de recherche sur le riz, le plus important laboratoire de recherche sur l'agriculture dans le Tiers-Monde [1].

La « révolution verte »

En 1967, me rappelle Swaminathan – ce n'est pas si ancien! – l'Inde s'appelait encore le « continent de la famine ». Cette année-là, plusieurs centaines de milliers d'enfants et de vieillards périrent de faim dans l'Etat du Bihar, au nord-est du pays. Les Etats-Unis acheminèrent des secours, mais lentement : le président Johnson essayait de troquer ses bateaux de blé contre un ralliement de l'Inde à sa politique vietnamienne. C'est alors qu'Indira Gandhi décida qu'il n'y aurait plus jamais de famine en Inde. Ordre en fut donné à Swaminathan!

Celui-ci était, à l'époque, l'agronome responsable de la recherche agricole indienne. « Indira Gandhi exigea que je constitue, en cinq ans, un stock de céréales de dix millions de tonnes. J'ai bredouillé : " Pourquoi dix millions? " Parce que telle était exactement la quantité que le Premier ministre avait dû quémander auprès des Américains. »

Ce jour-là, Swaminathan ne le savait pas encore, la « révolution verte » avait commencé. Vingt-deux ans après cet entretien historique, l'Inde dispose d'un stock de céréales non pas de dix, mais de cinquante

1. Swaminathan a pris sa retraite en 1989; il se consacre désormais à la défense de l'environnement et à diffuser les méthodes de la « révolution verte » dans son pays d'origine, la région de Madras, au sud de l'Inde.

millions de tonnes, l'équivalent de celui de la Communauté européenne. En 1987, ce stock a permis d'affronter une sécheresse qui, en d'autres temps, aurait de nouveau dévasté le pays.

Honoré dans toute l'Asie des moussons, Swaminathan y est surnommé le « père de la révolution verte ». Un père d'une grande modestie : « Je n'ai été, me dit-il, que l'organisateur de la victoire. » En fait, depuis la fin des années soixante, il était techniquement possible de sortir de la famine, grâce à la mise au point de nouvelles semences de riz et de blé à haut rendement. Ces « graines miraculeuses » avaient été sélectionnées pour le blé (le Sonora 63) et le maïs dans un centre de recherches proche de Mexico, le Cimmyt, dirigé par Norman Borlaug. Il ne restait plus qu'à passer du laboratoire aux champs. Une recherche équivalente avait abouti, à l'Institut international de recherches sur le riz, à la sélection de l'I.R. 36. Ce riz, qui n'existait pas en 1966, est ensemencé aujourd'hui sur douze millions d'hectares en Asie, dont les deux tiers en Inde.

L'I.R. 36, explique Swaminathan, est né par croisements, dans un tube à essais, d'espèces sauvages recueillies dans la nature. Il a toutes les vertus que peut en attendre un paysan d'Asie : croissance rapide, tige courte, épi lourde, résistance aux maladies et aux intempéries. C'est l'I.R. 36 qui a triplé les rendements, révolutionné les agricultures indienne, pakistanaise, indonésienne ou philippine. C'est grâce à l'I.R. 36 que les besoins en riz sont globalement satisfaits dans le monde et que la production a suivi sans peine la croissance de la population.

La « révolution verte » a donc démenti tous les sombres pronostics des démographes : Swaminathan me fait observer que l'Inde de 1988 produit davantage de riz par habitant qu'en 1966, alors qu'elle compte cent millions d'habitants de plus. L'explosion démographique en Asie n'a pas conduit à la famine, c'est même le contraire qui s'est produit!

*Le meilleur remède contre la faim,
c'est la propriété privée*

Mais, pour faire la « révolution verte », il ne suffit pas de planter une graine miraculeuse. Il faut aussi, explique Swaminathan, que le paysan du Tiers-Monde soit motivé, qu'il ait un intérêt personnel à changer de technique agricole. L'I.R. 36, comme le blé Sonora 63 du Mexique, exige beaucoup plus d'eau et d'engrais que les semences traditionnelles. Pour augmenter sa production, le paysan indien doit donc prendre des risques financiers. Il ne s'y résoudra que s'il peut en tirer un profit supplémentaire. L'expérience indienne, ajoute Swaminathan, a démontré que le paysan du Tiers-Monde, même s'il ne sait pas lire, sait parfaitement compter. Le paysan pauvre est rationnel : il n'investit dans les techniques nouvelles que s'il est propriétaire de son exploitation et s'il peut en revendre le surplus à un prix avantageux.

La « révolution verte » n'a donc réussi que là où les conditions politiques et économiques accordées aux agriculteurs ont permis une juste rémunération de leurs efforts. Tel a été le cas au Bengale, ou au Tamil Nadu, régions de petits propriétaires et de terres irriguées. Mais pas au Bihar, occupé par de vastes exploitations à l'abandon et contrôlé par des propriétaires absents. De la même manière, note Swaminathan, en Chine populaire, les semences nouvelles ne se sont popularisées qu'à partir du moment où la terre a été restituée aux familles paysannes. La première condition pour échapper à la famine, c'est donc le respect de la petite propriété privée.

Le Tiers-Monde est victime des slogans
et de la charité mal ordonnée

Les discours sur la faim dans le Tiers-Monde sont généralement biaisés par deux idées fausses, dit Swaminathan. La première consiste à parler encore de la famine comme si la « révolution verte » ne s'était pas produite. Or, il n'y a pratiquement plus aujourd'hui de famine massive au sens traditionnel. La principale cause de la faim, c'est la violence. Les seules famines véritables affectent des régions en guerre, comme l'Ethiopie, le Soudan ou le Mozambique. L'autre idée fausse est de croire que les ressources agricoles étant globalement équivalentes aux besoins alimentaires, tout va bien dans le meilleur des Tiers-Mondes possible.

En réalité, deux cents millions d'Indiens sans terre, dix millions de Philippins n'ont pas les moyens, aujourd'hui, d'acheter la nourriture produite par la paysannerie locale, qu'il faut bien rémunérer. La conséquence de cette pauvreté de masse n'est pas la famine proprement dite, mais malnutrition, avec son cortège de déchéances physiques et mentales. Il est donc absurde de considérer que tout a été réglé par la « révolution verte », et tout aussi absurde de ressasser des slogans « contre la faim dans le monde ». Ces slogans sont dépassés depuis vingt ans et ils ne font que masquer les besoins réels : le Tiers-Monde ne souffre pas de la faim, mais de la pauvreté, ce qui n'est pas la même chose et n'appelle pas les mêmes solutions.

Il est donc particulièrement inutile, selon Swaminathan, d'acheminer des dons alimentaires vers le Tiers-Monde, sauf de manière exceptionnelle, en cas de catastrophe ou de guerre. On voit bien, ajoute-t-il, comment la livraison régulière de leurs surplus peut soulager la mauvaise conscience des Européens, mais on voit moins bien en quoi elle répond à l'attente des destinataires. Bien pis, ces surplus font généralement chuter les prix dans les pays d'accueil, ce qui ruine la paysannerie locale et fait diminuer la production alimentaire. C'est seulement la création d'emplois rémunérateurs sur place, et non pas une charité à contretemps, qui fera reculer pour de bon la pauvreté et permettra aux peuples du Tiers-Monde d'acquérir une alimentation convenable.

Le développement est une affaire de femmes

« Pendant la révolution verte, confesse Swaminathan, j'ai commis une grande erreur stratégique : comme tous les experts et les agronomes, j'ai considéré, sans trop y réfléchir, que les fermiers du Tiers-Monde étaient tous des hommes. Les efforts d'amélioration de l'agriculture ne se sont donc adressés qu'à eux. Or, les deux tiers de l'alimentation vivrière des pays pauvres sont produits par des femmes; c'est à elles qu'auraient dû être destinés par priorité les programmes de développement. De plus, en Inde ou aux Philippines, les hommes gaspillent le produit des récoltes dans l'alcool ou les fêtes, tandis que les femmes l'affectent d'abord à l'éducation et à la nutrition des enfants. La misère des enfants – le drame le plus poignant du Tiers-Monde – ne peut donc être soulagée que par la création d'activités féminines génératrices d'un revenu qui leur soit propre. C'est également en développant l'autonomie économique des femmes que celles-ci réduiront volontairement le nombre de leurs enfants. La réduction autoritaire des naissances, affirme Swaminathan, ne permet pas d'augmenter les ressources alimentaires. En revanche, le développement agricole peut effectivement conduire à une baisse de la natalité. »

Dans le même sens, Swaminathan m'explique que l'alphabétisation n'est pas la condition préalable au développement, mais qu'elle sera plutôt sa conséquence. Au total, un peuple n'entre jamais dans la voie du développement parce que des experts internationaux le contraignent à réduire les naissances et à éduquer les enfants. C'est en s'enrichissant que les paysannes d'Asie ou d'Afrique choisiront librement, par la suite, d'avoir moins d'enfants et de mieux les éduquer. C'est ce qui s'est produit dans les régions du Tiers-Monde qui, depuis trente ans, ont échappé au sous-développement : Pendjab, Corée, Taiwan, Thaïlande. Ces conclusions d'un homme de terrain comme Swaminathan contredisent toutes les idées reçues des experts en chambre.

La famine n'est pas naturelle, elle est politique

La carte de la famine, observe Swaminathan, coïncide exactement avec la diffusion des fausses idéologies. Bien des nations dont l'agriculture fut jadis prospère ont organisé elles-mêmes des politiques suicidaires. Exemples? Le Ghana a détruit tous ses centres de recherche agronomique sous prétexte qu'ils étaient hérités de la colonisation; il a ensuite remplacé les petites fermes traditionnelles par des exploitations géantes inspirées du modèle soviétique. Le Nigeria a sacrifié son agriculture à l'exploitation du pétrole. La Tanzanie, fascinée par le maoïsme, s'est affamée toute seule en regroupant de force les paysans dans des villages collectifs.

A l'inverse, c'est parce que l'Inde ou la Côte-d'Ivoire sont relativement démocratiques que les agriculteurs y ont obtenu une plus juste rémunération de leur production et le respect de la propriété privée. Au bout du compte, « la meilleure défense contre la famine est la liberté d'expression ». Quand la presse est bâillonnée, estime Swaminathan, les famines passent inaperçues et les dirigeants politiques peuvent se consacrer aux dépenses de prestige et d'armement. Autant que la propriété privée, c'est la liberté politique qui conditionne la lutte contre la faim.

Ne croyons pas pour autant, tempère Swaminathan, que la démocratie suffise à prémunir le Tiers-Monde contre la famine; elle conduit aussi les hommes politiques à préconiser des solutions à trop court terme. Celles-ci menacent aujourd'hui l'environnement. En Inde, la déforestation provoque des érosions et des inondations d'une violence sans précédent. D'ici vingt-cinq ans, la terre, qui paraissait jusqu'ici inépuisable, risque de manquer. D'où une renaissance de la famine. Au Sahel, Swaminathan estime urgent de stopper immédiatement toute activité agricole, afin de reconstituer une couverture végétale; dans l'intervalle, l'aide occidentale devrait permettre aux paysans africains de planter des arbres.

La « révolution verte » a donc transformé le débat sur la faim, mais elle débouche sur de nouvelles incertitudes, d'ordre écologique. C'est d'ailleurs à la protection de l'environnement plus qu'à l'augmentation de la production que Swaminathan consacre désormais ses activités et ses recherches.

Mais est-il bien nécessaire de poursuivre les recherches? Le décalage ne cesse de s'aggraver entre ce que l'on connaît sur le riz à l'I.R.R.I., ou sur le blé au Cimmyt, et le pauvre usage qui en est fait sur le terrain. Faut-il améliorer encore ces semences miraculeuses puisque la plupart de ces découvertes resteront ignorées ou inemployées par des gouvernements incompétents et des experts idéologues ou ignares?

En guise de réponse, Swaminathan me conduit à

l'intérieur d'un vaste blockhaus de béton où règne une température polaire. Ici sont entreposés, sur des rayonnages métalliques, quatre-vingt mille germes de riz, l'ensemble des variétés connues et recensées de par le monde : l'I.R.R.I., m'explique-t-il, conserve dans ce lieu la mémoire de toute l'agriculture d'Asie depuis le néolithique. Sur l'une des étagères, Swaminathan prélève à mon intention une petite boîte métallique marquée « Cambodge ». C'est à partir des quelques germes qu'elle contient que les rizières saccagées par les Khmers rouges ont pu être reconstituées. Dans le Tiers-Monde hanté par les utopies meurtrières, le Dr Swaminathan, d'une sérénité tout indienne, a choisi d'être le gardien de la Raison. Pour le cas où l'on ferait appel à ses services...

X

LE RETOUR
DE L'HOMME RELIGIEUX

On connaît la prophétie d'André Malraux : « Le XXIᵉ siècle sera mystique ou ne sera pas. » Que nous en soyons satisfaits ou non, cette prophétie semble se réaliser sous notre regard incrédule avant même que le présent siècle ne s'achève.

Certes, en apparence, les églises se vident en Europe. Mais pas aux Etats-Unis, où elles ont plutôt tendance à se remplir, en particulier sous l'influence de nouvelles formes d'évangélisme électronique et de pré-dications-spectacles. Elles se remplissent aussi en Amérique latine, devenue le cœur battant de la Chré-tienté. Et nous sommes bien obligés de reconnaître que l'islam enflamme un tiers de la planète, du Sénégal jusqu'à l'Indonésie.

Par paresse intellectuelle, nous sommes souvent tentés de disqualifier tous ces mouvements sous le terme générique d'intégrisme. En réalité, nous appe-lons intégriste ce qui nous échappe dans le renouveau des religions, ce que nous ne voulons pas voir ou pas savoir. Et, pour faire bon poids, nous incluons dans cette catégorie aussi bien les « nouveaux chrétiens » des Etats-Unis, les nostalgiques de la messe en latin, les sikhs, les ayatollahs et les talmudistes de Jérusa-lem.

Mais le mot n'explique rien, il ne peut tenir lieu

d'analyse; nous ne pouvons continuer à considérer comme marginale une passion qui mobilise des centaines de millions d'individus de par le monde. J'ajoute que ce que nous appelons aujourd'hui « intégrisme » aurait été considéré il y a un siècle ou deux comme une intransigeance religieuse tout à fait normale.

Ce regain du sentiment religieux, nous ne pouvons l'expliquer par la pauvreté ou l'ignorance : le rapprochement des deux Amériques, du Nord et du Sud, en témoigne. Nous devons donc faire la part du prophétisme. Celui-ci ne s'est pas trouvé affaibli par les sciences, comme l'avaient prédit à tort les positivistes. Bien au contraire, il se nourrit de la modernité.

Ce nouveau prophétisme surgit, comme il se doit, en marge des institutions. Ainsi, à Paris, Claude Tresmontant, intellectuel isolé, « démontre » que l'athéisme est devenu impossible. Ainsi, en Californie, René Girard annonce l'inéluctable triomphe de la révélation chrétienne. Et souvenons-nous qu'à Pékin, Zhao Fusan nous a déclaré que l'histoire du christianisme en Chine ne faisait que commencer.

RENÉ GIRARD

La Révélation est en marche
de toute façon

Après René Girard, il n'est plus possible de penser la civilisation occidentale comme avant. Il me semble qu'en d'autres temps Girard aurait été un grand prédicateur : il en a le verbe et la flamme. A moins qu'on ne l'eût brûlé comme hérétique, toutes ses positions étant en marge de celles de l'Eglise institutionnelle. Mais nous sommes au xxᵉ siècle, et je retrouve ce même Girard professeur de littérature dans une université de Californie.

Ancien élève de l'Ecole des Chartes à Paris, il ne s'imaginait pas, me dit-il, passant le reste de ses jours à classer des archives départementales. Trente ans après s'être exilé, notre homme semble avoir bien résisté à l'américanisation : si loin de ses racines avignonnaises, il a conservé l'allure solide et l'intonation d'un paysan provençal. Girard, en vérité, est si français que c'est à lui, en tout premier lieu, que j'avais pensé en me demandant quel Français pourrait le mieux figurer parmi les vrais penseurs de ce temps.

Ce n'est pas tant son allure ou son accent qui m'en ont persuadé : plutôt son dessein et sa méthode, ce que les connaisseurs appellent le « système Girard ». Sa très haute ambition est de nous révéler les origines de toute civilisation, en particulier de la civilisation occidentale. Sa méthode : une remarquable économie de moyens, la lecture. Girard fait donc de l'analyse de textes, comme n'importe quel professeur de lycée, mais il a repoussé les frontières du genre jusqu'à leur extrême limite. C'est ainsi qu'il estime avoir découvert – littéralement – ce qu'il appelle lui-même « des choses cachées depuis la fondation du monde ». Elles ne sont cachées, me dit René Girard, que dans la mesure où nous refusons de les voir.

Ce que Girard nous révèle? Essentiellement trois secrets : la violence est le fondement de toute société; le rite religieux est le fondement de toute culture; la Révélation chrétienne a radicalement bousculé ces fondements en substituant l'amour à la violence.

Avant d'entrer dans le « système Girard », quelques notations encore sur l'homme et son cadre de vie. Pourquoi avoir choisi Stanford et la Californie? C'est que les universités américaines sont l'équivalent de nos monastères du Moyen Age, ou de ce que fut autrefois notre Sorbonne. L'architecture de Stanford est un pastiche de cette vieille Europe monastique : le département de littérature où enseigne René Girard est logé dans un faux cloître bâti au début du siècle, adossé à une chapelle pseudo-italienne de la même époque. L'éloignement de Paris permet ici de se consacrer entièrement à la réflexion et à l'écriture, sans baigner dans l'atmosphère superficielle de l'intelligentsia parisienne, que Girard déteste, et sans être soumis à la pression de son éditeur – « il me faut, dit Girard, dix ans pour écrire un livre ».

Mais ne croyons pas que tout, à Stanford, ne soit que recueillement. Au cours de nos déambulations bavardes sur le campus, j'observe que Girard évite, par de savants détours, de croiser des groupes d'étudiants dépenaillés, plus amateurs de sensations fortes – rock et marijuana – que d'études de textes. Girard s'indigne de l'incroyable complaisance des universi-

taires américains envers cette jeunesse barbare.
« Mes collègues, ajoute-t-il, n'ont pas l'esprit de
résistance; ils veulent être en accord avec la
foule... »

La violence est fondée sur le désir mimétique

« Imaginons, dit René Girard, que nous autres
Occidentaux soyons une tribu d'Amazonie et que
nous soyons découverts par des ethnologues. Comment nous verraient-ils? » Ils examineraient nos
symboles et nos textes à la manière dont un Lévi-
Strauss a observé les Indiens du Brésil. Or, les
méthodes ethnologiques qui valent pour les autres
peuvent, selon Girard, parfaitement s'appliquer à
nous-mêmes. « Je refuse, me dit-il avec véhémence,
l'argument de Lévi-Strauss selon lequel on ne peut
bien voir que du dehors. » Girard nous regarde donc
du dedans, à partir de l'archéologie de nos écrits; il y
incorpore aussi bien Proust, Flaubert, Freud et
Shakespeare que les Evangiles et toute la littérature
ethnographique.

La première grande « découverte » de Girard –
révélée en 1961 dans *Mensonge romantique et Vérité
romanesque* – c'est qu'au commencement de toute
société, il y a la violence; mais pas l'agression
barbare et anonyme! Notre violence est fondée sur
ce qu'il appelle le *désir mimétique*, l'imitation : nous
ne désirons que ce que l'autre désire. Dans *A la
recherche du temps perdu*, m'explique Girard, le jeune
Marcel Proust avoue ne vouloir devenir écrivain que
par imitation du héros, Bergotte; tous les personnages du livre sont des snobs, c'est-à-dire des imita-
teurs. Dans le roman de Cervantès, c'est par imitation du héros romanesque Amadis des Gaules que
Don Quichotte se fait chevalier. Chez Freud, c'est le
père qui désigne au fils sa mère et le conduit au

complexe d'Œdipe. Plus près de nous, dans la société de consommation, ce sont nos voisins qui désignent l'objet que, par imitation, nous allons désirer. Une fois repéré ce désir mimétique, Girard est capable de le déceler dans n'importe quel texte significatif : la clé ouvre toutes les serrures.

Mais le désir mimétique conduit à la violence et menace de détruire le groupe, la société. Exemple : la tragédie grecque. Pâris provoque la guerre de Troie parce qu'il désire Hélène, promise à Ménélas. D'Euripide à Shakespeare, jusqu'au théâtre de boulevard, le « triangle mimétique » mine l'ordre social. Pourquoi? Parce qu'il dissout les différences. Or, l'ordre social est fondé sur la différence : chacun, dans la société, tient un rôle, une place. L'imitation vise à créer l'« indifférenciation ». Et c'est quand les rôles sont bouleversés qu'apparaît la *crise*.

A l'évidence, souligne Girard, la société moderne vit une crise d'indifférence généralisée : fin de la différence entre les peuples, les classes, les rôles, les sexes!

Girard serait-il réactionnaire? « Je ne me situe pas, répond-il, sur le plan de la politique. Je constate le progrès de l'indifférenciation; je constate aussi que la société moderne est capable de supporter, sans crise, un degré d'indifférenciation supérieur aux sociétés traditionnelles. Enfin, je constate que la société moderne est bien en crise. »

La question fondamentale qui se pose donc à toute société est de canaliser le désir mimétique et la violence qu'il entraîne. Comment? « En faisant dévier cette violence sur un innocent : le bouc émissaire. » C'est, me dit Girard, le sacrifice du bouc émissaire qui va arrêter la crise.

Le sacrifice du bouc émissaire
fonde l'ordre social

A peu près toutes les tragédies grecques, rappelle Girard, s'achèvent par le sacrifice d'une victime; l'ordre de la Cité, qui avait été troublé par la crise mimétique, est rétabli par le sacrifice. « Tout cela est évident, il suffit de lire les textes. » C'est par la désignation de cette victime, le bouc émissaire, que se refait l'unité du groupe et que la crise est évacuée. Mais, insiste Girard, le plus important est le mode de désignation de la victime. Le groupe qui se livre au « lynchage originel » doit ignorer que la victime est innocente; il faut que le groupe la croie coupable, et désignée de manière divine.

Dans de nombreuses sociétés primitives, raconte Girard, la victime est choisie au terme d'un jeu de hasard. Dans les textes de l'Antiquité grecque, elle porte des signes : elle est boiteuse ou borgne, ou rousse ou trop blonde, ou trop intelligente. Bref, le bouc émissaire s'autodésigne par le fait qu'il est différent.

Une fois le bouc émissaire exécuté, l'unité du groupe se ressoude, la crise a été évacuée, canalisée vers un tiers. Ce lynchage originel est, selon Girard, le fondement de toute société. L'acte fondateur de la société humaine ne serait donc pas, comme le supposait Jean-Jacques Rousseau, le « contrat social », ni, comme le proposait Freud, le meurtre du père par le fils. Shakespeare, me dit Girard, a mieux compris cela que les philosophes ou les sociologues : ce n'est pas un hasard si sa tragédie *Jules César* commence par l'assassinat du dictateur.

Mais le sacrifice initial ne relève pas seulement de la littérature; il a vraiment eu lieu. « Si l'archéologie le permettait, précise Girard, on retrouverait, au cœur de toute ville, le lieu de ce premier sacrifice et le nom de la victime. » Dans la suite des temps, ce premier sacrifice va être ritualisé, et son origine sera dissimulée : c'est le secret des prêtres. Et le but des religions est de répéter à l'infini l'acte fondateur, de manière à préserver l'unité sociale. Nos mythes ne sont donc pas, comme le prétendent beaucoup d'ethnologues, la transcription de besoins naturels, mais la trace d'événements qui se sont véritablement produits.

Dans le cas où la société serait perturbée par une crise nouvelle, il ne sera pas inutile, ajoute Girard, de rééditer le lynchage, de revivifier le sacrifice. Un auteur du XIVe siècle, Guillaume de Machaut, raconte comment, la Grande Peste noire ayant profondément troublé l'ordre du temps, de nombreux Juifs furent alors brûlés; la peste cessa et la société reprit son cours. Dans cet épisode, explique Girard, un peuple entier – les Juifs – a joué le rôle de bouc émissaire.

Toutes les institutions sont d'origine religieuse

Toute civilisation, me dit Girard, est au départ une religion. Toutes les institutions sont d'origine religieuse et conservent des traces de ces origines sacrificielles. Prenez l'enseignement : son objet est-il de transmettre les connaissances? ou n'est-il pas plutôt de pratiquer des rites initiatiques, d'exclure, de fabriquer des victimes? Prenez le pouvoir politique. On croit généralement – c'est la thèse de Voltaire – que les monarques, profitant de leur autorité, se sont, au fil de l'Histoire, arrogé des pouvoirs religieux. C'est le contraire! Le monarque n'est pas celui qui officie; il est la victime en sursis que le peuple se réserve de sacrifier. Exemple : Louis XVI, Marie-Antoinette, boucs émissaires types, dont le sacrifice est destiné à refaire l'unité nationale. Jusqu'à Louis XVI, tous ses prédécesseurs n'auraient donc été que des victimes en sursis? L'imagination de Girard serait-elle débordante? « Pas du tout : mille documents anthropologiques sur les civilisations primitives montrent clairement l'identification du monarque et de la victime; il suffit de les lire. »

L'un des textes les plus limpides sur le rôle du bouc émissaire, si on veut bien le consulter à la manière de Girard, est la trahison de l'apôtre Pierre. Pierre est dénoncé par une servante comme complice de Jésus le Galiléen : son accent étranger l'a fait repérer. Pierre, explique Girard, est en quelque sorte un immigré. Pour échapper à l'arrestation, il veut s'intégrer au groupe, qui le rejette. Il essaie, nous disent les Evangiles, de se rapprocher du feu. Il va y parvenir en trahissant Jésus, c'est-à-dire en adoptant pour bouc émissaire la victime désignée par le groupe.

Dans le « système Girard », le Nouveau Testament nous fournit donc la clé du code universel des civilisations. Alors que, depuis trois siècles, la science s'acharnait à réduire la religion à des intérêts, des peurs, des ignorances, Girard nous dit que les Evangiles rendent compte « scientifiquement » de toute l'histoire humaine. Et c'est aussi à partir des Evangiles que, selon lui, l'Histoire bascule. Car Jésus n'est pas un bouc émissaire comme les autres. Victime innocente et bouc émissaire volontaire, il s'est désigné lui-même. Sa mort signifie et annonce que, désormais, le mécanisme même du sacrifice, de l'unité sociale fondée sur la violence, ne fonctionne plus. La Crucifixion est l'ultime sacrifice qui rend tout sacrifice absurde.

Avant le Christ, Socrate déjà, rappelle Girard, avait choisi la mort face à ses juges. Il mettait ainsi radicalement en cause les fondements de la société grecque. Mais l'événement restait daté et limité. La Révélation chrétienne est de portée universelle, elle est radicalement autre : avec Jésus, la victime cesse d'être coupable, le rite sacrificiel n'a plus de sens, la logique du bouc émissaire s'écroule, les bases mêmes de la civilisation antique s'effondrent. Le Christ nous oblige à regarder en face la violence destructrice que nous ne voulons pas voir. Sa Révélation est à la fois rationnelle et transcendantale; nous aurions pu comprendre cela tout seuls, mais nous ne l'avons pas compris sans Lui.

Mais si la Révélation est claire, pourquoi ne s'est-elle pas imposée depuis deux mille ans et n'a-t-elle pas fait cesser toute violence? Le plus grand sacrifice de l'Histoire, l'Holocauste, ne s'est-il pas produit au xxe siècle?

« C'est que, me répond Girard, les hommes, avec l'aide de Satan, résistent de toute leur force à la Révélation. L'Holocauste en témoigne, mais aussi la perversion du discours : tous les coupables se veulent, à notre époque, des victimes innocentes! Mais la Révélation progresse quand même. Plus la violence s'aggrave, plus le sacrifice devient absurde; plus il est évident que les victimes sont innocentes, plus il devient clair que la violence est inutile. »

Dans cette nouvelle « nécessité » de l'Histoire, l'arme nucléaire occupe, pour Girard, une place singulière, puisqu'elle rend la violence désormais à peu près impossible. Ne serait-elle pas la dernière étape avant que les hommes ouvrent enfin les yeux et ne substituent à la logique de la violence la nécessité du pardon, comme le leur demande le Christ?

Dans cette Révélation en marche, explique René Girard, les chrétiens jouent un rôle singulier, comparable à celui des Juifs au temps d'Isaïe : ils sont devenus les témoins et les porte-parole « indignes » de la Révélation. Cette communauté de destin dans l'indignité fait tomber la distinction entre Juifs et chrétiens, et nous rapproche de la fin des temps.

Que pense l'Eglise de Girard ? « Pas grand bien, car dans mon système, l'Eglise comme institution ne joue pas un rôle décisif. » Bien pis, la Révélation pourrait fort bien, selon Girard, n'avoir qu'un caractère historique, pas nécessairement religieux. Les relations avec les protestants, plus praticiens des textes, me dit Girard, sont meilleures. « Mais, conclut-il, je ne suis pas certain que plus d'une douzaine de personnes font réellement l'effort de me critiquer. Ce qui n'est pas tellement important, puisque j'explique et ne propose rien : l'Histoire est en marche, de toute manière... »

CLAUDE TRESMONTANT

L'athéisme est devenu impossible

Entre la Sorbonne et le Luxembourg, on imagine sans peine, il y a cinq ou six siècles, un érudit solitaire s'évertuant à améliorer la traduction des Evangiles. Aujourd'hui, dans ce même Quartier latin, Claude Tresmontant, sans plus de moyens que ce lointain prédécesseur, consacre quatre heures par jour à la même tâche. Quelle nécessité peut donc conduire ce professeur de philosophie médiévale à la Sorbonne à refaire ce qui semble avoir déjà été accompli il y a si longtemps? Que trouver de neuf dans ces textes en principe connus, peut-être même ressassés?

Précisons que la démarche de Tresmontant est tout à fait personnelle; l'Eglise ne lui reconnaît aucune autorité particulière pour s'attaquer aux Evangiles. Mais, depuis que j'ai découvert l'œuvre de Tresmontant, je me suis aperçu qu'il existait deux catégories de chrétiens, ou plutôt deux catégories de lecteurs du Nouveau Testament : ceux qui connaissent Tresmontant, et les autres. Le premier groupe est très peu nombreux, mais il partage avec l'auteur l'enthousiasme de nouveaux croyants qui découvriraient pour la première fois les textes saints. Ce n'est pourtant pas la qualité du style de Tresmontant qui motive leur ferveur.

Ouvrons l'Evangile de Jean qu'il a traduit. Nous lisons :

au commencement était le parler	et le parler était à Dieu et Dieu il était le parler.

Bref, du charabia, sans ponctuation ni majuscules! Lisons un peu plus loin :

toutes ces paroles je vous les ai dites	et même elle arrive l'heure
afin que vous ne butiez pas sur cet obstacle	où tout homme qui vous mettra à mort
qui pourrait vous faire tomber ils vont vous exclure de la communauté	pensera rendre un culte à Dieu.

Voilà pourtant, selon Tresmontant, la parole même du Seigneur à l'état brut, la transcription la plus fidèle que l'on puisse faire, en français, du texte original. Comparons maintenant la version de Tresmontant avec le texte de l'école biblique de Jérusalem. Nous lisons :

je vous ai dit cela *pour éviter le scandale* *on vous exclura des synagogues*	*bien plus, l'heure vient* *où quiconque vous tuera* *pensera rendre un culte à Dieu.*

Comment s'expliquent les différences entre les deux textes, à la fois dans le ton et sur le fond? C'est que, me dit Tresmontant, l'Eglise utilise une version romantique des Evangiles, un français traduit du latin, qui a lui-même été traduit du grec. La version grecque est traditionnellement considérée par l'Eglise comme l'« original ». Or, ajoute Tresmontant, « les Evangiles ont été écrits en hébreu et non pas en grec ». Cette affirmation contient tout le scandale Tresmontant.

Les Evangiles ont été écrits en hébreu

Tresmontant n'est pas le premier à avancer pareille hypothèse. Un document du XIIIe siècle, conservé à la Bibliothèque nationale, laisse entendre que les Evangiles en grec sont une traduction, mais sans mentionner la langue d'origine. Ce ne peut être que l'hébreu, répond Tresmontant, soutenu par quelques exégètes isolés.

La certitude de Tresmontant vient de sa parfaite connaissance du grec et de l'hébreu. Il a constaté que le grec des Evangiles est du mauvais grec, complexe, obscur, truffé de nombreuses fautes de grammaire. Mais si l'on sait l'hébreu, ces fautes n'en sont plus ; elles apparaissent comme la transcription en grec de la syntaxe hébraïque. Or, nous apprend Tresmontant, ce passage mot à mot de l'hébreu au grec est une tradition très ancienne du peuple hébreu. Dès le IVe siècle avant Jésus-Christ, les Juifs dispersés autour de la Méditerranée avaient oublié l'hébreu. Pour qu'ils pussent continuer à lire leur livre saint, ils disposaient de transcriptions mot à mot en grec. En rapprochant ces versions grecques et hébraïques de l'Ancien Testament, Tresmontant a réinventé un dictionnaire hébreu-grec tel qu'il aurait pu exister il y a deux mille ans. Ce dictionnaire est constitué de milliers de fiches, serrées dans des classeurs, une véritable muraille de papier qui entoure sa table de travail. Il est fascinant de découvrir Tresmontant, travaillant avec des moyens aussi modestes que ceux d'un bénédictin du XIIIe siècle, alors qu'un ordinateur lui permettrait de synthétiser en un instant ce qui exige de lui une capacité intellectuelle peu commune. C'est donc avec ce lexique que Tresmontant a reconstitué, à partir du texte grec des Evangiles, un probable original hébreu. Et c'est à partir de cet original réinventé qu'il nous livre une nouvelle traduction française.

Les Evangiles sont un reportage authentique

Ce retour aux sources permet à Tresmontant de nous expliquer comment les Evangiles ont été initialement rédigés : non par une, mais par trois personnes – le témoin, le traducteur et le scribe. Le témoin, compagnon de Jésus, dit en hébreu ce qu'il a vu et entendu au traducteur; celui-ci, à son tour, le dicte en grec au scribe. Tel était, en ce temps-là, le mode de rédaction de tous les textes sacrés dans le peuple hébreu. Cela implique que les apôtres – Jean en tout cas – parlaient l'hébreu, contrairement à l'idée reçue selon laquelle l'hébreu avait à l'époque disparu. On sait en effet que Jésus, que l'on devrait plutôt appeler par son véritable nom, Ieschoua, s'adressait aux Juifs en araméen. Mais, nous dit Tresmontant, c'est parce que l'araméen était une sorte de patois local destiné à se faire comprendre aisément par le petit peuple. En revanche, les prêtres juifs, les *kôhanim* – et Jean, certainement, en était un – restaient fidèles à l'hébreu, car les textes saints ne pouvaient être transmis que dans cette langue.

La nouvelle traduction transforme singulièrement la voix du Christ et des apôtres; elle perd toute mièvrerie pour devenir une langue brute, la langue d'un peuple de bergers, d'artisans, d'ouvriers, nous dit Tresmontant. Et un ton rude, celui de tous les prophètes hébreux au cours des siècles passés. C'est bien dans cette tradition prophétique du peuple hébreu que s'inscrivent les Evangiles. D'ailleurs, ajoute Tresmontant, ils ne peuvent être compris que par référence à l'Ancien Testament, auquel Ieschoua fait sans cesse allusion.

Un exemple parmi tant d'autres : quand Ieschoua est appelé l'« oint du Seigneur », cela ne veut pas dire grand-chose pour un lecteur contemporain. Mais, pour un auditeur de l'époque, il s'agit d'une allusion directe au roi David, choisi par Dieu et oint par Samuel pour diriger Israël. Tout dans la prédication de Ieschoua renvoie donc à des textes plus anciens, et le peuple le comprenait parfaitement, étant nourri de l'enseignement de la Torah. C'est ce qui nous rend si souvent les Evangiles obscurs et incompréhensibles : ils ne peuvent tout simplement être lus indépendamment de l'Ancien Testament.

Si ma traduction n'est pas littéraire, dit Tresmontant, c'est parce que Jean non plus n'a pas fait une œuvre littéraire. Il a voulu nous livrer les faits à l'état brut, tels qu'il les a vécus, tels qu'il vient de les vivre. Car Jean est fidèle à une autre tradition constante des Hébreux : le Talmud, commentaire de la Bible à l'usage du peuple juif, est lui aussi une succession de notes prises par les disciples après que le maître, le rabbin, a parlé. L'Evangile de Jean serait donc une sorte de reportage rédigé quelques années seulement après les événements. Une preuve parmi d'autres, Jean écrit :

> cela s'est passé à Beit-ananiah
> de l'autre côté du Jourdain...

Tresmontant en déduit que l'auteur a écrit ces lignes en deçà du Jourdain, et qu'il se situe donc lui-même à Jérusalem, et non pas au loin, à Alexandrie ou à Ephèse. Car d'Alexandrie, il n'écrirait pas que tel village minuscule se situe au-delà du Jourdain... Aussi la version de Tresmontant nous rapproche-t-elle singulièrement, dans le temps, des événements qu'elle relate. De plus, elle en change le sens sur certains termes essentiels.

Prenons par exemple la foi : c'est la traduction du latin *fides*, lui-même traduit du grec *pistis* qui, d'après Tresmontant, transcrirait en réalité l'hébreu *emounah*. Or, nous explique-t-il, le verbe *aman* veut dire « être certain de la vérité ». Rendre *emounah* par « foi » est un contresens. Car la foi, en français courant, n'est pas une certitude; bien au contraire, la foi, dans notre mentalité, est opposée à la connaissance rationnelle. Or, pour les Hébreux, et donc dans l'enseignement de Ieschoua, cette opposition n'existe pas. Ainsi, par glissements successifs de l'interprétation, on est passé de la certitude à l'incertitude; ce qui était vérité certaine dans la parole du Christ est devenu, pour le lecteur contemporain, un sentiment personnel et aléatoire.

De la même manière, les versions traditionnelles des Evangiles nous parlent du « péché », alors que le mot hébreu reconstitué par Tresmontant est « crime ». Le crime, ce n'est pas le péché, surtout dans l'acception contemporaine qui en fait une faute essentiellement morale, voire superficielle.

Tresmontant ajoute à cela que de nombreux termes des Evangiles sont tout simplement des non-traductions : *synagogue* « traduit » par synagogue, ou *skandalon* « traduit » par scandale. Or, *synagogue*, c'est la communauté, et *skandalon* est la traduction d'un mot hébreu qui désigne l'obstacle sur lequel bute un aveugle. C'est nous, dit Tresmontant, qui sommes aveugles devant l'évidence. Mais pourquoi l'évidence serait-elle si bien dissimulée et depuis si longtemps?

C'est parce que même les chrétiens, estime Tresmontant, se sont laissé influencer par le rationalisme. La vie de Jésus, telle qu'elle a été publiée par Renan il y a un siècle, gouverne les esprits jusqu'au sein de l'Eglise. La méthode de Renan et, d'une manière générale, de tous les penseurs rationalistes est simple; Tresmontant la résume de la manière suivante : « Puisque Dieu n'existe pas, les Evangiles sont une fiction. Et comme les fictions ont besoin de temps pour se constituer, les Evangiles sont tardifs. » S'ils sont tardifs – écrits, selon Renan, presque un siècle après les événements –, les prophéties s'expliquent. Lorsque Ieschoua annonce la destruction future du Temple – « il ne restera pas pierre sur pierre » –, c'est parce que, selon Renan, l'auteur de l'Evangile sait que le Temple a effectivement été détruit en 70 après Jésus-Christ.

D'où l'importance du débat sur l'époque à laquelle les Evangiles ont été rédigés; pour les athées, il faut qu'ils soient tardifs. Mais si, comme l'estime Tresmontant, Jean écrit immédiatement après la mort de Jésus et avant la destruction du Temple, la prophétie en est bien une.

Au préjugé rationaliste s'ajoute l'influence du marxisme. Tresmontant appuie son accusation en brandissant *Jésus et l'histoire*, d'un auteur dont il préfère taire le nom[1] et qui ne sent pourtant pas le soufre, publié par une maison peu susceptible d'abriter Satan. Ce théologien écrit que les Evangiles ont été « produits » par les premières communautés chrétiennes. L'Eglise ne serait donc pas née des Evangiles, ceux-ci n'auraient pas été révélés, mais au

---

1. Charles Perrot, Desclée de Brouwer, 1980.

contraire fabriqués par le milieu social de l'époque. Du marxisme à l'état pur! proteste Tresmontant.

Pareil climat intellectuel dans l'Eglise de France permet de comprendre pourquoi les propositions de Tresmontant, loin d'être accueillies avec enthousiasme, suscitent la réprobation. Pis : les insultes! La revue des dominicains a qualifié de « pernicieuse » l'œuvre de Tresmontant. La revue des jésuites, *Les Etudes*, a parlé de « délire exégétique ». D'une manière plus générale, Tresmontant m'apprend qu'il est qualifié d'« intégriste », tout simplement parce qu'il prétend que les Evangiles sont authentiques et disent la vérité. La colère de ses adversaires vient aussi de ce qu'ils ignorent le plus souvent l'hébreu. Ceux qui parlent hébreu, me dit Tresmontant, sont généralement d'accord avec moi. Bien plus, ils considèrent que ma traduction de Jean est évidente. Mais il n'y a plus de chaire de littérature hébraïque dans l'Université française depuis mai 1968. Il n'y a pas non plus de chaire de Nouveau Testament. En revanche, il en existe plusieurs à Moscou! m'apprend Tresmontant.

Au-delà de cette querelle linguistique, ce que les clercs ne supportent pas, c'est l'origine hébraïque des Evangiles, des apôtres et de Jésus. La continuité entre le prophétisme juif et la prédication de Jésus, que Tresmontant fait implacablement ressortir, est insupportable à beaucoup de chrétiens, malgré Vatican II. Or, dit encore Tresmontant, si l'on veut comprendre le sens véritable de la Révélation, il est indispensable de reconnaître le rôle central du peuple hébreu dans l'enseignement de Ieschoua.

L'humanité est à créer

Ieschoua n'enseigne pas une nouvelle morale pour une vieille humanité : il révèle les conditions du passage à une humanité nouvelle. Cette Révélation serait donc, selon Tresmontant, une étape dans l'évolution de l'espèce humaine, une nouvelle Genèse. L'humanité a été créée une première fois à l'origine des temps. Mais ce fut une humanité préhominienne. Le Christ annonce la création d'une seconde humanité, et son enseignement – très difficile – porte sur les conditions de notre métamorphose d'une humanité dans l'autre. Dans cette métamorphose, les Hébreux sont un peuple de « mutants ». De même que dans l'évolution selon Darwin, certaines espèces sont en mutation, le peuple hébreu joue le rôle de chaînon entre l'homme ancien et l'homme nouveau.

On objectera, dit Tresmontant, que le peuple hébreu est un phénomène minuscule dans l'histoire de l'humanité, qui ne mérite donc pas une étude particulière. Mais la Vie, à l'origine, était elle aussi un phénomène localisé et minuscule, et toutes les mutations génétiques se font initialement sur une cellule unique avant de se généraliser à une espèce tout entière. Si l'on est rationnel, ajoute Tresmontant, la rationalité exige que l'on s'intéresse au destin de ce peuple tout petit, et au fait objectif qu'est le prophétisme hébreu. D'ailleurs, la preuve de son rôle particulier dans l'histoire de l'humanité n'a-t-elle pas été apportée de manière expérimentale et irréfutable par l'extension universelle de ce prophétisme?

Cet usage systématique par Tresmontant du langage scientifique le plus contemporain n'est évidemment pas gratuit. Il estime au contraire que tout, dans les sciences modernes, confirme la vérité de la Révélation hébraïque et chrétienne...

Et l'impossibilité radicale de l'athéisme... Ce faisant, Tresmontant reprend à son compte l'héritage, aujourd'hui bien abandonné, de deux grands philosophes chrétiens, Bergson et Teilhard de Chardin : ils furent les premiers à envisager cette réconciliation entre la religion chrétienne et la connaissance scientifique. Deux précurseurs, estime Tresmontant, car la raison raisonnante et l'expérience objective sont, en cette fin du xxe siècle, du côté des monothéistes. Des preuves? En voici.

Prenons tout d'abord les découvertes de l'astrophysique, la création de l'Univers par une explosion initiale à partir d'un point unique d'énergie concentrée, ce que l'on appelle le *Big Bang*. Les astrophysiciens nous disent qu'il existe un commencement de l'Univers, mais ils s'estiment incapables de nous expliquer pourquoi, ni ce qui a précédé; ils ne peuvent donc pas répondre à la question essentielle que se pose l'intelligence humaine, celle de la Création. Seule la métaphysique judéo-chrétienne, qui distingue entre l'Univers et l'Etre absolu, nous propose une réponse.

Second exemple de Tresmontant : la biologie et l'évolution. Les biologistes nous enseignent que tous les systèmes vivants sont constitués par des messages transmis par des acides nucléiques. L'évolution, depuis quatre milliards d'années, c'est l'histoire d'une complexité croissante du nombre de ces messages génétiques. Comment comprendre l'origine de ces messages et leur complexité croissante? Comment comprendre l'évolution à partir de la cellule unique jusqu'au cerveau constitué de milliards de neurones? Les biologistes n'ont pas de réponse, les monothéistes en ont une.

Armé de ses fiches, de son dictionnaire et de sa foi, Tresmontant semble décidé à reconquérir à lui seul le terrain abandonné par l'Eglise. Une foi qui – rappelons-nous sa leçon – vient de l'hébreu *emounah*, certitude de la vérité.

XI

DES VÉRITÉS ÉTERNELLES

Au lecteur épuisé par un trop long périple je propose de terminer le voyage sur des terres plus calmes, celles de l'art, de la philosophie et... de la Grande-Bretagne.

Mais pourquoi l'Angleterre? En fonction de leurs affinités intellectuelles, j'ai regroupé trois penseurs à l'égard de qui j'éprouve une affection particulière; c'était avant même de constater qu'ils habitaient tous trois au même endroit : le philosophe Karl Popper, l'historien des idées Isaiah Berlin et l'historien d'art Ernst Gombrich. Aucun d'eux n'est pourtant d'origine britannique, tous trois sont des exilés d'Europe centrale, de Vienne et de Riga. Mais, à la réflexion, cette conjonction entre Vienne, Riga, Londres et Oxford n'est pas accidentelle. Après la montée du nazisme, c'est en Grande-Bretagne que se sont d'abord réfugiés la plupart des intellectuels du continent. Beaucoup sont ensuite partis pour les Etats-Unis, mais pas tous.

Car la Grande-Bretagne reste un des lieux privilégiés où souffle l'esprit de liberté : Oxford et Cambridge, en particulier, ont réussi à rester des carrefours de l'imagination, de l'empirisme et surtout de l'ironie. Les intellectuels en Grande-Bretagne ne se sont pas constitués en intelligentsia. N'aspirant pas à devenir une catégorie sociale et à exercer le pouvoir, ils sont

345

– me semble-t-il – d'autant plus libres de distinguer, dans la pensée, ce qui est durable et ce qui n'est que transitoire.

Le Vrai et le Faux, nous explique Popper, sont des principes distincts, clairs et éternels. Le Beau et le Laid aussi, renchérit Gombrich. Et, pour Isaiah Berlin, il est très facile de distinguer en politique les idées justes des idées fausses : une idée juste fait le bonheur des hommes, une idée fausse fait leur malheur. Dans l'Histoire, ce ne sont pas nécessairement les idées justes qui l'emportent. Mais ce n'est pas une raison suffisante, dit Berlin, pour renoncer à les défendre.

KARL POPPER

Distinguer partout et en toutes circonstances le Vrai du Faux

Un petit homme aux yeux clairs et aux rares cheveux blancs, buriné par les années, souriant et chaleureux, m'attend sur le seuil d'une maisonnette de banlieue : nous sommes à Kenley, à une heure du centre de Londres. J'ai du mal à concilier, sur l'instant, cette image modeste avec ce que je sais du personnage et de son œuvre gigantesque. Dans la mesure où ce type de classement a un sens, Karl Popper, en effet, est certainement le plus grand philosophe contemporain à vivre encore parmi nous. Depuis plus de soixante ans, ses publications et ses conférences ont bouleversé les méthodes de la recherche scientifique; dans un tout autre domaine, elles ont, pour la première fois, mis en évidence les origines philosophiques communes du communisme et du fascisme; enfin, elles ont contribué de manière décisive à la renaissance du libéralisme politique.

Plusieurs centaines de livres et de colloques ont été consacrés à Popper. En France, son influence a été plus tardive; il n'a été traduit chez nous pour la première fois qu'au début des années soixante, grâce notamment à l'initiative de ses amis le biologiste Jacques Monod et l'économiste Bertrand de Jouvenel.

Malgré cette gloire intellectuelle, Popper ne termine pas sa vie dans les honneurs; il ne les a, semble-t-il, jamais recherchés et vit aujourd'hui seul, veuf, sans famille. Popper s'excuse de sa solitude : « Je ne suis pas d'un accès facile, me dit-il, ma maison est à l'écart des grands axes! » Il m'assure aimer cet isolement qui lui permet de travailler en paix, entouré de livres et de musique. Plusieurs heures par jour, Popper interprète Bach et compose lui-même des fugues. « J'ai toujours fui les villes et leur agitation futile. »

Jeune homme, au début du siècle, à Vienne, Popper m'assure qu'il évitait les cafés littéraires et détestait franchement la superficialité viennoise. De l'Autriche, qu'il a quittée en 1937, il ne lui reste que l'accent allemand et une grande malice dans le regard : l'éclair de génie qui a traversé toute une génération d'intellectuels viennois. Mais Popper, issu de la bonne bourgeoisie juive convertie au protestantisme, précise qu'il n'aimait pas tellement cette culture viennoise. Elle a, me dit-il, produit beaucoup de théories fausses ou superficielles. Pour sa part, il se réclame plutôt de la tradition des Lumières, celle de Voltaire, Kant et Hume. « Le mouvement des Lumières, précise-t-il, remonte en fait à Socrate, et sa devise est : Je sais que je ne sais pas. »

A quatre-vingt-six ans, Popper est l'un des très rares survivants de cette grande tradition; et il ne cesse d'écrire. Ce sont les éditeurs qui ne parviennent pas à suivre son rythme...

Le plus heureux des philosophes

« Je suis – avait écrit Popper en mai 1986 dans la conclusion à son *Autobiographie intellectuelle* – le plus heureux des philosophes que j'aie jamais rencontrés! » Souscrit-il aujourd'hui encore à ce paradoxe qui scandalisa les intellectuels, y compris parmi ses admirateurs? La vocation du philosophe ne serait-elle pas plutôt de pleurer sur les malheurs du temps, tout particulièrement au XXᵉ siècle? Mais non! Popper persiste dans son optimisme, un optimisme qu'il dit fondé sur les faits. Les faits seuls l'intéressent, et il commence la plupart de ses phrases par : « C'est un fait que... »

Objectivement, nous vivons à une époque où l'humanité, grâce aux sciences, a résolu la plupart des problèmes qui, jusqu'en 1945, paraissaient à peu près insurmontables. « Je ne sais pas pourquoi il en a été ainsi, mais c'est un fait. » Notre société est la plus confortable et la plus pacifique à avoir jamais existé; elle est aussi la plus juste.

« Dans mon enfance, raconte Popper, Vienne était comparable, par son mélange de luxe et de misère, à l'Inde actuelle... Aujourd'hui, la misère a pratiquement disparu de l'Europe occidentale, les disparités sociales excessives n'existent plus, la liberté de choix des individus est devenue immense, l'éducation, le sens de la responsabilité ont progressé, le chômage, l'esclavage, la cruauté ont régressé. Autant de faits incontestables! Et tout cela s'est produit sur une période très courte...

« Nous avons également appris qu'aucune réforme sociale ou aucun progrès économique ne pouvaient être obtenus par la violence; même les Soviétiques commencent à s'en apercevoir! »

Mais le progrès le plus important, estime Popper, est que nous sommes disposés à écouter les critiques fondées et à accepter les suggestions raisonnables faites pour améliorer notre société.

Pour mesurer tous ces progrès, ajoute-t-il, il suffit de comparer notre époque à n'importe quelle autre période de l'Histoire prise au hasard. Les seuls à ne pas voir la différence sont les « intellectuels » qui colonisent l'enseignement et les médias; eux seuls déclarent que nous vivons dans un « enfer moral ».

Eux seuls préconisent la politique du pire, qui consisterait à détruire la liberté en Occident sous prétexte que cette liberté ne serait qu'illusion.

Mais pourquoi les intellectuels souffrent-ils de cet aveuglement maladif? « Votre question est sans intérêt, rétorque Popper : peu importent les explications psychologiques, *it's a fact!* »

Le progrès n'est pas une nécessité de l'Histoire

L'optimisme historique de Popper tient au constat que l'homme est capable de dominer les maux de la société : nous pouvons échapper à la fatalité. « C'est possible, ce qui ne veut pas dire pour autant que cela se fera. » Mon optimisme, explique Popper, ne vaut que pour le présent, il n'est en aucun cas une proposition valant pour l'avenir : « Le progrès n'a aucun caractère inéluctable, rien ne garantit des lendemains meilleurs. » Projeter dans l'avenir un progrès nécessaire, imaginer que les sociétés évoluent vers la perfection, croire que l'Histoire obéit à des lois, que l'individu est soumis aux nécessités d'une Histoire en marche, tout cela relève de ce que Popper appelle l' « historicisme ». Cet historicisme n'est fondé sur aucune expérience, aucune preuve; c'est une forme particulière de déviation de l'esprit, un dérangement qui est au cœur de toutes les idéologies.

L'historicisme, souligne Karl Popper, est le fondement commun du fascisme et du marxisme. Car il est absolument faux, conclut-il, de croire que le futur est conditionné par le présent. Rien dans le présent ne permet de prévoir le futur. Pourquoi? Parce que c'est en réalité le contraire : nous vivons aspirés par le futur, tous nos comportements d'aujourd'hui sont dictés par l'idée que nous nous faisons de demain.

S'il advient que le futur ressemble à l'annonce qui en est faite, c'est généralement parce que le prédicateur influe lui-même sur le cours des événements.

Je ne fais ici que résumer, condenser à l'extrême la méthode Popper. Tant de simplification est à coup sûr trahison. Au surplus, Popper trouve mes questions franchement mal posées. Il me le fait savoir avec une certaine fermeté, tempérée par un sourire : « Cela ne vous choque pas, jeune homme, si je vous dis que votre question est stupide ? Si la question est mal posée, la réponse est forcément dénuée d'intérêt. Il aurait fallu la formuler de la manière suivante... » Là-dessus, Popper distingue les quatorze sous-questions implicitement contenues dans mon interrogation principale. Ce qui me paraissait élémentaire devient soudain complexe : je suis mal habitué aux détours de la philosophie allemande...

Popper me fait avant tout comprendre qu'il ne faut pas s'attarder aux définitions. Chaque fois que je commence une phrase par « Qu'est-ce que...? », il me regarde d'un air de commisération et me laisse entendre que nous perdrons tous deux énormément de temps à nous cantonner à ce stade élémentaire de l'expression. La question la plus stupide qu'un philosophe puisse poser, ajoute Popper, est « *What is life?* » (« Qu'est-ce que la vie? »).

Après avoir reformulé mes questions, il s'emploie à y répondre de manière si complète qu'aucune incertitude ne restera inexplorée. Tout entretien avec Popper dure extrêmement longtemps, et bien qu'il ait deux fois mon âge, j'en sortirai plus épuisé que lui. Impossible de reproduire ici une pensée aussi riche et complexe! Au mieux en percevra-t-on quelques éclairs. Mais le fondement de cette pensée est toujours la critique : le philosophe, l'intellectuel ne doit pas être celui qui recherche la vérité, mais celui qui débusque l'erreur. Popper me paraît au meilleur de lui-même quand il démolit mes questions et mes

arguments un à un! Il ne dit pas : « là est le vrai »,
mais : « là est le faux » – pour mieux nous en
préserver! Il faut savoir que par ce retournement de
la démarche philosophique, Karl Popper a révolutionné la recherche scientifique à la manière dont un
théorème mathématique ou une théorie physique
peuvent modifier les fondements de la connaissance.

> *Ce qui est scientifique,*
> *c'est ce dont la fausseté peut être démontrée!*

Dans l'effervescence intellectuelle des années vingt,
le jeune Popper fut écartelé entre le marxisme, le
libéralisme, la psychanalyse et la physique d'Einstein. Il se demanda comment distinguer le vrai du
faux. Où passait la frontière entre vraie science et
pseudo-science? Traditionnellement, la réponse des
philosophes est que le vrai est ce qui est démontra-
ble. Un fait était reconnu scientifiquement exact si
on parvenait à le démontrer par la répétition d'observations ou d'expériences. Mais, objecte Popper,
cette démarche conduit le chercheur à ne choisir que
les observations favorables à sa théorie. En outre, les
théories d'Einstein ne sont pas démontrables : sont-
elles fausses pour autant?

La solution de Popper réside dans le critère de
« réfutation » – en anglais *falsifiability* –; il n'a pas
trente ans lorsqu'il le formule pour la première fois,
et cette notion va bouleverser la communauté scientifique du XXᵉ siècle. La démarche du savant doit,
pour Popper, consister non pas à prouver le bien-
fondé d'une théorie, mais à essayer de la démolir, de
multiplier les expériences susceptibles de démontrer
qu'elle est fausse. Ce n'est que si la théorie résiste à
ces tests qu'elle peut être considérée comme scientifiquement vraie – du moins jusqu'à la prochaine

théorie qui la remplacera dans la succession des mises à l'épreuve et des chasses aux erreurs. Ainsi va la science. Seul a un caractère scientifique ce qui peut être réfuté; ce qui n'est pas réfutable relève de la magie ou de la mystique.

Cet effort de réfutation est d'autant plus important dans les sciences où l'expérience est impossible, en économie par exemple : « La critique est le seul instrument de vérification d'une théorie économique. » A supposer d'ailleurs que l'économie existe en tant que science, ce dont doute Popper : « Je constate que le développement de l'économie réelle n'a rien à voir avec la science économique. Bien qu'on les enseigne comme s'il s'agissait de mathématiques, les théories économiques n'ont jamais eu la moindre utilité pratique... »

Le relativisme est la plus grave menace contre notre société

Le concept de réfutation est devenu un peu partout l'axe de la recherche, même si certains, comme René Thom, contestent son caractère trop absolu. A partir de ce critère, Popper classe dans les pseudo-sciences, dépourvues de toute base intellectuelle sérieuse, aussi bien le marxisme que la psychanalyse. L'un comme l'autre sont fondés sur le dogmatisme, puisqu'ils éliminent par définition toutes tentatives visant à les contredire. Les psychanalystes se débarrassent des objections en les imputant au refoulement de celui qui les formule. De même, les marxistes attribuent automatiquement la position d'un adversaire à ses préjugés de classe : si vous dites ceci, c'est que vous êtes objectivement complice de nos adversaires, donc vos arguments ne sont pas recevables...

Mais peut-on appliquer ce critère de réfutation à

la politique? Existe-t-il là aussi une vérité discernable?

Certains le nient au nom du relativisme moral et intellectuel : tout se vaut, tout est relatif, tout est question de civilisation, d'époque, etc. « Ce relativisme, me dit Popper, est la plus grave menace planant sur notre société. » Popper a été – il est vrai – le premier philosophe de notre temps à s'élever contre le relativisme moral, bien avant qu'Allan Bloom aux Etats-Unis, ou Alain Finkielkraut en France ne s'emparent de ce thème. « Je vois dans le relativisme, me dit Popper, une maladie de la pensée, ou plutôt une maladie des penseurs qui consiste à croire que le choix entre doctrines rivales est arbitraire, soit parce que la vérité n'existerait pas, soit parce qu'il n'y aurait aucun moyen de décider si, entre deux théories, l'une est supérieure à l'autre. » Or, il est tout à fait possible de savoir si une doctrine est plus vraie qu'une autre. Car nous disposons d'un instrument de mesure : ce sont les normes ou règles de conduite. On peut juger les faits à partir de normes et décider par exemple si une situation est juste ou injuste.

Mais Popper peut-il me dire ce qu'est une norme? Question absurde! Le rôle du philosophe n'est pas de définir ce qu'est une norme, puisque tout le monde le sait. Inutile d'expliquer pourquoi « Tu ne tueras point » ou « Abstiens-toi de toute cruauté » sont des normes. Ces notions font partie de notre acquis de connaissances, elles découlent de la tradition, de la raison, de l'imagination et de l'observation. Il est vrai, m'explique Popper, que chaque norme incontestable s'accompagne d'une nébuleuse de problèmes. « Tu ne tueras point » est une norme incontestable, mais comment s'applique-t-elle à l'euthanasie, à l'avortement? Pour autant, ces problèmes n'invalident pas la norme fondamentale.

La société libérale dans laquelle nous vivons – et

que Popper préfère appeler la « société ouverte » – se caractérise précisément par notre capacité de juger les faits à partir de ces normes. La norme de base, selon Popper : « Ne surestimez pas vos propres idées! »

Mais n'arrive-t-il pas que des normes entrent en conflit les unes avec les autres? « Bien entendu, répond Popper. De nombreux problèmes moraux sont insolubles parce qu'il y a conflit entre les principes opposés. Mais le fait qu'il y a conflit entre des principes ne veut pas dire pour autant que tous les principes se valent ni que tous méritent d'être défendus de la même manière. J'ajoute que nous devons nous évertuer à réduire les conflits, mais non pas à les supprimer. Leur existence même est essentielle à la " société ouverte ". »

Une société ouverte entourée d'ennemis...

Le succès des idéologies vient de ce qu'elles dispensent de réfléchir

Les ennemis, me dit Popper, ce sont les fabricants d'idéologies, les imposteurs; malheureusement, ils dominent les sciences humaines. Ce n'est pas nouveau : Popper estime que la tradition de l'idéologie, sans relation avec la réalité, remonte en fait à Platon. Platon a inventé ce qu'il appelle la « société abstraite ». Avec un bond décisif dans l'obscurantisme au XIXe siècle, grâce à deux philosophes allemands : Hegel et Marx.

Hegel a inauguré l'âge de la malhonnêteté. Depuis Hegel, il est devenu légitime d'écrire n'importe quoi, n'importe comment; le *bluff* a remplacé l'intelligence des faits, et les intellectuels se sont précipités dans cette brèche. Jusqu'à Hegel, les philosophes essayaient de dire l'évidence, la trivialité ne leur faisait pas peur. « A moi non plus elle ne fait pas peur ! précise Popper. Mais, à partir de Hegel, est née la mauvaise philosophie, celle qui s'emploie à tout compliquer. »

De pair avec Hegel, Marx a instauré pour les temps modernes le culte des idées abstraites : la religion de l'Etat, de la Nation, du Prolétariat. Le succès de ces idéologies a été d'autant plus foudroyant qu'elles évitent de réfléchir. Elles font croire aux esprits simples que l'on comprend le monde en répétant des formules rituelles qui ont l'air vaguement scientifiques. Le point commun à toutes ces idéologies est de nous persuader que l'Histoire obéit à une nécessité, à des lois qui nous échappent. Rien de plus confortable : il suffit de savoir que nous sommes dans le « sens de l'Histoire » et que nos adversaires n'y sont pas. Ce fabuleux « sens de l'Histoire », ajoute Popper, n'a pas corrompu que la politique ; il a également corrompu les arts.

La mode est le contraire de l'art

A Vienne, me raconte-t-il, le jeune Popper voulait être musicien ; il fut même l'élève du grand compositeur Schönberg, qu'il détesta. Non seulement sa musique était « inécoutable », mais Popper découvrit que son maître n'avait pas d'ambition artistique ; il ne souhaitait que choquer la bourgeoisie viennoise. Schönberg bénéficiait en cela de la complicité des journalistes ; ceux-ci expliquaient qu'il fallait aimer sa musique non parce qu'elle était belle, mais parce qu'elle était en avance sur son temps. « C'est peut-être de l'art, me concède Popper, mais ce n'est plus de la musique ; il faudrait lui trouver un autre nom. »

Cette idée du progrès appliquée à l'art – « inventée à l'origine par Wagner » – a abouti aux mêmes absurdités qu'en politique. L'art moderne, selon

Popper – qui reste fidèle à Bach et à Mozart –, ne s'en est jamais remis : les artistes ne sont plus des créateurs, ce sont des propagandistes organisés comme de véritables partis politiques.

Je fais observer à Popper que certains « nouveaux philosophes » français se réclament de lui tout en tombant dans les travers qu'il dénonce. Il me réplique qu'en philosophie comme en art seul le contenu est important, en aucun cas la nouveauté.

Popper ne serait-il qu'un conservateur ? Peu lui importe. Le rôle du philosophe comme de l'artiste n'est pas d'être « à la mode ».

Le dernier philosophe n'a pas de successeur

« Sans modestie ni vanité, m'a confié Popper au cours de notre entretien, je suis le dernier philosophe des Lumières : non un bâtisseur de système, ni un prophète, mais un homme seulement attaché à résoudre les problèmes. Je m'inscris dans la tradition de Kant et de Voltaire, qui soumettaient au crible de la raison aussi bien la philosophie que les mathématiques ou la physique. »

Mais est-ce encore possible, quand les sciences sont devenues si complexes ? « Ce n'est pas parce que les sciences sont devenues complexes qu'il n'est plus possible de les embrasser toutes », dit Popper. L'Université a sottement fragmenté la connaissance en disciplines spécialisées ; chacune, sans aucune nécessité, est enfermée dans son rituel et son vocabulaire. « Refusez, m'exhorte Popper, la fragmentation des connaissances, pensez à tout, ne vous laissez pas noyer par la montée des informations, repoussez le désenchantement de l'Occident et le pessimisme historique, puisque vous avez la chance de vivre en cette fin du XXᵉ siècle ! Ne soyez dupe de rien, ni des modes, ni du terrorisme intellectuel, ni de l'argent, ni du pouvoir. Apprenez à distinguer toujours et partout le Vrai du Faux! »

*

Dans le train de banlieue qui me ramène de Kenley vers Londres, je déchiffre le texte que m'a confié Popper : ses dernières réflexions non encore publiées, intitulées Probabilités et Propensions. *Cette étude complexe cherche à réconcilier le calcul de probabilité avec les origines de la Vie – « une question qui me préoccupe depuis 1930 », m'a dit le philosophe.*

L'Univers, précise Popper, nous paraît intuitivement relever de la causalité, d'un enchaînement de causes et de conséquences, comme s'il s'agissait d'une horloge. En réalité, il n'en est rien. Depuis la mécanique quantique de Broglie, nous avons appris que nous vivons dans un univers de probabilités, un univers créatif, non mécaniste, et qui est en expansion. Cet univers est donc fondé sur des événements qui ont été guidés par certaines probabilités. Mais ces probabilités sont en général inégales : les probabilités deviennent des propensions, les phénomènes ayant tendance à s'orienter spontanément dans une seule direction. Donc Dieu joue bien aux dés, mais les dés sont lestés : physique et métaphysique sont par conséquent indissociables.

Voilà une ultime proposition, que Popper aimerait voir non pas approuvée, mais soumise au feu de la critique!

Craignons que Popper ne nous quitte sans même que la vieille Europe prenne conscience de ce qu'elle aura définitivement perdu! Car Karl Popper est peut-être l'ultime représentant de la race des philosophes née en Grèce il y a 2 500 ans et qui disparaîtra probablement, un jour prochain, dans cette banlieue du sud de Londres.

Je redoute qu'il n'ait pas d'héritiers.

ERNST GOMBRICH

Le Beau et le Laid sont des principes incontestables

Gombrich habite dans Hampstead, cette « ville à la campagne » bâtie au cœur de Londres, une maison très modeste. Je m'attendais au moins à y découvrir quelque collection rare. N'y a-t-il pas écrit la plus célèbre *Histoire de l'art* et d'innombrables textes sur la peinture ? Surprise : les murs sont vides ! Il n'y a, chez Gombrich, aucun objet de valeur. J'examine un petit dessin de Picasso dans son bureau : « Je l'ai payé cinq livres, précise mon hôte, c'est une reproduction... Je n'ai pas, ajoute-t-il, un tempérament de collectionneur ; il me suffit de savoir que les chefs-d'œuvre sont dans les musées où je peux les contempler quand j'en ai envie. »

Au bout de quelques heures d'entretien avec Gombrich, j'aurai compris que son musée est dans sa mémoire : c'est le plus vaste au monde !

Karl Popper m'avait vivement conseillé de rencontrer Ernst Gombrich, son ami le plus proche. Voilà qui est fait. Comme Popper, c'est un *sir* tout britannique, d'origine viennoise. Gombrich estime que le Beau et le Laid sont des principes incontestables et universels, comme le Vrai et le Faux. Ils ne varient pas au gré de l'Histoire ou des goûts personnels ; ce ne sont pas des valeurs relatives, mais absolues. On ne peut cependant pas découvrir le Beau spontanément. Il faut, selon Gombrich, passer par l'intermédiaire de la culture.

L'Art n'existe pas, il n'y a que des artistes

Pour Gombrich, historien de l'Art, l'histoire de l'Art n'existe pas. « Ce n'est, me dit-il, qu'une convention arbitraire, un moyen commode de classification pour nous y retrouver dans la production d'images depuis les origines de l'humanité. » De plus, ajoute-t-il, la notion d'Histoire est pernicieuse : « Elle laisse croire que les œuvres et les styles s'enchaînent par une sorte de nécessité logique. » C'est totalement faux : « Il n'y a pas de progression dans l'Art. »

L'idée qu'il doive y avoir un progrès nécessaire, assigné par l'Histoire, nous vient de Hegel et de Marx; cet « historicisme » ne repose sur aucun fondement. Marx, rappelle Gombrich, a bien tenté d'expliquer que l'Art était une superstructure des rapports économiques, et que le changement de ces rapports entraînait nécessairement des progrès de l'Art. Mais son modèle ne fonctionne pas. « Comparez Gênes et Venise sous la Renaissance : les deux villes ont connu des destins économiques analogues. Pourquoi, demande Gombrich, Venise est-elle devenue un grand foyer artistique, et non pas Gênes? Cette différence est liée à l'apparition – tout à fait imprévisible – de génies dans l'une des deux villes, et non pas dans l'autre. »

Il n'y a donc pas d'« histoire » de l'Art, et l'Art en tant que tel n'existe pas. Seuls existent des artistes : « des hommes et des femmes auxquels est échu le don d'équilibrer formes et couleurs jusqu'à ce qu'elles sonnent juste, et qui ne se satisfont pas de demi-solutions, d'effets superficiels ou faciles ». L'histoire de l'Art n'est faite que d'une série de

génies et de chefs-d'œuvre qui défient toute explication rationnelle. Voilà qui rend en ce domaine la
prévision tout à fait impossible. « Nous ne pouvons
pas savoir ce que sera la prochaine étape. »

L'Art ne progresse jamais

La notion de progrès dans l'Art, m'explique Gombrich, est d'autant plus absurde que les buts de l'Art
et de l'artiste varient selon les civilisations. Prenez les
Egyptiens : pour Gombrich, c'est sous les pharaons
que naît l'art occidental. Dans cette Egypte ancienne,
l'objectif des peintres n'était pas de copier la nature.
La société attendait d'eux qu'ils représentent, dans
les sépultures, de manière précise, tous les éléments
qui avaient environné le défunt au cours de sa vie
terrestre. Un peintre égyptien ne fixe donc pas sur les
murs d'un tombeau ce qu'il *voit*, mais ce qu'il *sait*
d'une réalité et de personnages donnés. Telle est la
raison pour laquelle un seigneur sera représenté plus
grand que ses serviteurs ou que sa femme. Et c'est
pourquoi la peinture égyptienne représente toujours
un visage de profil : la tête se voit mieux de profil.
Mais si nous pensons à l'œil, nous l'imaginons
toujours de face : donc l'œil de face est inséré dans la
représentation de côté du visage. De même, un pied
se voit mieux de profil et de l'intérieur : les deux
pieds seront donc représentés ainsi, quitte à donner
aux personnages deux pieds gauches... Ces bas-reliefs
nous semblent aujourd'hui dépourvus de perspective,
les traits tordus, mais cela ne signifie pas, explique
Gombrich, que les artistes égyptiens étaient mala-
droits; à l'évidence, leur logique n'était pas celle de
la simple représentation.

Passons de l'Egypte à l'Antiquité grecque : « Nous
constatons une rupture, observe Gombrich, ce qui ne
veut pas dire un progrès. » Là où les artistes

égyptiens se fondaient sur un savoir, un acquis, les Grecs ont voulu se servir de leurs propres yeux. L'artiste égyptien est anonyme et travaille pour l'éternité : sa fonction est religieuse. L'artiste grec, au contraire, est le produit d'une société qui exalte l'individualisme, l'originalité; il est en quête de célébrité et d'idéal.

Sautons maintenant de l'Antiquité au Moyen Age : par comparaison avec une statue grecque, une fresque ou une mosaïque byzantines nous paraissent imparfaites et gauches. Doit-on considérer que la peinture médiévale est en régression par rapport à celle de l'Antiquité? Non, car l'artiste byzantin ne devait pas représenter la réalité ni faire preuve d'originalité; sa fonction était d'imprégner les fidèles d'une certaine atmosphère religieuse. De même, la peinture romane était une écriture symbolique, faite pour rappeler aux chrétiens – souvent illettrés – les thèmes de la Bible. Les fresques byzantines ou romanes remplissaient un rôle comparable aux affiches de publicité contemporaines.

Nous imaginons voir ce que nous connaissons

Les artistes – égyptiens, grecs, byzantins ou romans – sont donc pris dans ce que Gombrich appelle des « logiques de situation ». Ces logiques changent. Leur force est telle que tous les artistes obéissent inconsciemment aux mêmes conventions. Si un peintre du XVIIe siècle regarde un paysage, il le « voit » et le reproduit comme tous les artistes de son temps. A la fin du XIXe siècle, le même peintre « verra » ce paysage comme les impressionnistes le « voient ». Mais, dans tous les cas, la peinture n'est jamais « réaliste » : la réalité n'existe sur une toile ou un mur que par le biais de conventions. Par conséquent, aucun artiste ne copie ce qu'il voit; et nous autres, spectateurs, nous imaginons voir ce qu'en fait nous connaissons. Un tableau est toujours une illusion qui emprunte à des techniques changeantes : par exemple, la perspective sous la Renaissance, ou, avec Monet, la décomposition de la lumière en taches de couleurs pures. Monet, à cet égard, est moins intellectuel que tous ses prédécesseurs; les impressionnistes, dit Gombrich, ont recréé le regard innocent.

Mais comment l'Art passe-t-il d'un style à l'autre? Gombrich répond par une métaphore : « Les étapes de l'Art sont comparables à l'évolution selon Darwin. Les formes s'adaptent à leur fonction sociale; elles passent par un processus de sélection, de mutation puis de survivance des mieux adaptées. Une fois dégagé le modèle qui semble le plus évident ou le plus convaincant, la pression sociale élimine les images non conformes. » Exemple : dans la peinture médiévale, l'artiste n'essaie pas d'imiter la nature, car le public attend seulement qu'on lui rappelle le récit des événements sacrés. Le spectateur souhaite savoir *ce qui s'est passé* : la peinture se fait narrative. Mais, à partir de la Renaissance, le public veut savoir *comment* les événements se sont produits. L'artiste est alors contraint de représenter le sacré sur une scène imaginaire, tel qu'il aurait pu apparaître à un témoin oculaire. C'est cette exigence nouvelle qui a débouché sur la « perspective ».

L'artiste moderne n'exprime que ses états d'âme, ce qui est rarement intéressant

Jusqu'à Cézanne inclusivement, dit Gombrich, le fil de l'art occidental a été à peu près ininterrompu. De l'Egypte aux impressionnistes, la continuité l'a emporté sur les variations de style et de technique. Ce fil se casse au début du XXe siècle. Brutalement, la fonction de témoignage et de représentation de l'artiste s'interrompt. Cette rupture, pour Gombrich, est irréversible.

Si le fil s'est cassé, c'est parce que le rôle de l'artiste est devenu indéterminé. La photographie et le cinéma l'ont privé de toute fonction sociale. La peinture attachait l'artiste à la société; désormais, elle l'en sépare. L'artiste n'exprime plus que ses états d'âme. Ce peut être intéressant : ainsi, dit Gombrich, quand Kandinsky, Klee et Mondrian cherchaient à atteindre, derrière le voile des apparences, une vérité profonde; ou quand les surréalistes cultivaient la « divine folie ». Mais il s'agit là d'exceptions.

Car, le plus souvent, pour exister, l'artiste se complaît dans une agitation pure et simple. Pendant des siècles, l'Art se définissait par son caractère immuable; il faut désormais qu'il bouge, qu'il innove. Absurde! Un véritable artiste n'a nul besoin d'être un novateur : Chardin ou Vélasquez n'ont rien inventé, « ils se contentaient d'être excellents ». Nous sommes entrés, explique Gombrich, dans l'ère de l'« activisme culturel » : un style chasse l'autre. L'art abstrait, apparu il y a à peine soixante ans, a déjà disparu. C'est le marché et la critique qui créent les styles, ce n'est plus l'artiste. De crainte de laisser échapper une bonne affaire, la critique décrète que tout est beau, la bonne comme la mauvaise peinture. La pression du marché est devenue si forte que peu d'artistes parviennent à y résister. « Tout est devenu Art, tout est consacré. » Or, estime Gombrich, il n'y a pas de pire ennemi pour l'Art que l'absence de distinction entre le Beau et le Laid, que le fait de considérer que tout est relatif. Un Vermeer, un Rembrandt son absolument beaux, ils ne le sont pas relativement.

A quoi reconnaît-on alors le véritable artiste? « L'artiste est son meilleur critique. S'il dialogue avec son œuvre, c'est un artiste; s'il dialogue avec le public, c'est probablement un imposteur. »

Les marchands ne sont pas seuls responsables de cette confusion entre Art et imposture. Gombrich en accuse aussi la culture de masse. « Depuis la Révolution soviétique, l'idée que l'Art devrait être accessible aux masses populaires a fait tache d'huile en Occident. La culture est devenue une activité politique. Les ministres de la Culture et des Beaux-Arts, les directeurs de musée sont jugés d'après la quantité de spectateurs auxquels ils permettent l'accès aux chefs-d'œuvre. L'activisme culturel préside aux expositions géantes et aux musées pharaoniques des temps modernes. »

Gombrich dénonce ces musées qui ne sont plus que des emblèmes nationaux : tout est dans l'apparence, rien dans le contenu. Des millions de visiteurs s'y pressent, poussés par un « snobisme de masse », mais ils ne voient *rien*.

S'ils ne voient rien, c'est qu'il est impossible de regarder un tableau en trente secondes, impossible d'en voir cent en une heure. Gombrich me cite une lettre de Van Gogh : « Ceux qui croient que je peins trop vite me regardent trop vite. » Plus un musée s'agrandit, plus une exposition a de succès, moins ces phénomènes ont à voir avec l'Art.

Mais, insiste Gombrich, ce ne sont pas seulement les conditions matérielles qui empêchent de voir les œuvres; c'est tout autant l'absence de culture artistique du spectateur.

Il est démagogique de faire croire que tout spectateur, sans préparation aucune, puisse ressentir le choc de sa vie parce qu'il est soudain confronté à un chef-d'œuvre. « Ce n'est pas, consent Gombrich, tout à fait impossible, mais l'éventualité est rarissime. » En règle générale, l'accès à l'œuvre d'Art passe par une éducation artistique préalable. L'art de voir s'apprend, pour le spectateur comme pour le peintre. Sans éducation, il est à peu près exclu qu'on puisse faire la différence entre un bon et un mauvais tableau. Il est faux, insiste Gombrich, de croire et faire croire que l'on entre dans un tableau comme dans une gare. Plus la culture artistique du spectateur, sa connaissance de l'auteur, de son temps, de ses intentions, sont développées, plus il sera à même d'apprécier un tableau ou une sculpture. Le regard sur une œuvre peut aller du degré zéro à l'infini. « Malraux a essayé de nous persuader que, par l'œuvre d'Art, nous pouvions entrer en contact immédiat avec n'importe quelle civilisation, passée ou exotique : c'est une fabulation ! estime Gombrich. Nous pouvons à la rigueur comprendre – avec un minimum d'éducation – un autoportrait de Rembrandt, mais un masque nègre nous est *a priori* incompréhensible. »

Gombrich se défend d'être pessimiste ou réactionnaire : « L'Art ne peut pas mourir, parce que les hommes produiront toujours des images. » Mais rien n'indique qu'ils continueront de le faire sur des toiles. La peinture sur toile est probablement en voie de disparition. Elle sera peut-être relayée par de nouveaux supports, comme les hologrammes ou les images électroniques. Gombrich envisage tout à fait que ces nouvelles techniques puissent devenir les modes de représentation des artistes de demain. Mais il est impossible d'en être assuré. De même qu'il est exclu de prévoir quels artistes seront reconnus demain comme les grands maîtres d'aujourd'hui. Personne, conclut Gombrich, n'aurait pu dire, à la fin du XIXe siècle, que les trois grands peintres d'alors étaient Cézanne, Van Gogh et Gauguin. Tous trois travaillaient loin de Paris, dans leur solitude. Ils ne s'exposaient qu'à une seule critique, la plus intransigeante de toutes : la leur.

A quoi reconnaîtra-t-on donc les « grands maîtres » d'aujourd'hui? « Comme toujours, au fait qu'ils seront morts. »

Après m'être entretenu avec Ernst Gombrich, j'ai été quelque temps persuadé que son pessimisme sur la peinture contemporaine était fondé. Mais, peu sûr d'avoir raison, j'ai voulu confronter ses analyses avec celles d'un artiste de notre temps. J'ai choisi Tapies.

Ce grand artiste catalan a inventé une nouvelle grammaire picturale; elle est parfois qualifiée d'« art pauvre », parce qu'elle utilise des matériaux ordinaires. Tapies est aussi l'un des rares créateurs contemporains à prendre suffisamment de distances vis-à-vis de son art pour en parler avec simplicité.

De tous les propos de Gombrich que je lui ai rapportés, un au moins a emporté sa totale adhésion : le véritable créateur est celui qui dialogue avec son œuvre, pas avec le public. Mais il se sépare de Gombrich lorsque celui-ci déclare qu'il n'y a dans la peinture plus rien à trouver. Car Tapies se souvient d'avoir entendu exactement la même phrase lorsqu'il a commencé à peindre; c'était il y a trente ans! Il estime aussi, contrairement à Gombrich, que la peinture, la sienne en tout cas, remplit toujours une fonction sociale : faire accéder le spectateur de l'œuvre à un stade supérieur de la connaissance, par une sorte d'intuition fulgurante, à la manière de l'initiation zen.

ISAIAH BERLIN

Nous ne savons pas où est le port, il faut donc continuer à naviguer

Les Anglais sont pragmatiques. Isaiah Berlin est contre l'esprit de système. Donc Sir Isaiah est anglais – ou presque. En fait, il est né à Riga, il y a quatre-vingts ans. Mais, immigré très jeune, dès 1920, en Grande-Bretagne, il s'est fondu dans la culture locale au point d'être devenu l'un de ses meilleurs représentants. Professeur à Oxford, à l'All Souls College, Isaiah Berlin a formé plusieurs générations de l'élite britannique. Il a surtout créé une discipline nouvelle qui, curieusement, n'existait pas avant lui : l'histoire des idées.

Pour Berlin, ce sont les idées qui façonnent l'Histoire. Malheureusement! Car la plupart d'entre elles, observe-t-il, sont folles et dangereuses. L'œuvre de Berlin consiste à retrouver le chemin de la liberté, à la manière de Karl Popper, dans ce dédale des idéologies. Mais, avant d'entrer dans le vif du sujet, je ne résiste pas à la tentation de rappeler ma première rencontre avec Isaiah Berlin.

« Sir Isaiah », comme on dit à Londres, m'avait donné rendez-vous à son club, l'Atheneum, la plus intellectuelle de ces institutions. Je n'avais osé lui demander comment le reconnaître. Berlin n'accorde jamais d'entretiens à la presse et n'a que rarement été photographié; il a horreur de cela. Mais je m'étais persuadé qu'il me serait facile de retrouver un professeur octogénaire, lord de surcroît, dans un club anglais. Vous devinez ce qui arriva : ce soir-là, à l'Atheneum, buvant du sherry devant le faux feu de cheminée alimenté au gaz, il n'y avait que des lords octogénaires! Bien entendu, ce fut Sir Isaiah qui me repéra. Un Français à l'Atheneum ne passe pas inaperçu...

Il n'est pas facile de s'entretenir avec Sir Isaiah. L'homme est bourru, ironique, il trouve mes questions stupides et passe volontiers du coq à l'âne. Il a horreur des idées générales et se méfie de tout ce qui est simple. Ce qui suit est donc une tentative de reconstitution logique, et non pas une transcription. Elle rend compte, je l'espère, de l'esprit de Sir Isaiah, même si elle reflète mal sa méthode « impressionniste », qui n'est pas la mienne.

Nous vivons sur les idées du XIXᵉ siècle

« Je me situe à contre-courant de tous vos vrais penseurs, m'annonce d'emblée Berlin. Les gens que vous avez rencontrés jusqu'ici ont en commun d'être des constructeurs de systèmes. Quoique le XXᵉ siècle soit assez pauvre en de tels constructeurs, ajoute Berlin. Le grand siècle, à cet égard, fut le XIXᵉ. Nous vivons largement sur les théories, sur un stock d'idées constituées à cette époque. »

Sir Isaiah a donc décidé de ne s'intéresser qu'au passé. Selon lui, seules les idées du XIXᵉ siècle méritent d'être étudiées; celles du XXᵉ sont à ses yeux trop compliquées, trop confuses. « Pourtant, même sur le XIXᵉ siècle je ne connais pas grand-chose et ne suis pas certain que ce que je vais vous dire est exact. Au demeurant, si on découvrait un jour la vérité, on se rendrait compte qu'elle n'est pas tellement intéressante... »

Humour anglais? Sir Isaiah suce sa pipe tout en parlant, il avale la moitié des phrases et s'exprime avec un accent d'Oxford à peu près impénétrable.

Quand des intellectuels, dans cent ans, étudieront notre époque – à condition que l'humanité existe encore –, que constateront-ils? Que le xxe siècle a été dominé par deux phénomènes : le progrès des sciences d'un côté, la révolution russe de l'autre. Or, ces deux phénomènes, observe Berlin, sont des produits de l'idéologie dominante du xixe siècle : la conviction que l'humanité est vouée au Progrès, et que ce Progrès doit être organisé. Un idéalisme qui est lui-même hérité de Platon! Traduit en termes politiques, on peut l'analyser de la manière suivante : il faut sacrifier la génération présente pour faire le bonheur des générations futures – ou, en termes plus triviaux, « on ne fait pas d'omelette sans casser des œufs ».

« Malheureusement, observe Isaiah Berlin, on a cassé beaucoup d'œufs depuis un siècle, et nous n'avons toujours pas d'omelette... »

Les idées fausses gouvernent l'Histoire

Il s'est pourtant trouvé un intellectuel, au xixe siècle, pour prédire l'inutilité et l'échec de toute révolution : Alexandre Herzen. Herzen, intellectuel russe, en exil à Paris, fut un ardent partisan de la Révolution jusqu'à celle de 1848, raconte Berlin. C'est alors qu'il découvrit que les idéologies transforment les hommes en victimes ou en esclaves pour le bien des générations futures. Or, nota alors Herzen, seul le sacrifice est certain; le bonheur futur, lui, ne l'est pas. Les révolutionnaires, ajoute Berlin, ont inventé une forme nouvelle de sacrifice humain sur l'autel des abstractions – au nom de l'Eglise, de la Nation, du Parti, de la Classe, du Progrès, des forces de l'Histoire... Formidable prémonition que celle de Herzen, à qui les événements vont malheureusement donner raison! Herzen est le seul idéologue à avoir trouvé grâce aux yeux de Berlin, car il est le seul à avoir pressenti le danger du Progrès en tant que notion abstraite, le seul intellectuel à avoir su s'arrêter sur la pente fatale. Herzen est souvent considéré comme renégat, ajoute Berlin, ce qui prouve bien que la force des idéologies est sans rapport avec leur vérité.

Autre exemple, cité par Berlin, du décalage entre la réalité et les idéologies : « Aucun grand penseur du XIXe siècle n'a perçu le phénomène historique déterminant du siècle, à savoir le nationalisme. Bien au contraire, tous le considéraient comme définitivement périmé. » On peut, dans la foulée, se demander ce qui, au XXe siècle, est essentiel et que nous ne voyons pas davantage. Sans doute l'intégrisme ou le renouveau du tribalisme, répond Berlin.

Bien qu'elles soient fausses, les idéologies sont le moteur de l'Histoire. La preuve? La révolution russe. Selon Berlin, celle-ci s'explique entièrement par l'influence de l'intelligentsia russe : une secte quasi religieuse, coupée du peuple, obsédée par le désir de sauver l'humanité. Si l'on recherche des causes objectives – économiques et sociales – à la révolution communiste de 1917, il est exclu de comprendre pourquoi elle s'est produite en Russie et non pas en Allemagne ou en Grande-Bretagne, comme l'espéraient Marx et Engels. La révolution a eu lieu en Russie parce que, depuis le milieu du XIXe siècle, ce pays était le foyer des intellectuels les plus intransigeants et les plus imprégnés d'utopie de toute l'Europe.

– Pourquoi notre siècle n'a-t-il pas vu surgir de grandes idéologies, comme le XIXe?

– Peut-être parce que toutes les idéologies sont fondées sur la liberté et que cette notion, simple et unique au XIXe siècle, s'est aujourd'hui ramifiée et diluée au point de devenir incompréhensible. Quand vous parlez de liberté aujourd'hui, il faut immédiatement se justifier; ce n'était pas le cas autrefois. Mais s'il n'y a pas de grandes idéologies, c'est avant tout faute d'idéologues!

La naissance des idées, explique Berlin, n'obéit à aucune logique historique, elle ne dépend que de l'apparition de génies, et celle-ci est imprévisible. Au demeurant, ce siècle n'est pas terminé et – ajoute-t-il sans trop y croire – un génie peut toujours apparaître à n'importe quel moment...

De plus, les idées ne naissent pas n'importe où, mais en des lieux bien déterminés. Ainsi Paris a-t-il été pendant deux cent cinquante ans le foyer des idées de gauche – jusqu'en 1968, estime Berlin. Ce n'est plus le cas aujourd'hui, et aucune autre ville n'a pris le relais. Pourquoi? Berlin n'en sait rien. L'autre berceau de l'idéologie progressiste a été Vienne. De là, entre 1860 et 1920, ont surgi une quantité spectaculaire de constructeurs de systèmes : Popper, Hayek, Bettelheim, Wittgenstein, Freud. Berlin, qui les a tous connus, les appelle des « monomaniaques de génie ». Ils adoraient, me dit-il, pratiquer l'excommunication – le génie va de pair avec l'intolérance. Tous voulaient que l'humanité « marche droit ». Ils ignoraient cette phrase de Kant : « Avec le bois tordu de l'humanité, il est impossible de faire quelque chose de droit. »

Mais on ne peut pour autant tenir les idéologues pour responsables des conséquences de leurs systèmes. « Je n'estime pas, dit Berlin, que Hegel soit responsable de Marx, ni que Marx soit responsable du Goulag. Marx n'était certes pas un humaniste, il avait même un certain goût pour la violence. Mais le marxisme ne devait pas déboucher nécessairement sur ce que nous connaissons. Disons que le léninisme était l'un des débouchés possibles de Marx, mais pas le seul envisageable. Je me bornerai donc à dire que le monde se porterait mieux si Marx n'avait pas existé. »

Et Berlin ajoute, en s'adressant à son verre de sherry, que « l'on aurait pu également se passer de Wagner, Freud et Hannah Arendt »!

– Que voulez-vous dire par là?

– Certaines choses ne devraient pas être écrites, même si elles sont vraies!

Le rôle particulier des intellectuels juifs

« Freud, Hannah Arendt, Marx : autant de bâtisseurs de systèmes qui étaient juifs. Et Wagner qui, lui, était antisémite. Il conviendrait d'ajouter Disraeli à la liste. Et Trotski... Il est évident que les Juifs ont joué un rôle déterminant dans la construction des grandes idéologies politiques. Quand Hitler prétendait que la révolution russe est un complot judéobolchevique, il n'avait pas tout à fait tort... » *C'est un fait*, dit Berlin, qui lui-même est juif – et sioniste! ajoute-t-il. Expliquer ce rôle particulier des Juifs, c'est comprendre comment se fabriquent les idéologies.

Les idéologies ne s'inscrivent dans aucune nécessité historique, elles ne font qu'exprimer les préoccupations d'individus particuliers. Examinons les cas de Marx et Disraeli qui sont à cet égard exemplaires. Tous deux sont juifs, mais se refusent comme tels. L'un et l'autre souhaitent s'intégrer à la société de leur temps, qui les rejette. Tous deux vont donc s'inventer des familles, des racines de substitution. Pour Marx, ce sera le prolétariat; pour Disraeli, ce sera l'aristocratie. Marx ne connaît pas plus les prolétaires que Disraeli les aristocrates : ce sont, dans les deux cas, des produits de leur imagination, des catégories sociales mythiques auxquelles ils attribuent un destin prodigieux. Marx se fixera pour vocation de guider le prolétariat, et Disraeli de guider l'aristocratie. C'est ainsi que le monde a hérité du communisme et de l'impérialisme. « Car ce n'est pas parce que ces idéologies sont nées de préoccupations personnelles et limitées qu'elles n'ont pas, en tant que telles, une vocation universelle, explique Berlin. L'histoire des idéologies, ajoute-t-il, est faite de cette rencontre entre des destins particuliers et des préoccupations universelles. Il est par conséquent tout à fait inutile, comme s'y évertuent les historiens, de replacer les idées dans leur époque... C'est pourtant ce que l'on croit bon de faire à Cambridge... », dit Berlin d'un ton perfide.

Les idées mènent donc une vie propre, indépendante de leur auteur et des circonstances de leur naissance.

On ne peut avoir à la fois la connaissance et le bonheur

Le succès d'une idéologie, explique Berlin, tient à sa simplicité et non pas à sa vérité. Le marxisme est totalement inutile pour comprendre l'Histoire, il n'a jamais joué aucun rôle dans le développement économique, mais cela n'empêche pas qu'il y ait des marxistes. Le succès vient de ce que plus une idéologie est élémentaire, attribuant par exemple une cause unique à l'Histoire, plus elle attire les foules. L'idéologie tient lieu de réflexion pour les masses sans culture. De surcroît, les idéologies du XIXᵉ siècle ont des prétentions scientifiques : ceux qui y adhèrent y gagnent soudain le prestige de la connaissance. La répétition de slogans, mots de passe et catéchismes divers, tient lieu d'analyse : c'est très commode et pas fatigant. Enfin, l'idéologie exonère généralement les individus de toute responsabilité : il leur suffit de s'abandonner aux forces de l'Histoire, aux lois du Progrès, pour être dans le vrai. Ce qui leur arrive ne dépend plus d'eux, mais de leur condition sociale ou nationale. Cela vaut aussi bien pour le marxisme que pour le fascisme. Croire que l'Histoire a un sens nécessaire est le fondement de toutes les idéologies. Les historiens ne sont pas les derniers à le faire croire : « c'est leur fonds de commerce ».

Toutes ces raisons, dit Berlin, expliquent le succès particulier des idéologies parmi la jeunesse. « Quand j'entends dire que la jeunesse a besoin d'idéal, ajoute-t-il, je soupire : ce fameux idéal ne sert qu'à remplacer la connaissance et la responsabilité indivi- duelle. » Peut-être ne peut-on accéder à la fois à la connaissance et au bonheur? Il est vrai, ajoute Berlin, que la jeunesse occidentale actuelle est la première depuis des générations à qui l'on ne demande pas de se sacrifier pour quelque chose : il n'y a plus de « causes ». Mais la liberté n'a jamais beaucoup d'amateurs – beaucoup moins que l'esprit de système... »

Tout système est une prison

« Je reconnais que les tenants de l'esprit de sys- tème, les fanatiques ont de grands avantages tacti- ques, mais adopter une utopie, même libérale, c'est adopter les méthodes de l'adversaire. » Face à un système, estime Berlin, il faut dire la vérité, car « c'est tout ce que nous avons ». « J'ajoute que les systèmes ne sont jamais détruits par les arguments de leurs adversaires; ils ne sont détruits que par l'Histoire. » C'est par là que les fanatiques ne sont pas assurés de gagner à tout coup.

Berlin est en désaccord avec Hayek lorsque celui-ci estime indispensable, pour lutter contre l'étatisme, de proposer une utopie libérale de substitution. Je pense comme Raymond Aron, précise Berlin, que « tout système est une prison, que tout système aveugle ». D'ailleurs, ajoute-t-il, le libéralisme ne peut devenir un véritable système idéologique, puisqu'il n'a pas de pontife et qu'il se garde d'avoir réponse à tout.

Berlin a sa définition personnelle du libéralisme, très extensive : « Etre libéral, c'est non seulement accepter les opinions divergentes, mais admettre que ce sont peut-être vos adversaires qui ont raison! » Qui suivra Berlin jusque-là, y compris parmi les libéraux?

Berlin croit-il en quelque chose? « Mais oui, répondit-il, je crois que le scepticisme est une valeur éternelle qu'il nous faut préserver. Nous flottons, conclut-il, sur un bateau sans gouvernail, et nous ignorons où est le port : il faut donc continuer à naviguer! »

Épilogue

Les mystères du siècle

Au moment de clore cette bibliothèque vivante, qu'avons-nous appris?

Si je ne craignais de schématiser à l'extrême, je dirais que *les penseurs des trois siècles passés nous proposaient des solutions, alors que ceux de notre temps nous apportent surtout des informations.* Qu'il s'agisse de l'économie ou de la biologie, nous connaissons désormais bien des phénomènes naturels avec une précision sans précédent. Nous n'en comprenons pas forcément mieux les raisons, et mes interlocuteurs se demandent généralement s'il y en a une ou plusieurs qui soient véritablement accessibles. Ceux qui, comme René Thom, restent déterminés à comprendre et considèrent que l'Univers obéit à des lois prévisibles apparaissent aujourd'hui comme des savants originaux, alors qu'ils expriment une position qui fut banale pendant des siècles. Marvin Minsky, le fondateur de la science cognitive, m'a fait observer que le cerveau de l'homme n'avait pas été créé pour comprendre l'Univers, mais pour remplir de tout autres fonctions. Il est donc naturel que cet Univers nous demeure mystérieux et il est tout à fait extraordinaire qu'il nous soit compréhensible – jusqu'à un certain point.

Ainsi le débat entre le déterminisme et l'indétermination, l'ordre et le chaos, pour reprendre l'expression d'Ilya Prigogine, le hasard et la nécessité, avait écrit Jacques Monod, reste-t-il l'interrogation centrale de la connaissance contemporaine. Selon Prigogine, l'Univers est parcouru par la « flèche du temps » : les phénomènes ne se reproduisent jamais à l'identique et deviennent imprévisibles par définition. Kimura ajoute que les espèces vivantes sont elles-mêmes le produit hasardeux d'une gigantesque loterie génétique. Pour ces tenants – majoritaires – de l'aléatoire, en même temps que la connaissance progresse, la science perd toute capacité de prévoir. Cette ignorance prospective n'affecte pas désormais que les sciences, c'est la notion tout entière d'un futur lisible qui disparaît du champ de la réflexion générale : *l'avenir n'est plus écrit nulle part.*

Un deuxième débat, qui traverse les disciplines, oppose les théoriciens de l'inné à ceux de l'acquis. Les premiers gagnent du terrain, ce qui conduit à de déchirantes révisions philosophiques. Noam Chomsky ou Edward Wilson font valoir que bien des traits humains essentiels – le langage, la culture – ne sont pas des attitudes apprises, mais codées dans nos gènes. Chaque homme nouveau ne serait pas une page blanche ouverte à l'influence de ses parents, de ses maîtres et du progrès éventuel, mais un être déjà programmé. Le débat porte désormais sur l'ampleur de cette programmation, plus que sur son principe. *La part de la nature héritée en chacun de nous progresse au rythme de la découverte scientifique et au détriment de notre prétention à n'être que culture.* Tel est, me semble-t-il, pour chacun d'entre nous, l'apport le plus neuf et le plus déstabilisant de cette enquête. Encore faut-il l'interpréter correctement. La biologie est une contrainte, mais ce n'est pas une fatalité, et notre nature consiste aussi à maîtriser la Nature.

Troisième grand débat qui ressort de ces entretiens : la physique et la métaphysique restent totalement distinctes. Très rares sont les penseurs qui tentent encore de faire une synthèse, comme Claude Tresmontant en se réclamant de Teilhard de Chardin. La spécialisation par discipline a dans l'ensemble enfermé chaque penseur dans son mystère fondamental. Dieu n'est donc pas plus au bout du télescope qu'à celui du microscope, ni dans l'infiniment grand, ni dans l'infiniment petit. *La connaissance scientifique contredit totalement la lecture élémentaire de n'importe quel texte sacré, mais elle ne répond à aucune de leurs interrogations essentielles.* Voilà pourquoi des hommes de foi comme René Girard aux États-Unis, ou Zhao Fusan en Chine puisent dans la modernité, au contraire du scepticisme que l'on pourrait attendre, de nouvelles raisons de croire et d'espérer.

Quatrième thème, le plus surprenant de tous, me semble-t-il, à ressortir de cette enquête : *le Progrès est en panne et plus personne, en cette fin de siècle, n'y croit.* L'idée même en est déconsidérée. Je veux dire par là que plus personne ne croit que les améliorations des techniques débouchent sur le progrès moral ou social. Le siècle témoigne effectivement du contraire, et l'idéal positiviste ne s'en remet pas. Par contrecoup, toute politique qui prétend améliorer le sort des hommes en plaquant sur une société des plans supposés intelligents et scientifiques, fait faillite. A quatre-vingt-dix ans, l'économiste anglais Hayek constate le succès de son postulat selon lequel « l'ordre spontané est toujours supérieur à l'ordre décrété ». Dans la pratique, cela explique pourquoi la volonté de libéralisation l'emporte partout, à des degrés divers, sur les politiques autoritaires. Mais le progressisme n'est pas en panne seulement en politique. Il l'est aussi dans les sciences.

Certes, toute science progresse par définition, puisqu'on a décidé arbitrairement d'appeler science ce qui progresse. Mais à l'intérieur de ce champ-là, les théories explicatives de la Nature s'épuisent. Aux grandes percées conceptuelles des années vingt, comme la relativité et la mécanique quantique, a succédé l'incertitude qu'exprime bien la « science du chaos » définie par Prigogine – ce que René Thom considère plutôt comme un « chaos de la science ». Les savants, ajoute Thom, se contentent d'accumuler des observations grâce à des instruments de plus en plus perfectionnés. Mais ils ne comprennent rien de plus à ce qu'ils observent : la science, selon lui, est devenue un « cimetière de faits ». Voilà pourquoi, ajoute-t-il, nous ne constatons plus aucun progrès réel à l'échelle individuelle. Qu'il s'agisse de la médecine ou des communications, nos grands-parents et nos parents ont connu plus de changements que nous. *Désormais, nous bénéficions de quelques progrès quantitatif, mais d'aucun progrès qualitatif.* Si le progrès réel est en panne, c'est parce que la science observe et qu'elle ne pense plus.

Même si cette analyse de Thom paraît excessive, elle attire justement l'attention sur la nécessité de la théorie en toute chose. La théorie, le système sont – comme nous l'a expliqué Claude Lévi-Strauss – des lunettes indispensables pour espérer entr'apercevoir la réalité matérielle, naturelle ou sociale. *Sans système, notre esprit est trop faible pour assembler en un tout cohérent les fragments de l'observation et de l'expérience.* Chacun de nos penseurs se fonde d'ailleurs sur un système. Mais gardons aussi en mémoire, avec Isaiah Berlin, que tout système, toute théorie entravent dans un premier temps et se périment dans un second. Aucun système ne contient donc la vérité, et s'il est indispensable d'en avoir un, il faut savoir aussi le rejeter quand l'usage révèle ses imperfections. Ceux qui s'enferment dans un système périmé ne sont plus que des idéologues. Comment se défait-on des idéologies? En attendant qu'une autre théorie la remplace. L'attente peut être longue, car il n'y a pas là d'autre nécessité historique que l'apparition de nouveaux penseurs : un phénomène tout à fait aléatoire, lui aussi !

Malgré toutes ces incertitudes, *la passion de l'absolu hante l'humanité et connaît même un regain en cette fin de siècle*. Le cinquième grand débat, en effet, tel qu'il se dégage de ces entretiens, oppose les tenants du relativisme à ceux des vérités éternelles. Dans le premier camp, il est logique de retrouver un anthropologue comme Claude Lévi-Strauss : à l'écoute des civilisations primitives, il a introduit le respect de la pensée sauvage et l'humilité culturelle. Son œuvre recoupe pour l'essentiel une longue période d'incertitude de l'Occident sur lui-même. Ce temps paraît s'achever. La redécouverte de Karl Popper n'est-elle pas un signe parmi d'autres de ce que notre culture particulière ne renonce pas à se prétendre universelle ? Le relativisme, en philosophie pour Popper, pour Ernst Gombrich en art, ou pour Isaiah Berlin en politique, n'aurait été qu'une passagère manifestation de faiblesse intellectuelle. Tous trois nous invitent à nous ressaisir.

A ces chasseurs d'absolu philosophique j'ajouterai ceux qui, comme Swaminathan ou Octavio Paz, s'attachent à sortir l'humanité de la pauvreté de masse et de la servitude. Car, selon eux aussi, *il existe une vérité et une seule pour assurer la prospérité culturelle, économique ou politique : c'est le respect de la liberté individuelle et de la propriété privée.* Voici des notions bourgeoises qui, deux siècles exactement après leur naissance révolutionnaire, renouent avec leur ambition universaliste et corrodent, en ce moment, jusqu'au fondement des sociétés totalitaires.

Mais ne nous berçons pas d'illusions ! Si le débat ne porte plus sur la supériorité de la liberté économique et de la démocratie, ce n'est pas pour autant que celles-ci vont l'emporter : *les manières concrètes pour sortir des systèmes bureaucratiques et surmonter la passivité de peuples colonisés par leurs propres gouvernements restent totalement à inventer.* Pareille réflexion sur la *méthode* libérale et démocratique me semble d'autant plus urgente que ce qui tient lieu de politique pour notre temps, y compris dans les « démocraties », emprunte le plus souvent d'autres chemins que ceux de la connaissance. Comment ne pas s'inquiéter de l'écart qui sépare les innovations théoriques et expérimentales du xxᵉ siècle, d'un côté, et l'exercice traditionnel du pouvoir, de l'autre? Il est clair que les Etats persistent à exploiter dans l'homme ce qu'il a de tribal et à mésestimer ce qu'il a d'universel. Telle est bien l'impasse de notre temps.

Paris, mai 1989.

Annexes bio-bibliographiques

Youri Afanassiev

Le recteur de l'Institut historique et des archives de Moscou est né en 1934 à Maïna, dans la région d'Oulianovsk. Il termine des études d'histoire en 1957 à l'Université de Moscou, puis travaille dans les organisations du Komsomol de la région de Krasnoïarsk. Il va y rester pendant dix ans, devenant membre de leur comité central en 1964.

En 1968, il revient à Moscou, à l'Académie des sciences sociales, et effectue un troisième cycle. Il soutient alors une thèse sur l'historiographie de la Révolution française. En 1971, il est nommé secrétaire du comité du Parti de l'Ecole supérieur du Komsomol auprès du Comité central, puis vice-recteur.

Parallèlement, Youri Afanassiev est membre du comité central du Parti communiste d'Union soviétique à partir de 1961. En 1982, après avoir soutenu une thèse de doctorat en histoire, il entre à l'Institut d'histoire générale de l'Académie des sciences de l'U.R.S.S. De 1983 à 1986, il appartient à la rédaction de la revue *Kommunist*. C'est en décembre 1986 qu'il est nommé recteur de l'Institut historique. Il est également membre du Conseil de rédaction du service d'histoire des relations internationales aux Editions Progrès, membre de la direction du Fonds culturel soviéto-américain.

Avec l'émergence de la Glasnost, Afanassiev contribue activement à « rendre leur passé » aux Soviétiques, en particulier celui de la période stalinienne. Président du mouvement « Mémorial », il milite pour le monument aux victimes du stalinisme et leur réhabilitation. Aux élections de mars 1989, Youri Afanassiev est élu député du peuple, avec soixante-quatorze pour cent des suffrages, dans la région de Noguine, banlieue ouvrière de Moscou.

A lire :

Victor LEONTOVITCH : *Histoire du libéralisme en Russie*, Fayard, 1987.

Charles BETTELHEIM : *Les Luttes de classes en U.R.S.S.*, Le Seuil, 1974.

Isaiah Berlin

Sir Isaiah Berlin, fils d'un marchand de timbres de Riga (Lettonie) où il naît en 1909, fit ses études au cœur d'un sanctuaire britannique : Corpus Christi College, à Oxford. Il devient professeur de sciences sociales et politiques, puis président du Wolfson College de 1966 à 1975. C'est dans cet environnement – avec de nombreuses incursions dans les universités américaines (Harvard, Princeton, Columbia, Chicago) ou australiennes (Cambera) – qu'il fera toute sa carrière d'intellectuel inclassable, mordant, inattendu, sans idéologie et sans école. Son art très personnel, alliant la philosophie, l'histoire, les sciences politiques, la psychologie, se consacre aux idées politiques.

Ses premières recherches et publications, dès avant la guerre, sur Karl Marx, puis sur le Siècle des Lumières, l'engagent sur deux des grandes voies qu'il ne cessera d'approfondir : la notion de théorie et de système, d'une part, le sens de la liberté, d'autre part. Berlin est également un des spécialistes mondiaux de la pensée russe. Dans ses analyses, le plus souvent sous forme d'essai, il laisse une grande place aux hommes : la pensée pour lui n'existe que matérialisée dans un homme, quelqu'un avec qui dialoguer et argumenter. « C'est un sceptique qui aspire à la foi », a-t-on pu dire de lui.

Il vit toujours à Oxford, attaché au All Souls College, et a été fait chevalier par la reine en 1957.

Œuvres traduites :

Trois Essais sur la condition juive, Calmann-Lévy, 1973.

Eloge de la liberté, Calmann-Lévy, 1982.
Les Penseurs russes, Albin Michel, 1984.

Non traduites :

Karl Marx : his Life and Environment, Oxford University, 1939.
The Age of Enlightenment : the Eighteenth Century Philosophers, Houghton, 1956.
Two Concepts of Liberty, Clarendon Press, 1958.
History and Theory : the Concept of Scientific History, Mouton, 1960.
Does Political Theory still Exists?, Blackwell, 1962.
Fathers and Children, Clarendon Press, 1972.
Two Studies in the History of Ideas, Viking, 1976.
Concepts and Categories, Viking, 1979.

Bruno Bettelheim

Né à Vienne en 1903, Bruno Bettelheim fait ses études en Allemagne et en Autriche. Il est attiré par les arts et la littérature. Comme pour tous les intellectuels de son milieu, la Première Guerre mondiale et l'effondrement austro-hongrois sont des révélateurs. Dès lors, l'influence de Freud est déterminante. Engagé dans une analyse, Bettelheim se tourne vers la psychologie et la philosophie, et passe son doctorat à Vienne en 1938.

Arrêté par les Nazis après l'annexion de l'Autriche, il va rester un an dans les camps de Dachau et Buchenwald. Relâché en 1940, il part aux Etats-Unis. Il publie alors un article sur son expérience comme psychologue dans l'environnement carcéral extrême des camps. *Comportement collectif et individuel dans des situations extrêmes* devient un classique. Le général Eisenhower ordonnera que chaque officier en Europe le lise. Des années plus tard, Bettelheim formalisera ses observations dans *Le Cœur conscient*, qui donne en outre des clés sur son évolution intellectuelle à l'égard de la psychanalyse.

En 1944, naturalisé américain, Bettelheim dirige l'Ecole orthogénique S. Shankman de l'Université de Chicago, qui traite les troubles émotionnels des enfants. Dorénavant, il concentre tous ses efforts sur l'explication des comportements, avec l'ambition de contribuer au « plus grand art qui soit : vivre une vie satisfaisante émotionnellement, et utile socialement ». Son succès est mondial. Le titre de son premier livre : *L'amour ne suffit pas*, indique clairement aux parents que des efforts sont nécessaires pour favoriser l'épanouissement de l'enfant. Parallèlement à ce rôle d'éducateur, Bettelheim reste vigilant sur nombre de problèmes de société, en particulier les préjugés raciaux, refusant la création de stéréotypes à l'égard des racistes eux-mêmes, comme inopérants pour combattre leurs idées.

Œuvres traduites :

La Forteresse vide : l'autisme et la naissance du soi, Gallimard, 1969.
Les Enfants du rêve, Laffont, 1971.
Les Blessures symboliques, Gallimard, Tel, 1971.
Le Cœur conscient, Laffont, 1972.
L'amour ne suffit pas : le traitement des troubles affectifs chez l'enfant, Fleurus, 1973.
Evadés de la vie, Fleurus, 1973.
Dialogues avec les mère, Laffont, 1973.
Un lieu où renaître, Laffont, 1975.
Psychanalyse des contes de fées, Laffont, 1976.
Survivre, Hachette-Pluriel, 1981.
Un autre regard sur la folie, Hachette-Pluriel, 1983.
Freud et l'âme humaine, Laffont, 1984.
Pour être des parents acceptables, Laffont, 1988.

Noam Chomsky

En 1957 paraît aux Etats-Unis *Structures syntaxiques*. C'est une révolution dans la linguistique, dominée par les structuralistes. L'auteur, assistant au M.I.T., élabore le concept d'une grammaire innée, arguant que l'aptitude au langage est un système biologique, comme peut l'être la vision. Il ambitionne de rechercher les principes communs à tous les langages, qui permettent l'expression spontanée. C'est de la similitude entre ces grammaires de langues différentes que Chomsky déduit l'instinct universel au langage.

Noam Chomsky devient instantanément célèbre. Il n'a pas trente ans – il est né en 1928 à Philadelphie, de parents émigrés de Russie. Son intérêt envers la linguistique s'est manifesté très tôt, en lisant une grammaire de l'hébreu du XIIIe siècle, rééditée par son père. Dès ses études à l'Université de Philadelphie, Chomsky rechercha un système de règles permettant de définir toutes les structures de phrases dans une langue.

Ses théories sur la compétence innée au langage apparaîtront pertinentes dans d'autres domaines que la linguistique : dans les sciences cognitives. Après une année à Harvard, Chomsky formule l'idée que tout savoir se développe dans le cadre d'une structure schématique fixée, et que ce savoir prend une forme modelée par la nature de la pensée. En envisageant la relation entre les règles du langage et la pensée, Noam Chomsky ne minimise pourtant pas la difficulté : « Il est peut-être hors des limites de l'intelligence humaine de comprendre comment fonctionne l'intelligence. »

Chomsky sera par ailleurs, par ses engagements politiques, un des héros activistes de la « nouvelle gauche » aux États-Unis dans les années 60. Dans *L'Amérique et ses nouveaux mandarins*, il dénonce « ceux qui élaborent des théories pour justifier les intérêts des pouvoirs ».

Œuvres traduites :

L'Analyse formelle des langues naturelles, Gauthier-Villars, 1969.

La Linguistique cartésienne : la nature formelle du langage, Le Seuil, 1969.

L'Amérique et ses nouveaux mandarins, Le Seuil, 1970.

Aspects de la théorie syntaxique, Le Seuil, 1971.

Principes de phonologie générative, Le Seuil, 1973.

Questions de sémantique, Le Seuil, 1975.

Réflexions sur le langage, Flammarion, 1981.

Essais sur la forme et le sens, Le Seuil, 1986.

La Nouvelle Syntaxe, Le Seuil, 1987.

Milovan Djilas

Né en 1911 dans le Monténégro, Milovan Djilas fait des études de lettres et de droit et s'inscrit à vingt ans au Parti communiste. Il est presque immédiatement arrêté pour activités illégales et condamné à trois ans de travaux forcés. Libéré en 1935, il rencontre deux ans plus tard Tito, dont il va devenir le plus proche ami et le bras droit. Il est membre du Comité central, puis du Politburo du Parti en 1940. En tant que haut responsable du quartier général de la Résistance, il prépare le soulèvement armé de 1941, qui débouchera sur la prise du pouvoir à l'issue de la guerre.

A la libération, il est ministre du Monténégro, dans le premier gouvernement du maréchal Tito. Chargé de la propagande, on lui reproche à cette époque d'exercer une dictature culturelle et il obtient le surnom de « Tsar de la presse ». Lorsque, en 1948, Tito est exclu par Staline et l'Internationale, Djilas va devenir le premier des « révisionnistes hérétiques » du communisme. Il devient le héraut de l'autogestion socialiste. Il est vice-Premier ministre en 1953, et président du Parlement la même année.

Il va alors passer à la dissidence. Dans une série d'articles publiés dans *Borba* et *Nova Misa*, il affirme que le premier objectif révolutionnaire a été atteint (le gouvernement du peuple), et appelle à la liberté d'opinion. Il est, à la surprise générale, arrêté et condamné pour « déviation ». Libéré sur parole en 1961, il fait parvenir à New York le manuscrit des *Conversations avec Staline*, ce qui lui vaut d'être à nouveau condamné à neuf ans de prison. Il sera gracié par Tito en 1966, au moment des purges anti-staliniennes. En prison, il a écrit des romans, et traduit le *Paradis perdu* de Milton. Aujourd'hui, s'il peut sortir de Yougoslavie, Milovan Djilas n'est toujours pas publié dans son propre pays.

Œuvres :

La Société imparfaite, Calmann-Lévy, 1969.
Conversations avec Staline, Gallimard, 1971.
Tito, mon ami, mon ennemi, Fayard, 1980.
Le Destin des voleurs, Syros, 1982.
Ecrits politiques, Belfond, 1983.
L'Exécution : nouvelles, Presse-Pocket, 1986.

René Girard

Dans les années 60, Claude Lévi-Strauss se vit un jour interpeller par la revue *Esprit* qui s'étonnait que le savant ne s'attaque pas à nos propres mythologies en prenant pour sujet les traditions judéo-chrétiennes. En fait, un chercheur ignoré travaillait depuis plusieurs années déjà à cette quête des origines : René Girard.

René Girard est un intellectuel français qui vit et enseigne aux Etats-Unis. Né en Avignon en 1924, il sort archiviste-paléographe de l'Ecole nationale des Chartes. Après la guerre, il passe un doctorat à l'Université de l'Indiana. Il fait toute sa carrière dans le cadre des universités américaines : professeur de littérature française à l'Université de New York, à la John Hopkins University, et, depuis 1980, à l'Université Stanford en Californie.

Girard a commencé à analyser les grandes structures des comportements à travers les romanciers européens : Cervantès, Stendhal, Flaubert, Proust ou Dostoïevski. Déjà émergent deux des clés de sa réflexion : le désir médiatisé (l'objet du désir est désigné par les autres) et la fascination (donc le tabou) du mimétisme. Le nom de René Girard ne devient connu en France qu'à partir de 1972, quand paraît *La Violence et le Sacré*. En retournant à l'Ancien et au Nouveau Testament et en dégageant l'importance de la violence primitive, il interprète le développement de l'humanité. Ce qui suscite non pas des polémiques, mais un étonnement coi. Girard poursuit avec *Des choses cachées depuis la fondation du monde*, dont le titre même sidère ou choque certains milieux intellectuels. Ce « Hegel du christianisme », comme l'a qualifié Jean-Marie Domenach, animé d'une foi chrétienne intense, développe néanmoins sa pensée et ses interprétations en dehors du contexte religieux, comme un instrument permettant des analyses pertinentes, parfois fulgurantes.

Œuvres :

Mensonge romantique et Vérité romanesque, Grasset, 1961.

Dostoïevski : du double à l'unité, Plon, 1963.

La Violence et le Sacré, Grasset, 1972.

Critique dans un souterrain, L'Age d'homme, 1976.

Des choses cachées depuis la fondation du monde, Grasset, 1978.

Le Bouc émissaire, Grasset, 1982.

La Route antique des hommes pervers, Grasset, 1985.

Ernst Gombrich

Comme Karl Popper, Ernst Gombrich est né dans le milieu culturel florissant et privilégié de la Vienne du début du siècle. Après des études d'histoire à l'Université de Vienne, il quitte son pays en 1936, devant la montée du nazisme (il a 27 ans), et rejoint le milieu universitaire anglais : Oxford, Cambridge, Londres, avec, très vite, de longs séjours comme professeur d'histoire de l'Art invité aux Etats-Unis (Universités Harvard et Cornell). Sa carrière le conduira à tous les honneurs : académicien des arts et sciences des Etats-Unis, des Pays-Bas, du Canada, de Bavière, membre de la Société royale de littérature et de l'Académie britannique.

Cet homme qui a vu s'effondrer deux mondes (celui de l'Empire austro-hongrois et celui des démocraties des années trente), s'est fait analyste de l'Art et de l'Esthétique. Mais il ne croit pas à « l'œil innocent ». Son grand livre, *L'Art et l'Illusion : une étude de la psychologie de la représentation*, réfute l'idée selon laquelle l'artiste transcrit le monde comme il le voit, et du mieux qu'il le peut. L'esprit de l'homme et donc de l'artiste n'est pas un terrain vierge. Il sélectionne et trie ce que l'œil aperçoit.

Les analyses très riches de Gombrich interviennent à un moment où les historiens de l'Art se sont englués dans des débats sémantiques et des classifications stylistiques. Ces visions neuves de Gombrich, par leur richesse et leur ampleur, vont alors permettre de relancer l'étude de l'Art et de la création artistique.

Œuvres traduites :

L'Art et l'Illusion, Gallimard, 1971.
L'Ecologie des images, Flammarion, 1983.
Les Moyens et les Fins, Rivages, 1985.
Histoire de l'Art, Flammarion, 1986.
Méditations sur un cheval de bois, W, 1986.

Stephen Jay Gould

En 1946, un enfant de cinq ans visite le musée d'histoire naturelle de Manhattan. Là, Stephen Gould décide qu'il sera paléontologue. Cette passion le conduira à être considéré comme l'un des successeurs de Darwin. A l'époque, les manuels de sciences naturelles passaient encore sous silence la théorie de l'évolution. Après l'Université du Colorado, Gould prépare son doctorat à Columbia sur les escargots fossiles des Bermudes. Sa capacité à créer des analogies fécondes et originales est un trait de son enseignement à Harvard, où il vit depuis 1967.

En 1972, un de ses articles va modifier le concept d'évolution. Les espèces, selon Darwin, évoluent au cours de longues périodes, par des transformations graduelles au moyen de la sélection naturelle. Ce que nous apprend Gould, c'est que la plupart des espèces demeurent stables, mais que de nouvelles espèces apparaissent rapidement – en temps géologique : quelques milliers d'années. Gould précisera plus tard que le « gradualisme » est plus un effet de la pensée occidentale que le résultat de l'observation scientifique. La manière dont l'environnement affecte la formulation des théories scientifiques (« le biais culturel ») est un des thèmes importants de Gould. Avec *Le Pouce du panda*, Gould indique que l'évolution n'est pas le fruit d'un plan, mais du hasard et de la sélection naturelle. Les créationnistes vont ainsi se trouver face à un ferme opposant. En 1981, Gould témoigne dans le retentissant procès de Little Rock où des mouvements religieux fondamenta-

listes exigent l'enseignement à l'école des théories créationnistes.

Stephen Gould a contribué à faire émerger des concepts
opérationnels comme l'horloge biologique, la biogéographie. Il se montre très réticent envers le déterminisme
biologique et vis-à-vis de la sociobiologie de son collègue
E. O. Wilson. Il approfondit ce thème dans *La Mal-mesure
de l'homme*, où il dénonce également l'usage fallacieux des
tests d'intelligence.

Œuvres traduites :

Darwin et les grandes énigmes de la vie, Le Seuil, 1984.
Le Pouce du panda : une nouvelle théorie de l'Evolution,
Grasset, 1982.
La Mal-mesure de l'homme, Le Livre de Poche, 1986.
*Quand les poules auront des dents; réflexions sur l'his-
toire naturelle*, Fayard, 1986.

Friedrich von Hayek

Le grand théoricien du néo-libéralisme est né en 1899 à Vienne. S'il est surtout connu aujourd'hui pour son influence sur les politiques gouvernementales de l'Occident, il est d'abord un des maîtres de la pensée économique contemporaine, qui s'intéressa très tôt, en particulier, à la théorie du calcul économique rationnel et au fondement d'une économie socialiste.

Après avoir dirigé l'Institut de recherches sur les cycles économiques, il quitte Vienne en 1930 et devient professeur à la London School of Economics. C'est là, la crise économique ravageant l'Europe, qu'il publie *Prix et Production*. Les gouvernements cherchent alors à appliquer les thèses keynésiennes. Hayek n'hésite pas à dénoncer comme facteurs de désordre ces politiques globales. Il montre que les écarts entre les taux de profit des différents emplois du capital sont déterminants pour la « structure de la production » (concept qu'il formule), donc pour les politiques économiques. Ce livre suscite nombre de polémiques jusqu'à l'éclatement de la guerre. Lord Keynes dira qu'il s'agit du « plus horrible mélange » qu'il ait jamais lu. En 1944, *La Route de la servitude*, qui éclaire les relations entre modes de production et organisation sociale, fera la renommée mondiale de Hayek.

En 1950, Hayek devient professeur à l'Université de Chicago où il va rester douze ans et où va naître çe qu'on a appelé l'Ecole de Chicago. C'est bien plus tard, avec l'apparition de la crise économique des années soixante-dix, que l'apport de Friedrich von Hayek apparaîtra fécond pour expliquer l'origine de la récession, dont les racines sont antérieures aux chocs pétroliers. C'est d'ailleurs en 1974 qu'il reçoit le Prix Nobel d'économie. De nationalité britannique, il vit depuis 1962 à Fribourg, en Allemagne.

Œuvres traduites :

Prix et Production, Calmann-Lévy, 1975 (Agora, 1985).
La Route de la servitude, P.U.F., 1985 (Réédition).
Droit, législation et liberté, P.U.F., 1986.
  I. Règle et Ordre.
  II. Ordre politique d'un peuple libre.

Motoo Kimura

Le biologiste japonais Motoo Kimura est un des pionniers de la génétique moderne. Né en 1924 à Okazaki, il a fait ses études secondaires et universitaires à Kyoto. Quelques années après la guerre, il part aux Etats-Unis où il passe son PhD (Doctorat) à l'Université du Wisconsin.

Il va commencer son travail de recherche génétique à l'Institut national de Mishima, au Japon, qui sera son point d'ancrage permanent. Il devient chef du département de génétique des populations en 1957. Cette discipline nouvelle dont il est l'un des fondateurs a pour objet d'étudier la modification du patrimoine génétique collectif. Il est nommé directeur en 1964. Depuis lors, il partage son temps entre ses recherches et les cours qu'il professe au Japon, mais aussi, comme professeur invité, dans les universités américaines (Wisconsin, Princeton, Stanford) ou européennes (Pavie).

Les travaux de Kimura, développés avec une utilisation importante de modèles mathématiques, sont partis des observations récentes que le « polymorphisme » génétique (la variété) dans les populations était beaucoup plus important que ce que l'on pensait généralement. En travaillant sur le rôle du *hasard* (qui n'est pas l'absence de causalité, mais l'absence de causes identifiées) comme facteur d'évolution, Kimura a modifié de manière notable la conception du processus d'évolution. « Le premier rôle n'est plus tenu par la nécessité, mais par le hasard », explique Albert Jacquard commentateur français de Kimura.

Récipiendaire de nombreux prix japonais et internationaux de recherche biologique, il est membre de l'Académie des sciences du Japon et des Etats-Unis.

Claude Lévi-Strauss

Celui en qui les intellectuels du monde entier voient un représentant éminent de l'esprit français par son érudition, sa capacité théorique et son génie du style est né en 1908 à Bruxelles, où séjournait alors son père qui était peintre. Il va être élevé à Versailles où résident ses parents et grands-parents; son grand-père était rabbin. Agrégé de philosophie en 1931, il enseigne pendant trois ans en province avant de partir pour le Brésil, où il obtient la chaire de sociologie de l'Université de São Paulo. Entre ses périodes d'enseignement, il voyage dans les tribus indiennes Bororo, Caduevo, Nambikwara et Kawahib, où il séjournera un an en 1938. Il découvre là-bas les anthropologues américains Boas, Kroeber, Lowie.

Après la débâcle française, il s'enfuit à New York. Il y rencontre le linguiste Roman Jakobson qui influence sa réflexion. Lévi-Strauss transpose les méthodes « structuralistes » d'analyses des phonèmes à l'anthropologie, comme outil de recherche pour une grammaire universelle de la mythologie. En 1949 paraissent *Les Structures élémentaires de la parenté*, œuvre majeure pour l'étude des relations parentales, de la permanence des rites, du tabou de l'inceste. L'anthropologie structurale était née. Il fonde le laboratoire d'anthropologie sociale après son élection au Collège de France en 1960.

Ses deux livres les plus accessibles et classiques sont : *Tristes Tropiques* (1955), autobiographie intellectuelle, et *La Pensée sauvage*, où sont étudiés les rites complexes des aborigènes comme reflet de leur vision quotidienne de l'Univers. La parution de ce livre en 1962 provoqua un débat intellectuel mouvementé avec J.-P. Sartre, sur le rôle de la conscience individuelle dans l'Histoire. Lévi-Strauss se consacre ensuite à la science des mythes, avec *Mythologiques*. Son influence immense a débordé sur nombre de domaines : l'art, la philosophie, la littérature (le nouveau roman), la biologie...

Œuvres :

Les Structures élémentaires de la parenté, P.U.F., 1949.
Race et Histoire, UNESCO, 1952.
Tristes Tropiques, Plon, 1955.
Anthropologie structurale, Plon, 1958.
La Pensée sauvage, Plon, 1962.
Le Totémisme d'aujourd'hui, P.U.F., 1962.
Le Cru et le Cuit (Mythologiques I), Plon, 1964.
Du Miel aux cendres (Mythologiques II), Plon, 1966.
L'Origine des matières de table (Mythologiques III), Plon, 1968.
L'Homme nu, Plon 1970.
Le Regard éloigné, Plon, 1973.
La Voie des masques, Plon, 1979.
La Potière jalouse, Plon, 1985.
De près et de loin, entretiens avec Didier Eribon, Odile Jacob, 1988.

James Lovelock

A l'époque des équipes pluridisciplinaires et des réseaux, James Ephraim Lovelock est un « savant indépendant ». Né en 1919 dans le Hertforshire, il fait ses études de médecine et de biologie à Londres et Manchester. Il commence une carrière universitaire, à Londres, Houston, Harvard, au Jet Propulsion Laboratory de la N.A.S.A., mais l'interrompt en 1964 pour poursuivre des recherches d'intérêt personnel, en marge de toute institution.

La pratique solitaire de la science est pour lui non seulement un plaisir, mais un procédé productif. Cette attitude lui a souvent valu les critiques de la communauté scientifique, le jugeant suspect et irresponsable. Mais d'autres, comme Carl Sagan, verront en lui un savant « extraordinaire » dont la liberté et la curiosité ont permis des découvertes et des hypothèses totalement nouvelles. Le domaine et les méthodes de Lovelock enjambent les frontières traditionnelles des laboratoires et centres de recherche. Son sujet permanent pourrait être défini comme : la Vie.

Son premier livre paraît en 1979 seulement : *Gaia : a New Look at Life on Earth*. Il y analyse les conditions favorables à la vie sur la Terre, et en tire des conclusions sur les possibilités de vie sur d'autres planètes. Par cette œuvre, où il indique que la Terre, avec l'atmosphère, les océans, la biosphère, forme un seul système vivant indissociable, il est l'un des fondateurs théoriques de l'écologie.

Œuvres traduites :

La Terre est un être vivant : l'hypothèse Gaïa, Rocher, 1986.

Non traduites :

The Great Extinction, the Solution to one of the Great Mysteries of Science : The Disappearance of Dinosaurs, Doubleday, 1983.

The Greening of Mars, St Martin's, 1984.

Gaia's Defense, Norton, 1988.

Marvin Minsky

S'il est difficile de dater l'apparition d'une nouvelle discipline, on considère que l'Intelligence artificielle est née d'une conférence à Darmouth en 1956. Là, Marvin Minsky et John McCarthy jettent les bases de la reproduction artificielle de la pensée par des machines.

Né à New York en 1927, Marvin Minsky fait preuve, très tôt, d'une immense curiosité et d'une non moins grande activité. En 1946, à Harvard, il donne libre cours à son appétit, étudiant la physique, la génétique, la sociologie, les mathématiques, la musique, la neurologie. La lecture du psychologue B. F. Skinner va le marquer, car Minsky récuse les explications du comportement qui ne prennent pas en compte le fonctionnement interne de la pensée. Dorénavant, son intérêt exclusif est de comprendre l'intelligence. A Princeton, en 1951, il travaille sur les machines électroniques, et arrive à simuler le comportement de la mémoire. Son ambition est de construire une « machine qui pense ». Après son PhD, une bourse de Harvard lui permet de transgresser les frontières entre disciplines, ses recherches ne s'intégrant alors dans aucun département. En 1956, c'est la réunion de Darmouth. En 1959, pour la première fois, un ordinateur démontre un théorème à partir d'un programme utilisant le travail de Minsky.

En 1958, Marvin Minsky rejoint le M.I.T. Il y retrouve McCarthy et fonde le Laboratoire d'intelligence artificielle. Avec Seymour Papert, il travaille ensuite sur les constructions mentales chez les jeunes enfants. Ses recherches montrent combien le « bon sens » est une activité bien plus complexe, par le nombre de paramètres et de jugements nécessaires, que l'expertise spécialisée. Dans son dernier livre, *La Société de l'Esprit,* Minsky exprime l'idée que le cerveau est organisé comme une société où les différents agents (la mémoire, le savoir, le sens...) communiquent entre eux et construisent leur développement.

Œuvres traduites :

La Société de l'Esprit, Inter-Editions, 1988.
Non traduites :
Finite and Infinite Machines, Prentice-Hall, 1967.
Perceptrons : an Introduction to Computational Geometry, M.I.T. Press, 1969.
Robotics, Doubleday, 1985.

Kenji Nakagami

Enfant terrible de la littérature japonaise, Kenji Nakagami est sans doute le plus grand écrivain de la génération
d'après-guerre dans son pays. Il est né en 1946, à Shingu,
dans le ghetto où se retrouvent les *Burakumin*, parias de la
société japonaise depuis des siècles. Cette région pauvre de
la péninsule de Kishu, au sud d'Osaka, ancrée dans ses
croyances d'origine, est une sorte de Tiers-Monde au cœur
du Japon. Nakagami fait là ses études secondaires, et à
l'âge de dix-huit ans part pour Tokyo. Pendant six ans, il
vit dans le quartier animé de Shinjuku, se passionnant
pour le théâtre et le jazz.

Alors qu'il travaille comme manutentionnaire à l'aéroport de Tokyo-Haneda, son premier roman, *Le Cap
(Misaki)* est publié, et Nakagami obtient d'emblée, en
1975, le plus haut prix littéraire du Japon, le Prix Akuta-
gawa. Ce roman sera le début d'un cycle où l'on retrouve
l'âpreté et la violence du cadre de son adolescence, où sont
explorées la complexité des relations familiales et sociales
et la répression intérieure. L'écriture nouvelle et puissante,
violente et poétique, de Nakagami est, selon un critique
japonais, une sorte de bégaiement qui permet de faire
ressortir l'ambiguïté des mots et des situations.

Désormais, il va vivre entièrement de son travail d'écrivain, par ses romans, ses chroniques et de nombreux
scénarios pour la télévision et le cinéma. En 1977, il publie
Karekinada, qui obtient un autre prix. Nakagami voyage
intensivement dans les pays d'Asie du Sud-Est et en Corée.
En 1982, il traverse les Etats-Unis à moto. En 1985, il

donne à Paris, à l'Ecole normale supérieure, sa première conférence hors du Japon.

Œuvres traduites :

Mille Ans de plaisir, Fayard, 1988.
La Mer aux arbres morts (Karekinada), Fayard, 1989.

Ashis Nandy

Ashis Nandy est né à Thagalpar, dans l'Inde orientale, en 1937. Son enfance se passe à Calcutta et Nagur où il poursuit ses études, obtenant de nombreuses distinctions à l'université dans les domaines de la sociologie et de la psychologie clinique, qui seront les matières de son doctorat.

Ashis Nandy va se passionner pour l'étude des sociétés et des peuples pauvres, ce qui n'était alors pas très courant, même (ou surtout) pour des universitaires originaires d'un pays du Tiers-Monde. Il est influencé, entre autres, par Ivan Illich. Ses recherches s'orientent essentiellement vers la psychologie politique (comme les relations entre colonisateurs et peuples colonisés, et l'impact de la décolonisation sur la psychologie sociale), l'environnement culturel de la science et la culture populaire.

Depuis vingt ans, Ashis Nandy travaille au Centre d'études des sociétés en développement à Delhi. Il mène de front de multiples activités, tant intellectuelles que sociales : c'est ainsi qu'il est vice-président du Citizen's Fund for Social Activists, et président du Comité pour les choix culturels. Il milite personnellement dans les mouvements pour la paix et les droits civiques, pour la défense de l'environnement et le développement des techniques alternatives. Il est appelé fréquemment à enseigner à l'Université des Nations unies. En 1982-83 et en 1988, il a été invité pour une série de conférences au Smithsonian Institute de Washington. Passionné de musique indienne traditionnelle,

Nandy travaille actuellement à un ouvrage sur la vision et l'héritage hindous.

Œuvres :

Alternative Sciences, New Delhi Albed, 1980.

At the Edge of Psychology, New Delhi-Oxford U. Press, 1980.

The Intimate Enemy : Loss and Recovery of Self under Colinialism, Oxford U.P., 1983.

Ernst Nolte

En 1986, la « querelle de l'Histoire » éclate au grand jour en Allemagne. Un article de l'historien Ernst Nolte paraît le 6 juin dans la *Frankfurter Allgemeine Zeitung*. A propos du caractère « unique » des crimes nazis, Nolte invoque l'antériorité de l'« Archipel du Goulag ». Il écrit : « L'assassinat pour raison de classe perpétré par les bolcheviks n'est-il pas le précédent logique et factuel de l'assassinat pour raison de race perpétré par les Nazis ? » Le « révisionnisme historique » devient un débat public. Jürgen Habermas répondra un mois plus tard en dénonçant les « tendances apologétiques de l'historiographie allemande récente ». Les historiens comme Nolte, Stürmer ou Hillgruber n'ouvrent-ils pas la voie à la banalisation du passé nazi ? Que devient la responsabilité des intellectuels ? Si le nom d'Ernst Nolte est au centre du débat, il faut néanmoins noter que sa démarche était antérieure et de nature un peu différente.

Né à Witten, en Westphalie, en 1923, Ernst Nolte fait ses études à l'Université de Berlin, puis de Fribourg. Il est agrégé de philosophie en 1952. Sa thèse traite de « L'aliénation et la dialectique dans l'idéalisme allemand ». Pendant dix ans, il enseigne au Gymnasium de Bad-Godesberg. A partir de 1959, il va travailler à son ouvrage clé : « *Le Fascisme dans son époque*. En 1965, il est professeur à l'Université de Marburg, et depuis 1975 à l'Université libre de Berlin. Etudiant les origines idéologiques et les mouvements de pensée politiques, il entreprend dans le début de son œuvre une étude idéologique et historique du mouvement de Charles Maurras. La thèse de Nolte sur le fascisme conclut que la doctrine la plus cohérente, celle qui préfigure les autres, est celle de l'Action française.

Œuvres traduites :

Le Fascisme dans son époque (trois volumes), Julliard, 1970.

Sur le débat du « révisionnisme » historique, lire :

Devant l'Histoire, Editions du Cerf, 1987.
L'Histoire escamotée, Cahiers libres-La Découverte, 1988.

Octavio Paz

Octavio Paz se définit politiquement comme « un homme de gauche qui a perdu ses illusions ». S'il s'est, certes, souvent « engagé » au cours de sa vie, et a conduit une carrière brillante de diplomate (secrétaire d'ambassade à Paris, puis à Tokyo, ambassadeur du Mexique en Inde de 1962 à 1968), c'est cependant la littérature qui l'a requis. Poète prolifique, critique et philosophe, fondateur de revues, c'est à l'âge de 17 ans, à Mexico où il est né en 1914, qu'il décide d'être un écrivain. Ses premières publications datent de 1933.

La caractéristique de la poésie de Paz, qui appartient au mouvement surréaliste, soulignée par nombre de critiques, est un désir ambitieux d'unité, de fusion, où « la vie et la mort, l'ombre et la lumière font partie du même corps ». Il est pourtant l'incarnation des tensions entre l'engagement social et les préoccupations esthétiques. Il situe le rôle social du poète au cœur de la vie moderne, mais à l'écart, rythmant d'une voix solitaire le bruit de la multitude.

Au-delà de la littérature, ses écrits couvrent l'anthropologie, l'art, la politique. Il a publié par exemple des études sur Claude Lévi-Strauss et Marcel Duchamp. *Le Labyrinthe de la solitude*, paru en 1950, est devenu un classique pour comprendre le Mexique moderne.

Après 1968, date de la crise mexicaine et de la fusillade de la place des Trois-Cultures, Octavio Paz choisit de devenir professeur à Cambridge, en Angleterre, puis à Harvard. De retour à Mexico, il dirige la revue d'inspiration libérale *Vuelta*.

Œuvres traduites :

Liberté sur parole, Gallimard, 1966.
La Fille de Rapaccini, Mercure de France, 1972.
Le Labyrinthe de la solitude, Gallimard, 1972.
Le Singe grammairien, Skira, 1982.
Anthologie de la poésie mexicaine, Nagel.
Rire et pénitence : Art et Histoire, Gallimard, 1983.
Une planète et quatre ou cinq mondes, Gallimard, Folio, 1985.
La Fin de chaque jour, Gallimard, 1986.
Sor Juan Iñes de la Cruz ou les pièges de la foi, Gallimard, 1987.

Karl Popper

Les recherches et la personne même de Karl Popper incarnent ce qu'on appelle souvent les « deux cultures » : culture scientifique et culture philosophique. Né en 1902 dans la grande bourgeoisie viennoise (son père, avocat, possédait une bibliothèque de dix mille volumes, sa mère était grande musicienne), l'univers de son enfance s'écroule avec la fin de la Première Guerre mondiale. Etudiant, il se passionne pour tous les mouvements intellectuels

Dès cette époque, il établit la distinction entre science et « pseudo-science », qui lui paraît être le problème le plus concret de la philosophie des sciences. Qu'est-ce qui permet de distinguer la valeur scientifique des théories d'Einstein de la non-science de celles de Freud, Marx ou Adler ? C'est le critère de distinction qu'il s'efforcera de forger. Dans *La Logique de la découverte scientifique*, il énonce la théorie de la « réfutation » : parce qu'une hypothèse peut être « falsifiée », c'est-à-dire réfutée par expérimentation, d'autres hypothèses plus complètes peuvent être élaborées, et la théorie peut progresser. En 1937, il accepte un poste en Nouvelle-Zélande où il restera jusqu'à la fin de la guerre. Lorsque Hitler envahit d'Autriche, il écrit *La Société ouverte et ses ennemis*, dédié à la défense de la démocratie. « Les ennemis d'une société libre sont les penseurs, comme Platon, Marx ou Hegel, qui, croyant que l'Histoire est soumise à des lois inexorables, veulent les imposer à l'humanité, quel qu'en soit le prix pour les individus. » L'Histoire ne progresse pas, dit Popper, seuls les individus progressent.

Après la guerre, il crée le département de philosophie, logique et méthode scientifique à la London School of Economics. Naturalisé britannique, anobli par la reine, Popper réside toujours dans la banlieue de Londres. En 1987, il a reçu le prix Alexis-Tocqueville. Il sera découvert en France tardivement, grâce à l'intervention du Pr. Jacques Monod, lors de la traduction de *La Logique de la recherche scientifique*.

Œuvres traduites :

La Logique de la découverte scientifique, préface de Jacques Monod, Payot, 1973.

La Société ouverte et ses ennemis, I, Hegel et Marx, Le Seuil, 1979.

La Société ouverte et ses ennemis, II, L'Ascendant de Platon, Le Seuil, 1979.

La Quête inachevée, une autobiographie intellectuelle, Calmann-Lévy, 1981.

L'Univers irrésolu : plaidoyer pour l'indéterminisme, Herman, 1984.

Conjectures et Réfutations : la croissance du savoir scientifique, Payot, 1985.

La Connaissance objective, Complexe, 1985.

Ilya Prigogine

En lui décernant le Prix Nobel de chimie en 1977, le jury distingua un savant qui avait « revitalisé la science, grâce à des théories fécondes pour l'étude de problèmes aussi variés que trafic automobile, sociétés d'insectes, croissance des cellules cancéreuses... ».

Le savant belge voit le jour à Moscou en 1917. Sa famille émigre à Berlin en 1922, où Ilya Prigogine passera une enfance studieuse et culturellement très riche. La montée du nazisme les fait fuir à Bruxelles. Attiré par des études éclectiques, de la musique à la littérature en passant par la philosophie, il est frappé par les remarques de Bergson sur la perception du temps, et se tourne vers les sciences. Dès 1939, son travail se centre sur la seconde loi de la thermodynamique selon laquelle le désordre – mesuré par l'entropie – s'accroît dans un système fermé, quelle que soit sa nature, et où l'énergie utilisée disparaît... La logique de cette « loi » implique que l'univers tende à un équilibre mortel où toute énergie serait gaspillée. C'est « la flèche du temps ». Prigogine étudie les conditions éloignées de l'équilibre, et pense en 1946 que les effets du temps peuvent engendrer de nouvelles structures.

En 1954, il publie *L'Introduction à la thermodynamique des processus irréversibles.* Les équilibres thermodynamiques, qu'il qualifie d'« aveugles », sont rares dans la nature. Et les systèmes déséquilibrés, comme villes ou cellules, bien plus fréquents, survivent dans un environnement moins organisé. Prigogine montre que dans des conditions éloignées du point d'équilibre, les fluctuations peuvent se stabiliser. Les « structures dissipatives », dont la Vie elle-même est un exemple, peuvent ainsi durer, captant l'énergie nécessaire de leur environnement chaotique, puis la dissipant à nouveau à l'extérieur. Le groupe de recherche de Prigogine à Bruxelles, avec soixante scientifiques de toutes disciplines, teste le concept de structure dissipative dans de multiples domaines : sociologie, biologie, planification, urbanisme...

Œuvres :

Structure, stabilité et fluctuations, Masson, 1971.
Physique, temps et devenir, Masson, 1982.
La Nouvelle Alliance : métamorphose de la Science (avec Isabelle Stengers), Gallimard, 1986.
Entre le temps et l'éternité (avec Isabelle Stengers), Fayard, 1988.

Murray N. Rothbard

Tous les travaux, les réflexions de Murray N. Rothbard sont centrés, selon ses propres déclarations, autour d'un seul thème : la liberté. Dans son domaine académique initial, l'économie, comme dans toutes ses activités « civiles », il s'est fait l'avocat inlassable de la lutte contre l'oppression de l'Etat, dénoncée sous toutes ses formes, même les plus insidieuses et camouflées, dans la vie quotidienne et le fonctionnement de l'économie.

Ce « libertarien », chantre de la libre entreprise, est né en 1926 à New York, où il a fait ses études à l'Université de Columbia. Assistant d'économie à New York, puis Princeton, il se passionne pour l'étude comparative des effets du marché libre et de l'interventionnisme de l'Etat. Ses recherches le conduiront vers la théorie politique et l'Histoire. Il analyse les grandes époques de l'histoire des Etats-Unis comme une confrontation entre la liberté et le pouvoir. Auteur prolixe, il étudie et applique les règles de fonctionnement du marché et de la libre entreprise à de multiples domaines : l'éducation, la répartition des revenus, la fiscalité, la Sécurité sociale...

De 1968 à 1985, il vit à New York où il enseigne l'économie et participe comme un « activiste », dit-il, à la vie communautaire. Il est membre de la Société du Mont Pèlerin fondée par Hayek, et actif au sein de la commission exécutive nationale du « Parti libertaire ». Depuis 1986, il est professeur à l'Université de Las Vegas.

Œuvres :

On Freedom and Free Enterprise, Van Nostrand, 1956.

Man, Economy and States, Van Nostrand, 1962.

The Panic of 1819 : Reactions and Policies, Columbia U. Press, 1962.

In Search of a Monetary Constitution, Harvard U. Press, 1962.

America's Great Depression, Van Nostrand, 1963.

What has Government Done to Our Money? Pine Tree Press, 1963.

Central Planning and Neo-mercantilism, Van Nostrand, 1964.

Power and Market : Government and the Economy, Institute for Human Studies, 1970.

Education : Free and Compulsory, Center for Independent Education, 1972.

For a New Liberty, MacMillan, 1973.

Toward a Reconstruction of Utility and Welfare Economics, Center for Libertarian Studies, 1977.

Left and Right : the Prospect for Liberty, Cato Institute, 1979.

Individualism and the Philosophy of Social Science, Cato Institute, 1979.

Ethics of Liberty, Humanities, 1982.

Carl Sagan

Mondialement connu par sa série télévisée sur le Cosmos, Carl Sagan est un astrophysicien étonnamment précoce. Né en 1934 à New York, il étudie la physique à Chicago, tout en devenant champion de basket-ball. En 1956 paraissent ses premières études sur la planète Mars : l'observation des couleurs n'a pas apporté les preuves de la présence de végétation et de vie, et si Mars et la Terre ont été formées dans des conditions similaires, leur développement fut différent. Après son doctorat (1960), il conclut à l'improbabilité de la vie sur Vénus, déduisant de l'importance des radio-émissions une chaleur intense sur la planète. Hypothèse confirmée six ans plus tard, lorsqu'un engin spatial soviétique pénétrera l'atmosphère de Vénus.

A l'aube de l'aventure spatiale, Carl Sagan s'inquiète du danger de l'introduction de microbes provenant de l'espace. Une contamination éventuelle détruirait toute possibilité de travailler sur les origines de la vie sur Terre. Il étudie en 1962 la génétique à Stanford, avec le Prix Nobel J. Lederberger. Il formule l'idée selon laquelle la vie est apparue sur Terre par stimulation de molécules inorganiques comme l'eau, le méthane ou l'ammoniaque, sous l'effet des conditions atmosphériques primitives. Testant sa théorie en laboratoire, Sagan bombarde des molécules de rayons ultraviolets et obtient des quantités infimes d'adénosine triphosphate, source essentielle d'énergie en biologie. Ses observations vont se multiplier. Dans des expériences reproduisant l'atmosphère de Mars, des micro-organismes vont subsister. Sagan sera conseiller de la N.A.S.A.

dans les programmes Apollo, Mariner, Viking et Voyager.

Carl Sagan, directeur depuis 1968 du laboratoire d'études planétaires du Centre de recherche spatiale de l'Université de Cornell, dispose d'un talent exceptionnel à faire partager sa passion. Avec *Les Dragons de l'Eden*, il a obtenu le Prix Pulitzer de littérature.

Œuvres traduites :

Cosmic Connection, ou l'appel des étoiles, Le Seuil, 1978.

Les Dragons de l'Eden : évolution de l'intelligence humaine, Le Seuil, 1980.

Comète, Calman-Lévy, 1985.

Cosmos, Mazarine, 1985.

Contact, Mazarine, 1986.

Monkombu Sambasiva Swaminathan

M.S. Swaminathan est né en 1925 dans le Kerala. Après des études de biologie et d'agronomie à l'Université de Madras, puis à Cambridge, et son doctorat en 1952, il travaille aux côtés de Norman Borlaug au Centre de recherches international sur le maïs au Mexique. La création de céréales à tige courte, à développement accéléré, et ses conséquences sur le rendement agricole vaudront à Borlaug le Prix Nobel de la paix en 1970. Comme généticien, Swaminathan va étudier les germes de blé, de riz et leur adaptation à l'environnement climatique et géologique. Parallèlement à ces travaux scientifiques, Swaminathan est l'homme clé dans la mise en œuvre des techniques agricoles nouvelles en Inde. En 1964, il est responsable du Projet national indien de démonstration agricole et deviendra le père de la « révolution verte » qui va soustraire le sous-continent et ses millions d'habitants à la famine. Son acharnement, pendant vingt-cinq ans, à voir appliquer une agriculture qui utilise les procédés et les semences nouveaux, respectant conditions écologiques et économiques, redonnera confiance dans les capacités agricoles des pays du Tiers-Monde.

Puis Swaminathan sera, jusqu'en 1987, directeur général de l'Institut international de recherches sur le riz (I.R.R.I.) aux Philippines. Il travaille sur les conditions socio-économiques, en particulier le rôle des femmes, dans la production alimentaire. Recevant en octobre 1987 le Prix mondial de l'alimentation, il écrit : « L'I.R.R.I. se consacre à la création de technologies et au transfert des connaissances, en prêtant une attention décisive aux femmes. L'évidence montre que quand elles disposent d'un revenu personnel, l'alimentation des enfants est mieux assurée. L'objectif doit donc être de donner cet accès à un petit revenu. » C'est dans ce but que Swaminathan a créé et dirige « The Asian Rice Farming Network », qui réfléchit aux activités permettant de générer librement quelques revenus destinés aux paysannes. Il est aujourd'hui, à Delhi, président de l'Union internationale pour la conservation de la Nature et de ses ressources.

Voir la revue *Science* (New York), 11 septembre 1987.

Thomas Szasz

Inventeur de l'« antipsychiatrie », Thomas Szasz a été reconnu comme « l'homme qui a contraint la psychiatrie à admettre l'existence et l'importance des conflits moraux et éthiques ».

Né en 1920 à Budapest dans une famille aisée et très cultivée, il s'engage dans des études de sciences physiques. L'invasion de l'Autriche par les Nazis en 1938 contraint les Szasz à émigrer aux Etats-Unis. Là, par intérêt envers « les affaires humaines » (il dira que ses conceptions ont été influencées par les grands dramaturges des contradictions humaines : Shakespeare, Molière, Ibsen...), il fait des études de médecine et de psychiatrie. En 1956, il s'établit à Syracuse comme professeur de psychiatrie à l'Upsate Medical Center.

La critique du concept de maladie mentale est au cœur de ses recherches. Dans *Le Mythe de la maladie mentale : théorie du conflit intérieur* (1961), il récuse le diagnostic de maladie mentale. La maladie est une altération des fonctions du corps; or l'esprit ne fait pas partie du corps. Ce concept, dit Szasz, est mythologique, utilisé pour des raisons stratégiques, des intérêts sociaux, nationaux, religieux. Avec *La Loi, la liberté et la psychiatrie*, il dénonce l'utilisation de la psychiatrie comme moyen de contrôle social, comparant le rôle du psychiatre envers les déviants à celui des inquisiteurs face aux hérétiques. Au service de ces idées iconoclastes à l'époque, Szasz dispose d'un talent de polémiste. Ses théories furent utilisées et déformées par les extrêmes politiques de tous bords. Mais Szasz s'en est tenu à une ligne de défense des droits et du respect de la dignité humaine. Il s'est attaqué à la façon de lutter contre la drogue : y voir essentiellement un problème médical, c'est ignorer les aspects religieux et politiques rituels. Szasz a insisté sur le fait que le radicalisme de ses positions scientifiques ne se transposait pas en politique : il est fermement opposé « aux changements soudains et révolutionnaires dans la société; les vraies évolutions se font graduellement ».

Œuvres traduites :

Idéologie et Folie, P.U.F., 1976.
Le Péché second, Payot, 1976.
L'Ethique de la psychanalyse, Payot, 1976.
La Loi, la liberté et la psychiatrie, Payot, 1977.
L'Age de la folie : L'histoire de l'hospitalisation psychiatrique involontaire, P.U.F., 1978.
Hérésies, Payot, 1978.
Théologie de la médecine, Payot, 1980.
Le Mythe de la psychothérapie, Payot, 1981.
La Schizophrénie, Payot, 1983.
Douleur et Plaisir, Payot, 1986.
Le Mythe de la maladie mentale, Payot, 1986.

Edward Teller

Edward Teller fournit l'exemple d'une carrière scientifique longue et variée dans le siècle. Né en 1908 à Budapest dans une famille juive assimilée, il est précoce en mathématiques et va étudier en Allemagne avec les pionniers de la mécanique quantique. Il obtient son doctorat de physique nucléaire en 1930. Chercheur à Göttingen, il part dès l'arrivée au pouvoir des Nazis, en 1933. Déjà reconnu par la communauté scientifique pour ses contributions à la théorie moléculaire, il rejoint Niels Bohr à Copenhague, puis l'Université de Washington en 1935. Là, il travaille avec George Gamow sur le comportement des particules atomiques.

Alors que l'Europe se prépare à la guerre, les physiciens acquièrent la certitude que le noyau de l'atome peut être cassé, libérant une énorme quantité d'énergie. C'est la voie de la bombe atomique. Enrôlé dans le projet Manhattan, Teller est aux côtés d'Enrico Fermi lorsqu'il réussit la première réaction en chaîne, et rejoint Oppenheimer à Los Alamos, jusqu'au lancement des bombes sur Hiroshima et Nagasaki. Teller avait étudié le mécanisme de la fusion qui devait libérer plus d'énergie que la fission. Mais la fusion fut abandonnée. Quand l'U.R.S.S., en 1949, fait exploser sa bombe A, le président Truman décide le programme thermonucléaire. Teller revient à Los Alamos et la bombe H américaine explose en 1952. Il inspire alors la création, à Berkeley, du Livermore Laboratory pour la recherche thermonucléaire.

En 1954, son témoignage, lors des investigations sur

Oppenheimer, sera jugé par certains comme partial. Teller estime que cette période est à l'origine d'une fracture au sein de la communauté scientifique, qui contribua à saper les efforts de sécurité nationale. Avocat inlassable d'une défense sophistiquée, réfutant les peurs apocalyptiques de retombées nucléaires, Teller, lors de la crise du pétrole, plaide pour l'énergie nucléaire. Puis il élabore le concept de bouclier défensif qui conduira le président Reagan à proposer, en 1983, l'initiative de Défense stratégique.

Œuvres :

On Nuclear Future, Criterion, 1958.
The Legacy of Hiroshima, Doubleday, 1962.
The Reluctant Revolutionary, University of Missouri Press, 1964.
Energy : a Plan for Action, 1975.
Nuclear Energy in the Developing World, 1977.
Better a Shield than a Sword, 1987.

René Thom

René Thom est né en 1923 à Montbéliard. Il s'oriente vers les mathématiques, plus par hasard que par vocation, et, normalien, devient spécialiste de topologie. Il passe son doctorat en 1951. Pour ses travaux sur le « cobordisme » dont il résout le problème par des procédés algébriques, il reçoit la médaille Fields en 1958 – « un coup de chance », dira-t-il. Un moment membre du groupe Bourbaki, il s'oppose par la suite à cette conception formaliste des mathématiques.

Au cours des années soixante, ses recherches l'éloignent des mathématiques et il s'engage alors dans ce qui deviendra la « théorie des catastrophes » (où le mot catastrophe n'a pas le sens commun de drame, mais plutôt celui de différence). Il s'agit là, selon ses termes, d'une théorie herméneutique qui s'efforce, face à n'importe quelle donnée expérimentale, de construire l'objet mathématique le plus simple qui puisse l'engendrer. Plus qu'une théorie, c'est donc une méthodologie, qui cherche à interpréter les données expérimentales en utilisant les outils et les calculs mathématiques, choisissant celui qui lui paraît le mieux adapté. La théorie des catastrophes pourrait ainsi s'appliquer à divers domaines de recherche scientifique. René Thom s'adressera particulièrement aux biologistes, qui, par leur approche expérimentale, ont laissé de côté les approches théoriques et les modèles mathématiques.

Avec l'approfondissement de ses réflexions, René Thom a été conduit à s'élever vigoureusement contre l'importance grandissante donnée au hasard dans l'étude des phénomènes et la recherche des causalités – comme dans les théories du chaos d'Ilya Prigogine. La revue *Le Débat* s'est fait le vecteur de cette féroce et féconde discussion.

Œuvres :

Stabilité structurale et morphogenèse : essai d'une théorie générale des modèles, Inter-Éditions, 1977.

Halte au hasard, silence au bruit! Le Débat, juillet-août 1980, et les réponses d'Ilya Prigogine et Edgar Morin, novembre 1980.

Paraboles et Catastrophes, entretiens, Champs Flammarion, 1983.

Modèles mathématiques de la morphogenèse, Bourgois, 10-18, 1987.

Esquisse d'une sémiologie, Inter-Éditions, 1989.

Lire également :

Thomas Kuhn : *La Structure des révolutions scientifiques,* Champs-Flammarion, 1983.

Jean Dieudonné : *Pour l'honneur de l'esprit humain,* Pluriel, 1988.

Claude Tresmontant

L'étude de la théologie chrétienne et une connaissance approfondie du grec et de l'hébreu ont conduit Claude Tresmontant à un travail exceptionnel : la retraduction des Evangiles. A partir du Nouveau Testament, et grâce au système de correspondance unique qu'il a mis au point entre les langues des manuscrits.

Tresmontant allait s'engager dans la voie de l'exégèse, ce qui ne lui valut pas que des amis, dans ce domaine considéré comme intouchable.

Agé aujourd'hui de 60 ans, Claude Tresmontant, après des études de philosophie, attacha d'abord sa pensée à la philosophie des sciences qu'il enseigne à la Sorbonne à Paris. Sachant ce que les sciences contemporaines (astrophysique, biochimie, génétique, biologie notamment) donnent comme *information* sur ce qui est, il met en parallèle ce que l'étude de la Bible nous fait connaître sur la *création*. Deux mots clés dans sa philosophie : il n'est plus question de séparer plus ou moins la raison de la foi, en attribuant comme objet, l'une à la philosophie, l'autre à la religion. « Il n'y a pas et ne saurait y avoir de conflit réel entre les sciences expérimentales et le monothéisme, pour une raison très simple, c'est qu'elles s'efforcent de nous faire connaître ce qui est, mais ne se prononcent pas sur la question de savoir comment comprendre *l'existence* de ce qui est », écrit Tresmontant, dans *L'Histoire de l'Univers et le sens de la création*.

Claude Tresmontant, qui enseigne maintenant la philosophie médiévale à la Sorbonne, est correspondant de l'Institut. Il donne de nombreuses conférences, aussi bien à Notre-Dame de Paris qu'au Centre européen de recherche nucléaire de Genève.

Œuvres :

Etudes de métaphysique biblique, Gabalda, 1955.

Les Idées maîtresses de la métaphysique chrétienne, Le Seuil, 1962.

Comment se pose aujourd'hui le problème de l'existence de Dieu?, Le Seuil, 1971.

Le Problème de l'âme, Le Seuil, 1971.

Les Problèmes de l'athéisme, Le Seuil, 1972.

Introduction à la théologie chrétienne, Le Seuil, 1974.

Sciences de l'Univers et problèmes métaphysiques, Le Seuil, 1976.

Saint Paul et le mystère du Christ, Le Seuil, 1978.

La Crise moderniste, Le Seuil, 1979.

Le Christ hébreu : la langue et l'âge des Evangiles, O.e.i.l., 1984.

L'Histoire de l'Univers et le sens de la création, O.e.i.l., 1985.

Apocalypse de Jean, O.e.i.l., 1985.

Evangiles de Matthieu, de Jean, de Luc, de Marc (4 livres), O.e.i.l., 1983-86.

Edward O. Wilson

La publication en 1975 de *La Sociobiologie* d'Edward Wilson marque la naissance d'une discipline qui applique biologie et théories de l'évolution à la structure sociale des organismes. Il s'agit de « l'étude systématique des fondements biologiques du comportement ». Cette intrusion de la biologie dans les sciences sociales allait relancer des débats souvent peu scientifiques sur le racisme, l'inné et l'acquis. Wilson précisera que, selon lui, le comportement est dû pour dix pour cent à la génétique, pour quatre-vingt-dix pour cent à l'environnement.

Né à Birmingham, Alabama, en 1929, Wilson manifeste très jeune un intérêt pour l'environnement naturel. Après son diplôme en zoologie à Harvard, spécialisé dans les fourmis, expert en taxinomie, il organise des expéditions dans le Pacifique et au Mexique. En 1956, il développe le concept de « déplacement de caractéristiques », processus selon lequel les différences génétiques s'accentuent lorsque deux espèces voisines entrent pour la première fois en contact. Dans les années cinquante, Wilson découvre la phéromone, substance chimique utilisée par les fourmis pour communiquer. Puis, observant la répartition des espèces sur les archipels, il formule une théorie de la biogéographie : la survie des espèces est mieux assurée par de larges groupes interconnectés que par de petits groupes isolés.

Face aux polémiques, Wilson affirme sa volonté d'effectuer un travail scientifique sans préjugés politiques. Il écrit en 1979 *L'Humaine Nature*, où il explore les prédispositions génétiques du comportement humain dans des domaines comme le sexe, l'agressivité, la religion, l'altruisme. Il obtiendra le Prix Pulitzer, ce qui, avec des débats à la télévision, contribue à le faire connaître du grand public. Depuis 1973, il est curateur du musée de zoologie de Harvard.

Œuvres traduites :

L'Humaine Nature, Stock, 1986.
La Sociobiologie, Editions du Rocher, 1987.
Non traduites :
The Theory of Island Biogeography, Princeton U. Press, 1967.
The Insect Society, Harvard U. Press, 1971.
The Primer of Population, Sinauer, 1971.

Zhao Fusan

Zhao Fusan est né en 1926 à Shanghai, dans une famille protestante où l'on est pasteur depuis trois générations. Il fait des études d'économie politique, de théologie et de philosophie, et participe au mouvement des Jeunesses chrétiennes. A partir de 1953, il est doyen des études au collège de théologie Yenching, à Pékin. En 1961, il est membre du Comité national du Mouvement des Eglises protestantes de Chine, dont il devient vice-président en 1964.

Intervient la Révolution culturelle. Il est, comme tous les intellectuels, envoyé à la campagne pour être rééduqué, séparé de sa famille, qui restera sans nouvelles de lui jusqu'en 1971. Il passe près de six ans dans la province du Xuenan, travaillant tour à tour dans les champs, à la cantine, dans divers ateliers de travaux manuels, et suivant des stages de « rééducation ».

Il peut revenir à Pékin en 1975, et il apparaît en 1979 tout à fait officiellement comme directeur adjoint de l'Institut des religions mondiales au sein de l'Académie des sciences sociales de Chine. Il peut dès 1979 circuler hors de Chine : il est invité aux Etats-Unis, au Nigeria, au Japon, en Belgique, en Italie. Il est vice-président de la commission chinoise de l'Unesco. Depuis 1982, il est associé au conseil du Centre d'étude des religions de l'Université de Harvard. En 1983, il est élu à nouveau vice-président du Mouvement protestant national, et, en 1985, il devient vice-président de l'Académie des sciences sociales.

Zhao Fusan a publié en Chine, sous un nom d'emprunt,

des essais sur l'histoire des religions et les rapports entre politique et religion. Plus récemment, il a publié un dictionnaire des religions (1983), et plusieurs réflexions sur la civilisation chinoise et le développement culturel récent.

Après la répression des manifestations étudiantes de juin 1989, Zhao Fusan a décidé de s'exiler en France.

Lire en anglais :

« Social Science and China's Modernization », *International Journal of Social Sciences*, Unesco, Paris, 1982.

Remerciements

L'enquête à l'origine de cet ouvrage a été menée grâce au soutien du *Figaro Magazine*. Michelle Gaillard a contribué à la mise au point des annexes. France de Malval a dactylographié le manuscrit.

G.S.

Table

443

IV. – LA CULTURE RELATIVE

V. – LA LIBERTÉ SOUS CAUTION

VI. – LA GUERRE INACHEVÉE

VII. – L'ESPRIT DE RÉSISTANCE

VIII. – LA SOLUTION LIBÉRALE

IX. – UNE NOUVELLE RICHESSE
DES NATIONS

X. – LE RETOUR DE L'HOMME RELIGIEUX

XI. – DES VÉRITÉS ÉTERNELLES

Dans Le Livre de Poche

Extraits du catalogue

Le LIVRE de POCHE

Biblio/essais

IMPRIMÉ EN FRANCE PAR BRODARD ET TAUPIN
Usine de La Flèche (Sarthe).
LIBRAIRIE GÉNÉRALE FRANÇAISE - 6, rue Pierre-Sarrazin - 75006 Paris.

ISBN : 2 - 253 - 05673 - 1   30/6962/2